HEILIGE PRACHT

HEILIGE PRACHT

DIE SCHÖNSTEN BIBELN DES MITTELALTERS

SCOT McKENDRICK KATHLEEN DOYLE

»Heilige Pracht« bringt die mittelalterliche Kunst zum Leuchten. Dieser großartig illustrierte Band stellt eine repräsentative Auswahl der bedeutendsten Bibelhandschriften vor. Sie stammen aus der gesamten christlichen Welt. Darunter sind Kostbarkeiten wie die Wormser Bibel, der Lothar Psalter oder die Silos Apokalypse. Entstehung, Bedeutung und Besonderheit der kunstvollen Codices werden fachkundig erläutert.

SCOT McKENDRICK ist Leiter der »Head of Western Heritage Collections« an der British Library.

KATHLEEN DOYLE ist verantwortliche Kuratorin für illuminierte Handschriften an der British Library.

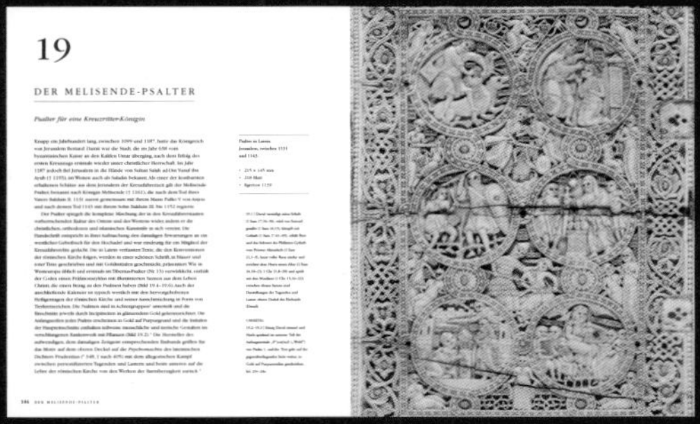

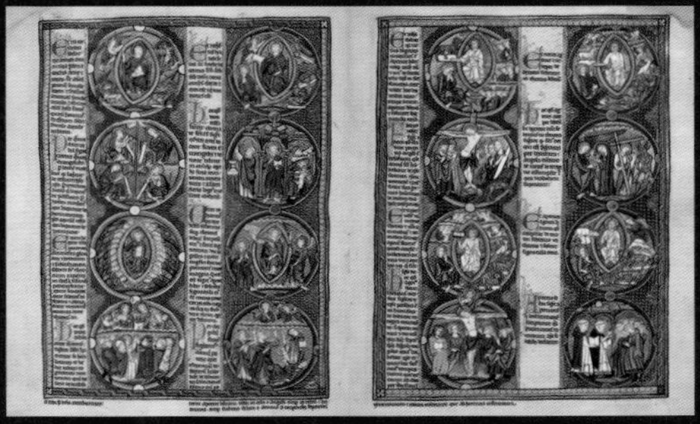

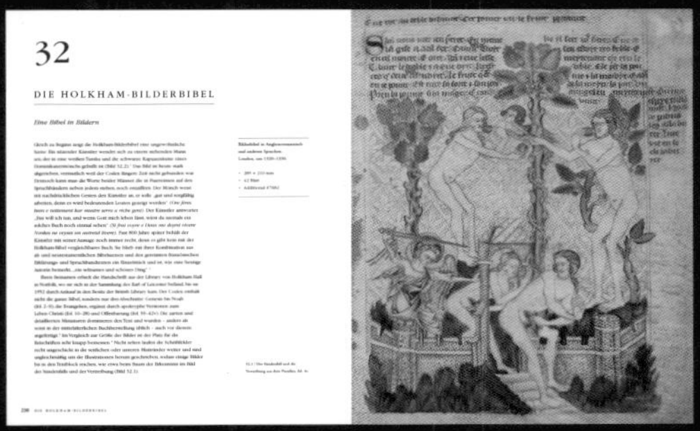

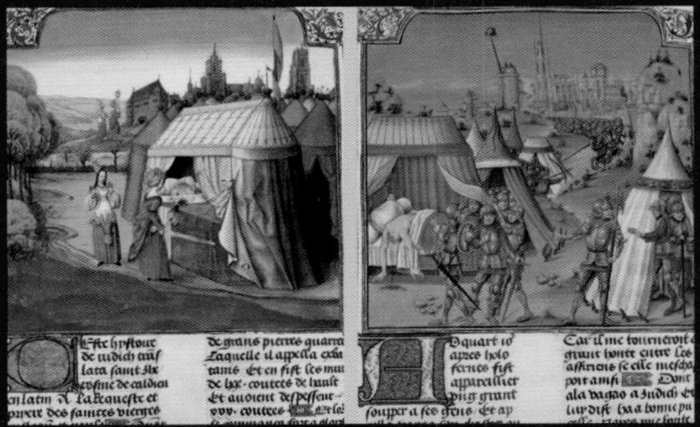

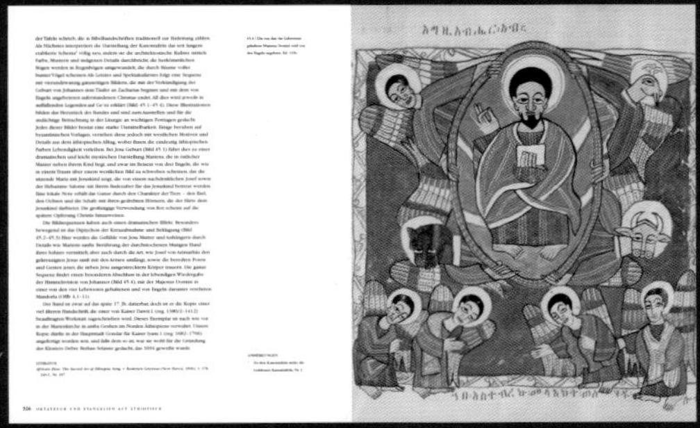

www.theiss.de
ISBN 978-3-8062-3617-0

THEISS

HEILIGE PRACHT

DIE SCHÖNSTEN BIBELN DES MITTELALTERS

SCOT McKENDRICK KATHLEEN DOYLE

Aus dem Englischen von
Hanne Henninger

THEISS

Für unsere Eltern,
James und June McKendrick
Patrick und Shirley Doyle

HINWEISE FÜR DEN LESER

Die in der Beschreibung jeder Handschrift angegebenen Maße beziehen sich auf die reine Seitengröße (Höhe × Breite), nicht auf die Bindung, und werden auf die nächsten 5 Millimeter auf- oder abgerundet.

Jedem Beitrag ist eine kleine Auswahl an Literatur zu diesem Thema beigefügt und auf Seite 331 findet sich eine kurze Liste mit weiterführender Literatur.

In den Beschreibungen werden die Geburts- und Sterbedaten der erwähnten Personen soweit bekannt angegeben. Die Abkürzung „reg." vor den Jahreszahlen bei Herrschern, Päpsten oder Äbten gibt an, dass es sich um die entsprechende Regierungs- , Pontifikats- oder Abbatiatszeit handelt.
Bibelstellen sind in der Regel nach der für alle deutschsprachigen Bistümer gültigen Einheitsübersetzung (EU) oder der 2017 revidierten Lutherbibel (LUT) zitiert und stimmen mit der lateinischen Vulgata Clementina (VUL) überein.

Abkürzungen:

fol.	folio
r	recto
v	verso
BAV	Vatikanstadt, Biblioteca Apostolica Vaticana
BnF	Paris, Bibliothèque nationale de France
KB	Den Haag, Koninklijke Bibliotheek
KBR	Brüssel, Koninklijke Bibliotheek van België
Morgan	New York, Morgan Library and Museum
ÖNB	Wien, Österreichische Nationalbibliothek
PG	*Patrologia Graeca*, hg. von J.-P. Migne, 166 Bde. (Paris, 1857–1866).
PL	*Patrologia Latina*, hg. von J.-P. Migne, 221 Bde. (Paris, 1844–1865).

S. 2: Gott erschafft die Tiere, in der *Bible historiale* Edwards IV., Nr. 42 (Begleitband), Royal 18 D. ix, fol. 5 (Detail).

S. 5: Die Geburt Jesu, aus dem Egerton-Evangelistar, Nr. 17, fol. 1v.

INHALT

DIE BIBELN

TAUSEND JAHRE KUNST UND SCHÖNHEIT

Zweitausend Jahre lang hat die Bibel die Kunst inspiriert. Auf der Grundlage der Heiligen Schrift entstanden einige der schönsten Kunstwerke der Menschheit. Wegen ihrer zentralen Bedeutung für die Christen sorgte sie unablässig für inspirierte Werke der besten Künstler ihrer Zeit. Die meisten Kirchen und Ordenshäuser spiegeln diese lange Tradition wider, indem sie ohne Unterlass die Kunst förderten. Auf der ganzen Welt besitzen Museen und Kunstgalerien unzählige Gemälde, Skulpturen, Textilien und Metallarbeiten zu Themen aus der christlichen Bibel.

Im Rahmen dieses Erbes sind die illuminierten Handschriften, die zumeist in Forschungsbibliotheken aufbewahrt werden, hervorragende Zeugnisse für unser Verständnis der christlichen Malerei und künstlerischen Interpretation der Bibel seit ältester Zeit. Durch sie können wir abschätzen, welch hoher Stellenwert dieser Kunst beigemessen wurde. Nur unter Aufwendung beträchtlicher Ressourcen – Stunden harter Arbeit sowie die Investition hoher Geldsummen – waren solche Werke möglich. All diese Schriften wurden von Hand erstellt (lat. *manu scriptus* – „von Hand geschrieben") und an jeder Illustration arbeitete eine überaus gut ausgebildete Person, oder gar mehrere, viele Tage oder Wochen lang. Jede war mit enorm viel Zeit und Material verbunden. Kein Wunder also, dass der ideelle Wert illuminierter Handschriften oft in ihrer Zeit den materiellen weit überstieg und sie als Geschenke für Könige oder Heilige galten. Ebenso ist es kein Wunder, dass so viele von späteren Generationen in Ehren gehalten wurden und bis heute erhalten sind.

Dieses Buch stellt wunderschöne Bibeln aus dem Schatz der British Library vor. Mit seinen vielen Illustrationen möchte es den Leser in die Welt der illuminierten Bibelhandschriften locken. Die Bilder führen uns durch 1000 Jahre, wobei der Schwerpunkt auf dem Mittelalter liegt; wir lernen aber auch Manuskripte aus einigen Traditionen bis in die frühe Neuzeit kennen. Geographisch gesehen besuchen wir viele Zentren der christlichen Welt. Von Konstantinopel im Osten führt die Reise nach Lindisfarne im Norden Englands, ins kaiserliche Aachen, nach Canterbury und danach ins karolingische Tours. Dann sehen wir Schätze aus Winchester, Spanien, Jerusalem, dem Moseltal, Nordirak, aus Paris, London, Bologna, Neapel, Bulgarien, den Niederlanden, Rom und Persien. Unsere Reise endet in Gondar, der Hauptstadt des Kaiserreichs Äthiopien. Fünfundvierzig bemerkenswerte Bücher leiten uns durch

Abb. 1 | Salomo bei der Unterweisung, am Anfang der Sprichwörter in der *Bible historiale* Karls von Frankreich, Nr. 40, Additional 18857, fol. 1 (Detail).

Zeit und Raum in einer besonderen Vielfalt und Kontinuität. Sie alle führen uns die außerordentliche Kunst und Schönheit der illuminierten Bibelhandschriften vor Augen.

DIE CHRISTLICHE BIBEL

Die christliche Bibel hat eine lange und vielschichtige Entwicklung hinter sich. Der Begriff Bibel ist vom griechischen *βιβλία* (Bücher) abgeleitet, das wiederum vom griechischen Wort für Papyrus (*βύβλος* oder *βίβλος*) abstammt. (In der Antike bildete Papyrus das Hauptmaterial für die Herstellung von Büchern.) Wie ihr griechischer Name verrät, besteht die christliche Bibel aus zahlreichen Büchern und enthält in ihrem ersten Teil, dem Alten Testament (vom lat. *testamentum* im Sinne von „Verheißung" oder „Bund"), eine große Anzahl jüdischer Schriften sowie in ihrem zweiten Teil oder Neuen Testament einen kleineren Korpus christlicher Texte. Die Kirche betrachtet beide Testamente als von Gott inspiriert, vertritt aber auch die Lehrmeinung, dass sich im Neuen das Alte Testament erfüllt.

Die frühen Christen übernahmen eine griechische Version der jüdischen Bibel, die für die Juden in Ägypten und anderen griechischsprachigen Gebieten gedacht war, die mit dem Hebräischen nicht so vertraut waren. Unter dem Namen Septuaginta (vom lat. „siebzig") wird diese Übersetzung traditionell rund 70 Gelehrten zugeschrieben, die in Alexandria für Ptolemäus II. Philadelphus (308–246 v. Chr.) tätig waren. Die Septuaginta birgt in ihrem Kern die drei entscheidenden Teile des jüdischen Tanach. Der erste (die Thora) wird Moses zugeschrieben und umfasst die fünf Bücher Genesis bis Deuteronomium. Der zweite besteht aus den 21 Büchern der Propheten *(Nevi'im)*, darunter die zwölf kleinen Propheten. Der dritte Teil, die Schriften *(Ketuvim)*, beinhaltet 13 Bücher: Psalmen, Sprichwörter, Hiob, Hoheslied, Ruth, Klagelieder, Prediger, Esther, Daniel, Esra, Nehemiah sowie 1 und 2 Chroniken. Die Form dieser 39 Bücher bildete sich im Laufe von fast 1000 Jahren heraus. Die Septuaginta umfasst auch Texte, die nicht im Kanon der jüdischen Bibel enthalten sind, vor allem Tobit, Judith, Weisheit Salomos, Sirach, Baruch sowie 1 und 2 Makkabäer. Diese Bücher wurden von den frühen Christen akzeptiert, die den Kanon nicht nach der hebräischen Version der jüdischen Bibel erstellten, sondern nach der griechischen. Zwar hat der heilige Hieronymus sie vom Kanon ausgenommen und als Apokryphen (von *ἀπόκρυφος*: „verborgen") festgelegt, dennoch sind diese Bücher Teil der römisch-katholischen wie der orthodoxen Bibel. Da die Reformatoren im 16. Jh. Kopien des jüdischen Kanons in Hebräisch als Basis für ihre Übersetzung wählten, gehören ebendiese Texte entweder nicht zu den protestantischen Bibeln oder sind ihnen separat als apokryphe oder deuterokanonische Bücher (griech. *δεύτερος*: „zweiter Kanon") beigegeben.

Der Kanon des Neuen Testaments der Christen bildete sich in viel kürzerer Zeit heraus als die jüdische Bibel, beinhaltet aber ebenfalls mehrere spezielle Texte. Das Herzstück des Neuen Testaments sind die vier Evangelien, die das Leben Jesu erzählen. Das lateinische *evangelium* beruht auf dem griechische *εὐαγγέλιον* („gute Nachricht") und aus ihm entstand die Bezeichnung für die Verfasser dieser Texte als Evangelisten. Zu Anfang waren viele Berichte des Evangeliums im Umlauf und einige, wie das Nikodemusevangelium (siehe die Große Bibel der englischen Könige, Nr. 39), waren auch im Mittelalter noch populär. Doch die vier Evangelien von Matthäus, Markus, Lukas und Johannes wurden schon seit früher Zeit weithin als die einzig maßgeblichen akzeptiert. Diese Bücher beinhalten Augenzeugenberichte über das Leben, die Lehren, den Tod und die Wiederauferstehung

Abb. 2 | Verzierte Buchstaben am Anfang des Hieronymus-Briefes *Novum opus* im Evangeliar von Lindisfarne, Nr. 2, fol. 3.

incipit prologus. x. canonum

NOVUM OPUS FACERE ME COGIS EX UETERI UT POST EXEMPLARIA SCRIB

turarum toto orbe dispersa quasi quidam arbiter

des Jesus von Nazareth und seinen Status als Christus (der „Gesalbte") oder Messias, wie ihn das Alte Testament prophezeit. Die anderen 23 Bücher sind die Apostelgeschichte, in der Lukas das Leben der Kirche unmittelbar nach Christi Himmelfahrt erzählt, die Briefe an frühe christliche Gemeinden oder Personen vom Apostel Paulus und anderen ersten Wegbereitern (die katholischen und Paulus-Briefe)[1] sowie eine Apokalypse oder Offenbarung, die traditionell dem Apostel Johannes zugeschrieben wird. Obwohl das Kernstück des neutestamentlichen Kanons, die vier Evangelien sowie die Paulus-Briefe, Mitte des 2. Jhs. etabliert waren, wurde der vollständige Kanon aus 27 Büchern erst im 4. Jh. bestätigt. Bis dahin waren einige Bücher, wie die Hebräer und die Offenbarung, strittig und wurden andere, die schließlich ausgeschlossen wurden, etwa der Barnabas-Brief und der Hirte des Hermas, von manchen Christen als maßgeblich betrachtet. Da das Neue Testament der Bekehrung von Nichtchristen diente und der vorherrschenden Schriftkultur folgen sollte, die im nach den Eroberungen Alexanders des Großen östlichen Mittelmeerraum herrschte, wurden all seine Bücher in Griechisch abgefasst.

Bis zum 4. und 5. Jh. hatte sich die Sprache der Bibel gewandelt. Als der christliche Glaube sich in weiteren Regionen und Staaten ausbreitete, wurde die Heilige Schrift in andere Sprachen übersetzt, beginnend mit jenen der ersten Konvertiten. Von den Bibelwissenschaftlern „Versionen" genannt und als bedeutende Zeugnisse für die frühesten Formen des Bibeltexts anerkannt, umfassen diese Übertragungen ins Koptische, Syrische, Armenische, Georgische und Äthiopische. Durch die Arbeit der syrischen Missionare wurden ebensolche Übersetzungen weithin bis nach Persien, Arabien, Indien und Mittelasien verbreitet. Die syrische Übertragung bildete in jenen Gebieten die Basis für erste Versionen in anderen Sprachen wie dem Armenischen. Das syrische Lektionar vom Anfang des 13. Jhs., die armenischen Evangelien vom Beginn des 17. Jhs. sowie der Oktateuch und die Evangelien in Äthiopisch aus dem späten 17. Jh. hier (Nr. 25, 44 und 45) belegen den viele Jahrhunderte währenden Gebrauch dieser Versionen. In ihnen gibt es zudem noch Bücher wie den 3. Korinther-Brief, den der Gregormeister († 332) anführt und der auch in späteren Kopien des Neuen Testaments in Armenisch steht.

Im Westen kam es gleichfalls zu wichtigen Änderungen. Am Ende des 2. Jhs. waren Übersetzungen in Latein, heute „Altlatein" *(Vetus Latina)* genannt, in Gallien wie in Nordafrika in Umlauf. Für die Zukunft viel wichtiger war, dass der frühchristliche Gelehrte Hieronymus, mit ausdrücklicher Billigung des Papstes, die komplette Bibel ins Lateinische zu übersetzen begann, das damals die verbreitetste Sprache im Westen war. Hieronymus, der dafür hebräische und griechische Texte, aber auch Versionen in Altlatein heranzog, saß die Hälfte seines Lebens an diesen Übertragungen, zunächst in Rom und dann in Bethlehem, und dürfte dennoch beim Neuen Testament nicht über die Evangelien hinaus gekommen sein. (Der Anfang seines Briefs *Novum opus* an Papst Damasus († 384), der den Auftrag zu den Übersetzungen gab, erscheint am Beginn des Evangeliars von Lindisfarne (Nr. 2; Abb. 2). Auch übersetzte er einige Bücher des Alten Testaments nicht, da er sie für apokryph hielt. Sein Erbe für die Kirche war jedoch entscheidend. Die Versionen in Altlatein wurden mehrere Jahrhunderte lang benutzt, etwa in Handschriften wie der Silos-Apokalypse (spätes 11. Jh.; Nr. 15). Manche Manuskripte enthielten Texte, die Altlatein mit der Hieronymus-Übersetzung verbanden. Auch sein Ausschluss von apokryphen Büchern wurde revidiert, und als Lücken empfundene Stellen wurden

ANMERKUNGEN

1 Die sieben katholischen Briefe bestehen aus Jakobus, 1. und 2. Petrus, 1. bis 3. Johannes sowie Judas; die Paulus-Briefe sind Römer, 1. und 2. Korinther, Galater, Epheser, Philipper, Kolosser, 1. und 2. Thessalonicher, 1. und 2. Timotheus, Titus, Philemon sowie Hebräer.

mit altlateinischen Versionen gefüllt. Und der ganze Text musste mehrfach korrigiert werden – zum Beispiel durch Alkuin von York für Karl den Großen (siehe die Moutier-Grandval-Bibel, Nr. 6). Doch die Vulgata des Hieronymus war dennoch 2000 Jahre lang die einzig gültige Basis für die christliche Bibel in Westeuropa.

In dieser Zeit wurde die Bibel nur nach der Vulgata in Volkssprachen des Westens übersetzt. Doch keine dieser Handschriften war so maßgeblich wie ihre Vorlage. Genau wie die altenglischen Interlinearglossen im Evangeliar von Lindisfarne, Vespasian- und Tiberius-Psalter (Nr. 2, 3 und 13) reine Glossen zum Latein darstellen, so wurden erweiterte spätere Versionen in anderen Sprachen nicht als die Bibel selbst, sondern als Hilfsmittel für deren Verständnis angesehen; Beispiele dafür sind hier der altenglische Hexateuch, die Bilderbibel von Padua *(Bibbia istoriata)* in Italien, Psalter, Apokalypse, Bilderbibel und *Bibles historiales* in Französisch und der Utrechter Psalter auf Niederländisch (Nr. 11, 37, 20, 31, 32, 36, 40, 42, und 41). Erst die Reformation brachte im Westen neue verbindliche Übersetzungen der kompletten Bibel auf der Grundlage der originalen hebräischen und griechischen Texte. Ironischerweise beruhten diese Übertragungen auf qualitativ schlechteren Vorlagen als jenen, die Hieronymus benutzte – etwa für die Kompilation der Psalmen aus drei Versionen.[2] Erst in relativ neuerer Zeit stützten sich die Übersetzungen auf frühere Handschriften.

HANDSCHRIFTEN DER CHRISTLICHEN BIBEL

Handgeschriebene Kopien von Teilen dessen, was wir das Neue Testament nennen, waren unter den Gläubigen offenbar ab dem späten 1. Jh. in Umlauf. Inhaltlich beruhten sie auf den Apostolischen Briefen des hl. Paulus an bestimmte frühchristliche Gemeinden und auf Geschichten über Leben und Lehre Jesu, die mündlich tradiert, von den Frühchristen auswendig gelernt und von den Evangelisten niedergeschrieben wurden. In ihrem Format waren es recht einfache Kopien, ungefähr so groß wie heutige Taschenbücher; zumeist enthielten sie einzelne Bücher der Bibel und nur ab und an kleine Buchgruppen wie die vier Evangelien. Sie verwendeten zwar Papyrus als Schreibmaterial, wie es typisch für griechisch-römische Bücher war, jedoch waren sie auch einzigartig insofern, als sie an Stelle der Schriftrolle das Format des Codex wählten. In dieser Hinsicht hatten sie teil an einem wichtigen Übergang in der Geschichte des Buches, als das herkömmliche Format der Rolle, die alle Schriftkulturen im Mittelmeerraum jahrtausendelang benutzten, durch das Buch ersetzt wurde. Obwohl das Scrollen am PC im Grunde die Schriftrolle zurückgebracht hat, lesen wir doch weiterhin Texte überwiegend in Form eines Buches.

Der Siegesmarsch dieses Formats wird am deutlichsten am Codex Sinaiticus (Abb. 3). Ursprünglich sollte der mächtige Band das ganze Alte und Neue Testament enthalten und zweifelsfrei festlegen, welche Texte zum Kanon der Heiligen Schrift gehörten. Der Inhalt dieser Handschrift zeigte, was von der christlichen Kirche genehmigt war, die Kaiser Konstantin der Große in der ersten Hälfte des 4. Jhs zur offiziellen Religion erhoben hatte. Nach so langer Zeit der Verfolgung durch die römischen Behörden und der Bedrohungen durch interne Schismen hatten die Christen endlich ein einziges Buch der Heiligen Schrift. Mit diesem wichtigen Schritt in der Geschichte der Bibel musste sich auch die Herstellung von Büchern weiterentwickeln. Papyrus wurde durch festeres Pergament ersetzt und die Bindung wurde komplexer

ANMERKUNGEN

[2] Zu den Versionen von Hieronymus siehe den Vespasian-Psalter, Nr. 3, den Lothar-Psalter, Nr. 7, und die Arnsteinbibel, Nr. 23.

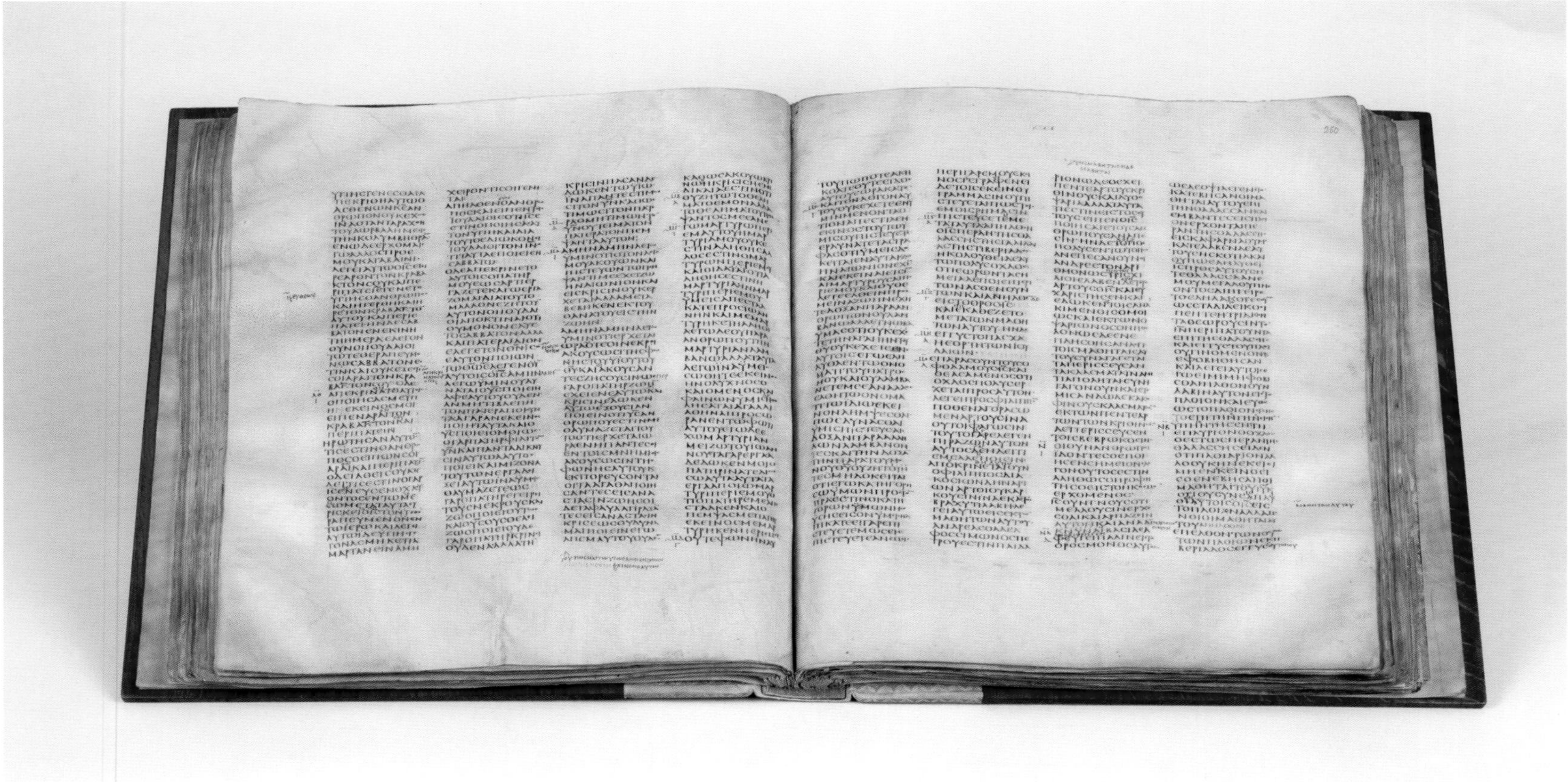

und robuster. Durch diese Fortschritte konnte der Kanon in weiteren Revisionen in den folgenden Jahrhunderten Gültigkeit erlangen.

Der Umstieg auf Pergament hatte wichtige Konsequenzen für das Erscheinungsbild der Bibelhandschriften. Das aus Tierhaut hergestellte Pergament bietet eine viel glattere Oberfläche zum Schreiben und Auftragen von Pigmenten. Das Pergament erlaubte zudem eine sorgfältige Gestaltung der Textseiten, eine feine Kalligraphie und bessere Verständlichkeit des Texts und somit eine stärker formelle Präsentation der Bibel als zuvor. Ein spitzer Punkt markierte die Stellen, wo Linien gezogen werden sollten, entweder mit dem Griffel (ohne Tinte) oder mit Graphit, Blei oder Tinte. Der Text wurde dann mit schräg angeschnittenen Kielen aus Gänse-, Schwanen- oder anderen Vogelfedern geschrieben. Die Schreiber kratzten Fehler auf dem Pergament mit dem Messer ab. Die Tinte bestand aus Ruß, Eisensalzen oder Gerbsäure aus Eichengalle (Schwellung an Eichenstämmen rund um die Eier der Gallwespe), vermischt mit Gummi arabicum und Wasser. Die praktischen Aspekte sieht man vor allem in zahlreichen Porträts der Evangelisten hier in diesem Band, von dem des Matthäus im Evangeliar von Lindisfarne (Bild 2.1) bis zu denen von Markus und Johannes im Evangeliar von Kardinal Francesco Gonzaga (Bild 43,1-43.2).

Die großformatige Bibel in einem oder mehreren Bänden, wie der Codex Sinaiticus und einige andere, hier beschriebene Exemplare war allerdings in der Ära der Handschriften nicht die häufigste Form. Im Laufe dieser 1500 Jahre allgemein üblich waren lediglich Auszüge der Heiligen Schrift. Das mag dem heutigen Besitzer einer Bibel sonderbar vorkommen. Doch die Häufigkeit ihres Gebrauchs war in der Zeit vor dem Buchdruck wesentlich wichtiger für die Festlegung, welche Bücher hergestellt wurden, da jedes penibel von Hand kopierte Wort beträchtliche Mühe und Kosten verursachte. Der Preis, den

Abb. 3 | Das früheste, noch erhaltene Neue Testament mit dem griechischen Text in vier Spalten auf jeder Seite (Joh 5-6). Codex Sinaiticus, Ägypten oder Palästina?, 4. Jahrhundert, Additional 43725, fol. 249v-250.

König Edward IV. für die um 1479 für ihn erstellten Handschriften (Nr. 42) bezahlte, war gewiss so hoch, dass sich dies nur die reichsten Angehörigen des Adels oder der städtischen Elite leisten konnten. Nach einer neueren Berechnung würden Übersetzung, Illumination und Einband dieser Werke den Gegenwert von nahezu zwei Jahreslöhnen eines Handwerkers verschlingen. Zahlreiche Schreiber haben lebhafte Zeugnisse dazu hinterlassen, was es sie kostete, eine Handschrift herzustellen. In der Silo-Apokalypse vom Ende des 11. Jhs. lesen wir zum Beispiel:

> Mein Buch ist beendet ... Die Arbeit des Schreibers ist Erholung für den Leser. Jener erschöpft sich körperlich, dieser gewinnt geistig. Wer also dabei gewinnt, möge auch meiner Arbeit gedenken ... Der, der nicht weiß zu schreiben, glaubt nicht, dass dies eine Arbeit sei. O wie schwer ist das Schreiben: es trübt die Augen, quetscht die Nieren und quält alle Glieder ... Wie lieb dem Seemann der Hafen ist, so dem Schreiber die letzte Zeile. Das Ende. Gott sei ewiger Dank.

Das Prinzip, Bibelhandschriften entsprechend ihres wahrscheinlichen Gebrauchs anzufertigen, resultierte in Tausenden Kopien der am meisten genutzten Texte. Am häufigsten waren es die vier Evangelien, entweder in ihrer genauen Reihenfolge oder in Form von Auszügen für die Lesungen im Kirchenjahr, sodass sie ein Lektionar bildeten. (Mehr als 2000 Kopien allein der griechischen Evangelien sind noch erhalten.) Die vier Evangelien wurden auch zu einer einzigen Erzählung in den sogenannten Evangelienharmonien zusammengestellt. Obwohl im 2. Jh. als Häresie unterdrückt, waren diese Versionen das ganze Mittelalter hindurch in Umlauf und blieben in Exemplaren wie der *Bible historiale* Edwards IV. (Nr. 42) erhalten. Besonders zahlreich waren auch die Psalter, oder Abschriften der Psalmen, die gemäß der täglichen Klosterliturgie eingeteilt wurden. Nicht weniger als neun Exemplare sehen wir im vorliegenden Buch, vom Vespasian-Psalter (Nr. 3) aus dem 8. Jh. bis zum St-Omer-Psalter (Nr. 33) aus dem 14. Jh. Das Buch der Offenbarung oder die Apokalypse erschien ebenfalls in Einzelbänden sowie kombiniert mit anderen biblischen oder nicht-biblischen Texten. Von den rund 300 noch vorhandenen griechischen Kopien der Offenbarung stehen 40 in ansonsten nicht-biblischen Kompilationen. In der Silos-Apokalypse aus dem 11. Jh. (Nr. 15) wurde die Offenbarung zusammen mit dem Buch Daniel ausgeführt; in der Welles-Apokalypse aus dem 14. Jh. (Nr. 31) steht sie neben einer religiösen Abhandlung. Wie in diesen beiden Bänden und einer Apokalypse aus dem 13. Jh. (Nr. 27) wurde die Offenbarung im Westen am häufigsten zusammen mit einem erklärenden Kommentar in einem Band kopiert, so sie nicht mit den anderen Texten der Vulgata abgeschrieben wurde. Die meisten noch erhaltenen griechischen Abschriften der Offenbarung beinhalten oder verweisen auf einen Kommentar. Tatsächlich besaßen im Westen viele Kopien eines einzelnen Buches oder von Buchgruppen der Bibel, wie die Psalmen, Evangelien oder Paulus-Briefe, auch Kommentare. Zwei der häufigsten sind die *Glossa Ordinaria* und die *Magna Glossatura* (Abb. 4), doch deren Abschriften sind selten, wenn überhaupt, so reich illuminiert wie die hier vorgestellten Bücher.

Andere Handschriften umfassen kleine Textgruppen wie die ersten fünf, sechs oder acht Bücher des Alten Testaments, die heutige Forscher als Pentateuch, Hexateuch oder Oktateuch bezeichnen, nach der entsprechenden Zahl in Griechisch gefolgt von *τεῦχος* („Band"). Hier im Buch reichen

fortunati et achaici. i.
quia presentes apud vos fuerunt hii nobis est perfect-
um subditum. quoniam ipsi
suppleverunt. Id est dedo.
id quod vobis deerat. et mul-
to gaudio. Refecerunt
enim et meum spiritum et
vestrum. Meum utique le-
titia: vestrum caritate. Et ita
Gaudeo. in presentia Stephane et f. et a.
i. quia in venerunt pro-
pter ministrarent mihi quod non
fecistis et vestro. Gau-
deo. et e. s. m. quia s. patrem. et vestrum. quibus apostolum suaverunt. Cognos-
cite ergo. i. ignorate illos. quia sunt eiusmodi. Salutant vos ecclesie asie.
qui quod ego scio omnes desi-
derant. Salutant vos
multum in domino. Aquila
et Prisca. apud quos scilicet hospitor. e. d. s. e. i. fratrum
congregatione. apud quos et
hos. salu. u. f. o. Sa-
lutate. in signum pacis
et hi in os. s. s. vo corde.
et ut sciant eius hanc esse
epistolam: subdit. Sa-
lutatio mea. scripta
est manu. p. hec salutatio
est. ubi. gratia domini. sed pro-
mittit similibus in ma-
nu sua scriptum hec. Si
quis. et c. qui fideles salu-
to. sed siquis non amat
dominum nostrum ihesum Christum
sit anathema. i. se-
paratus a deo. et condempna-
tus maranata. i. do-
non veniat. dominus scilicet in
adventu domini. Mara-
nata enim interpretatur.
dominus venit. et est composi-
tum ex siro et greco.
magis syrum est quam hebre-
um. Anathema vero gre-
cum: interpretatur condempna-
tio et separatio. similiter ergo
greco et siro inter utro.
deinde sequitur salutatio.
Gratia d. n. ihesu Christi. sit
vobiscum et caritas mea

tie achaie. et in minis-
terium sanctorum ordinaverunt
se ipsos. ut et vos sub-
diti sitis eiusmodi et omni
cooperanti et laboranti.
Gaudeo autem in presentia Stephane et Fortunati
et Achaici. quoniam id quod
vobis deerat ipsi sup-
pleverunt. Refecerunt
enim et meum spiritum et
vestrum. Cognoscite ergo
qui eiusmodi sunt. Salutant
vos ecclesie Asie. Salutant
vos in domino multum Aquila et Prisca cum domesti-
ca sua ecclesia apud quos et
hospitor. Salutant
vos omnes fratres. Saluta-
te vos invicem in osculo
sancto. Salutatio mea
manu Pauli. Si quis
non amat dominum nostrum
Ihesum Christum: sit anathema. Gratia domini nostri
Ihesu Christi vobiscum. Caritas
mea cum omnibus vobis in Christo
Ihesu amen.

sit cum omnibus vobis. i. ea caritas qua invicem diligi-
te. quam vos ego in domino di-
ligo. et hoc facite. in Christo
Ihesu. non secundum amorem seculi.
amen. hic sermo confirma-
tio est benedictionis.

ostendat. penitentiam consolatio-
nem scribit eis
attende prius et collaudans hor-
tatur ad meliora. Confortatos quidem
eos. sed emendatos ostendens.

Paulus apostolus Ihesu Christi per voluntatem dei et Timotheus frater ecclesie dei que est Corinthi cum omnibus sanctis qui sunt in universa Achaia. Gratia vobis et pax a deo patre nostro et domino Ihesu Christo.

Paulus et c. Hanc epistolam scribit apostolus corinthiis quia quidam per cedentem epistolam et si primo contristati, parati tamen emendati fuerant et multa pro nomine Christi passi. Aliqui vero eorum adhuc pertinaciter apostolum despiciebant: et ei pseudo apostolos preferebant. Ostendit ergo quod corinthiorum per primam epistolam correptis ea velit quod scribit hanc epistolam secundam. Repellens pseudo apostolos ostendendo deceptionem predicationis eorum et se mitis magis commendans. Notat et illos in elemosinis pauperes. precipit quod correctum fornicatorem recipi, quem sathane tradiderat. et quia in tribulationibus tribulabatur se eis in exemplum patientie proponit. docens eos non debere egre ferre, quod ipse pro salute eorum periclitetur cotidie et morti subiaceat. Est igitur intentio eius in hac epistola incorrectos corrigere et correctos ad utiliora provocare et pseudo cum suis commendationibus deprimere. Modus tractandi talis est. More solito salutationem premittit. deinde in bonis per gratiam collatis: gratias deo agit. Loquitur perfectis. post ad passiones tollerandas suo exemplo invitat. postea pseudo apostolos deprimendo redarguit. detegens vitia eorum et se mitis magis commendat. Tandem subdit moralem amonitionem cum tractatione benedictionis premittens a salutatione contra pseudo scribam paulum et contra eorum presumptionem apostolum se nominat dicens. Paulus apostolus Ihesu Christi. non usurpative. sed per voluntatem dei. non hominum quia non ab hominibus fuit electus et missus. Et Thimotheus frater. qui vivit cum prima epistola ad corinthios et renuntiavit apostolo omnia que fiebant apud illos.

Abb. 4 | Briefe mit auslegenden Glossen, Paulus hält eine Schriftrolle in Händen mit dem Titel seines Briefes *Ad Corinthos*, am Anfang des 2. Korinther, in: Peter Lombard, Gloss on the Pauline Epistles, Paris?, um 1200, Royal 4 E.ix, fol. 84v.

die Beispiele vom altenglischen Hexateuch aus dem 11. Jh. bis zum äthiopischen Oktateuch vom Ende des 17. Jhs. (Nr. 11 und 45). Aus der byzantinischen Tradition enthalten nicht weniger als 400 Kopien nur die Apostelgeschichte und die katholischen Briefe; genauso häufig sind Bände, damals *Praxapostoloi* genannt, mit lediglich der Apostelgeschichte und den Paulus- wie den katholischen Briefen. Lesungen aus dem Alten Testament, auch der Propheten, wurden in einem *Prophetologion*, genannten Band zusammengefasst und solche aus der Apostelgeschichte und den Briefen im *Apostolos* Im Westen wurden Lesungen aus mehreren Büchern des Neuen Testaments in einem separaten Band namens Epistolar präsentiert. Viele gelehrte Kommentare konzentrierten sich auf ausgewählte Textgruppen, etwa in der *Historia scholastica* des Petrus Comestor († 1178) und den frühesten Versionen der *Bible historiale* (Nr. 36). Und selbst wenn sie das Alte wie das Neue Testament umfassten, enthielten manche, wie in der niederländischen Utrechter Bibel aus dem 15. Jh. (Nr. 41), nur einen bestimmten Teil des Texts. Viele der sogenannten Bibeln mit umfangreicher Illumination sind in Wahrheit reine Kurzfassungen. Die Texte der *Bible moralisée* und *Biblia pauperum* zum Beispiel konzentrieren sich auf die moralisierende und typologische Auslegung der Heiligen Schrift (Nr. 26 und 38). In der Holkham-Bilderbibel und der Bilderbibel (oder *Bibbia istoriata*) aus Padua stehen nur kurze Beischriften neben den Miniaturen (Nr. 32 und 37).

Wenn wir folglich auf Handschriften mit der kompletten Heiligen Schrift stoßen, sollten wir zu verstehen versuchen, welche Gründe zu ihrer Anfertigung führten. Die einbändigen Vollbibeln oder Pandekten, die in Northumbria unter Abt Ceolfrid und in Tours unter Kaiser Karl dem Großen und seinen Nachfolgern erstellt wurden, entstanden sowohl, um die politischen Ambitionen ihrer Stifter zu fördern, als auch um den Bibeltext zu bewahren (siehe Moutier-Grandval-Bibel Nr. 6). Wer wäre bei so großen Zeugnissen hoher Kunstfertigkeit und kultureller Raffinesse nicht von ihren Machern beeindruckt? Desgleichen sind die enormen romanischen Bibeln Belege für die Macht und den Reichtum der großen Klöster, für die sie bestimmt waren, aber auch für die zentrale Bedeutung der Heiligen Schrift im Leben der Mönche (siehe Nr. 16, 21–23). Die überaus stattliche Große Bibel mit ihren mehr als 60 cm hohen Seiten aus der English Royal Library ist eine seltene Rarität und ein Zeichen für die Ambitionen und die Macht der Herzöge von Lancaster (Nr. 39).

Kleine Bibeln verlangen nach einer völlig anderen Erklärung. Die Taschenbibeln aus dem 13. Jh. kamen anscheinend speziell für das Predigen und die Missionierung durch die Ordensbrüder auf. Hierbei war ein vollständiger und transportabler Text von großem Vorteil. Wie bei heutigen Bibeln wurde dies mittels einer winzig kleinen Schrift und Seiten aus leichtem, sehr dünnem Material erreicht. Obwohl die Illustrationen darin sehr zahlreich sind, sind sie doch verhältnismäßig klein und eher das Ergebnis einer Massenproduktion. Deshalb wurde auf sie in diesem Buch verzichtet. Ihr Einfluss ist jedoch bei den größeren Bibeln aus Bologna und Neapel aus dem 13. bzw. 14. Jh. (Nr. 28 und 34) zu erkennen. Erstaunlicherweise blieb die Herstellung von vollständigen Bibeln auf Westeuropa begrenzt. Aus der oströmischen Welt haben wir zum Beispiel Nachweise für lediglich sieben komplette griechische Bibeln. Wiewohl die armenische Tradition solche Bücher in größerer Zahl herstellte, ist in der Ostkirche die Gesamtmenge ganzer Bibeln im Vergleich zu jener aus dem lateinischen Westen vernachlässigbar.

Genauso war das Gliederungssystem nach Kapiteln und Versen, das wir heute für selbstverständlich halten, zurzeit der Handschriften fast nicht in Gebrauch. Die Nummerierung von Teilen der Evangelien wurde bereits zu einer frühen Zeit eingeführt und von dem christlichen Autor Eusebius († 340) weiter verfeinert, der in seinen zehn Kanontafeln auf die Zählung zurückgriff, die Ammonius von Alexandria zugeschrieben wird. Diese Tafeln dienten dem Vergleich ähnlicher Passagen in den vier Evangelien, wie im goldenen Harley-Evangeliar (Abb. 6) zu sehen ist, in den Goldenen Kanontafeln, dem Evangeliar von Lindisfarne, der Royal Canterbury Bible und dem armenischen Evangeliar (Nr. 1 und Bild 2.4–2.5, 5.2 und 44.1). Die Psalmen wurden gleichfalls schon früh nummeriert, und in den Kopien der Apostelgeschichte und der Briefe in Griechisch (Guest-Cutts-Handschrift, Nr. 9) wurden dank eines Euthalios zugeschriebenen Editiersystems auch den Kapiteln Nummern zugewiesen. Andere Systeme für die Einteilung von Bibeltexten mit entweder Überschriften oder Zahlen wurden in einzelnen Kopien oder von manchen Kommentatoren verwendet, waren jedoch wegen der unterschiedlichen Methoden für Vergleiche nur begrenzt von Nutzen. Erst Anfang des 13. Jhs. begannen Lehrer und Studenten der Universität in Paris, das heute übliche System der Kapitelnummerierung anzuwenden (siehe Bologneser Bibel, Nr. 28). Oftmals dem Erzbischof von Canterbury Stephen Langton († 1228) zugeschrieben, blieb dieses System grundlegend bis zur Einführung der Versnummern durch Robert Estienne für seine Bibelausgabe in Französisch, die 1553 in Genf gedruckt wurde.

Wie die heutigen gedruckten Bibeln wurden die Handschriften für verschiedenste Zwecke benutzt. In der Messe wurden die vorgeschriebenen Passagen aus den Evangelien und den Briefen vom Zelebrant aus Evangeliaren, Lektionaren, Epistolarien oder, im Westen, aus den entsprechenden Teilen von Missalen vorgelesen. Für die allwöchentliche Rezitation aller Psalmen in der westlichen Liturgie, war es wichtig, den Psalter oder ein anderes Buch mit allen Psalmen, das Brevier, zur Hand zu haben. In den Klosterrefektorien in ganz Europa bestanden die vorgeschriebenen Lesungen bei den Mahlzeiten aus Texten der Heiligen Schrift, um die Spiritualität der Gemeinschaft zu fördern. Große Bände wie die modernen Pultbibeln erlaubten das einfache Vorlesen bei Zusammenkünften wie Messen, Kapitelversammlungen, Mahlzeiten und Unterricht. Kleine Abschriften, die gut auf eine Handfläche passten, waren für die private Lesung, Andacht oder das Studium und genauso für die Predigt vor anderen im offiziellen wie inoffiziellen Rahmen gedacht. Da sie transportabel waren, entstand auch eine direkte Verbindung zwischen der Person und der Kopie, und diese intime Beziehung veranlasste manchmal künftige Generationen dazu, einer bestimmten Handschrift Schutzkraft zuzuweisen, wie beim Johannesevangelium des St Cuthbert aus dem Anfang des 8. Jhs. (Abb. 5). Als das älteste Buch aus Westeuropa, dessen ursprünglicher Einband noch intakt ist, verdankt es seinen bemerkenswerten Erhaltungszustand seiner Verbindung zu dem großen frühen Heiligen aus Northumbria und seiner berichteten Entdeckung, als dessen Sarg 1104 in Durham geöffnet wurde.

Abb. 5 | Das früheste intakte europäische Buch mit seinem originalen Ledereinband, der mit einem stilisierten Ornament verziert ist. Das Evangelium des St Cuthbert, Wearmouth-Jarrow, frühes 8. Jahrhundert, Additional 89000, vorderer Buchdeckel (in tatsächlicher Größe).

DIE ILLUMINATION DER BIBEL

Mehr als 1000 Jahre lang und in der ganzen christlichen Welt haben Schreiber und Buchmaler Bibelhandschriften verschönert und illustriert. Die prachtvollsten Werke, die sie hervorbrachten, werden heute als „illuminiert" bezeichnet, wenn sie mit Gold oder Silber, gemaltem oder gezeichnetem Buchschmuck oder mit Illustrationen ausgestattet sind. Im Frühmittelalter waren die Schreiber und Buchmaler überwiegend Geistliche oder Mönche: Mehrere dieser Skriptoren, die nicht selten auch die Illuminatoren von hier vorgestellten Büchern waren, sind namentlich bekannt (Eadfrith, Nr. 2: Theodor, Nr. 14; Dominicus und Munnius, Nr. 15; und Goderannus und Ernesto, Nr. 16). Im Spätmittelalter wurde diese Arbeit generell von kommerziellen Laienschreibern und -künstlern übernommen, die vielfach in losen Verbindungen oder Partnerschaften in größeren Orten oder Städten tätig waren. Belege dafür sind bei den meisten späteren Handschriften in diesem Buch die unterschiedlichen Stile, die in ein und demselben Band oder gar derselben Miniatur nachweisbar sind. Solche künstlerischen Partnerschaften bei Handschriften kennen wir aus zahlreichen bedeutenden Zentren der Buchherstellung: London (Große Bibel, Nr. 39); Paris (die *Bible historiale* von Karl von Frankreich, Nr. 40; Rom (das Evangeliar von Kardinal

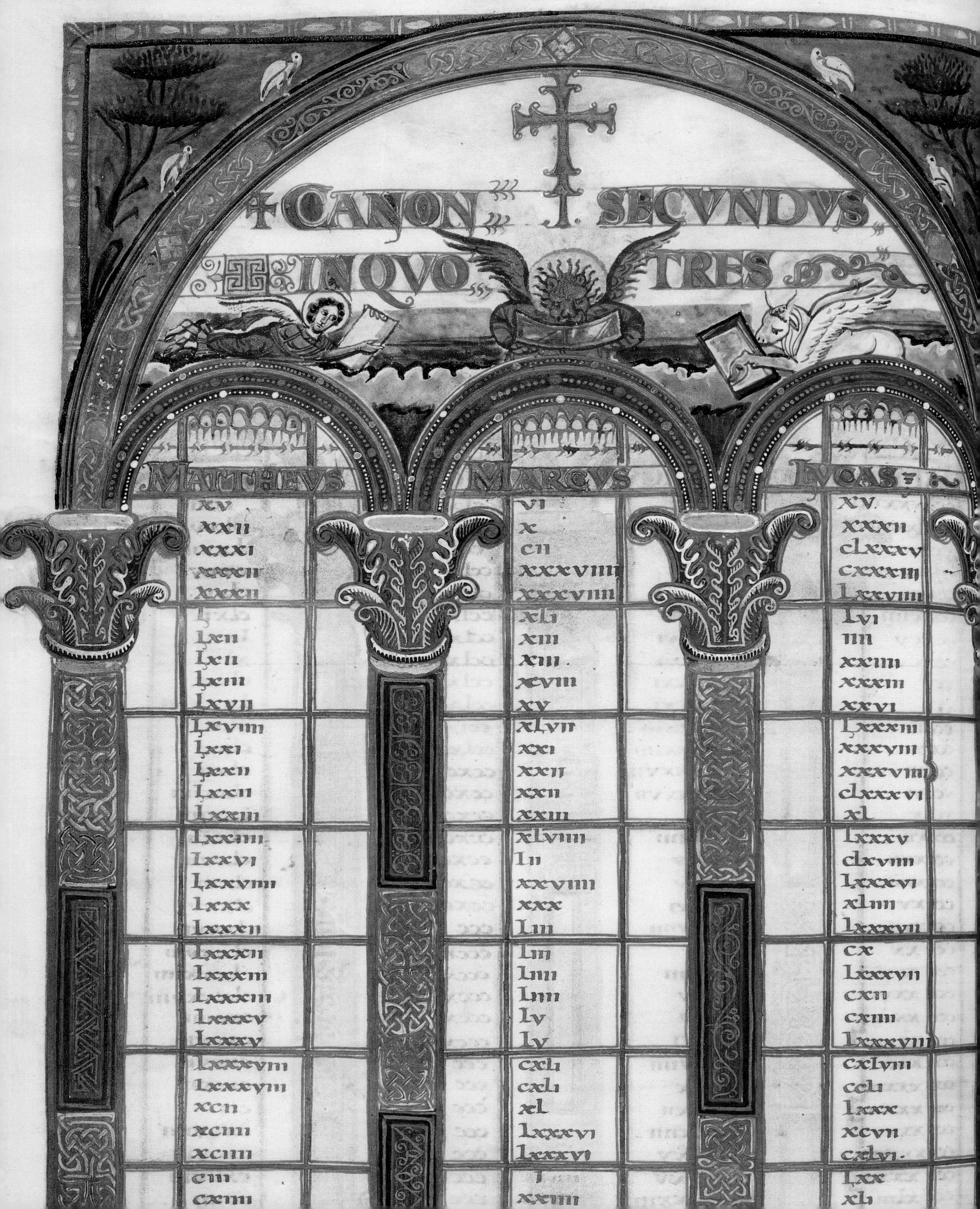

MATTHEUS	MARCUS	LUCAS
xv	vi	xv.
xxii	x	xxxii
xxxi	cii	clxxxv
xxxii	xxxviiii	cxxxiii
xxxii	xxxviiii	lxxviiii
l[illegible]	xli	lvi
lxii	xiii	iiii
lxii	xiii.	xxiiii
lxiii	xviii	xxxiii
lxvii	xv	xxvi
lxviiii	xlvii	lxxxiii
lxxi	xxi	xxxviii
lxxii	xxii	xxxviiii
lxxii	xxii	clxxxvi
lxxiii	xxiii	xl
lxxiiii	xlviiii	lxxxv
lxxvi	lii	clxviiii
lxxviiii	xxviiii	lxxxvi
lxxx	xxx	xliiii
lxxxii	liii	lxxxvii
lxxxii	liii	cx
lxxxiii	liiii	lxxxvii
lxxxiii	liiii	cxii
lxxxv	lv	cxiiii
lxxxv	lv	lxxxviii
lxxxviii	cxli	cxlviii
lxxxviii	cxli	ccli
xcii	xl	lxxx
xciii	lxxxvi	xcvii
xciiii	lxxxvi	cxlvi.
ciii	l[illegible]	lxx
cxiiii	xxiiii	xli

Abb. 6 | Kanontafel II, genannt *Canon secundus in quo tres*: die drei Symbole einer Menschengestalt, eines Löwen und eines Stiers stehen über den Listen der jeweiligen Evangelisten – Matthäus, Markus und Lukas – mit Vögeln und Pflanzen oben in den Ecken.
Das goldene Harley-Evangeliar, Nr. 4, fol. 7v (Detail).

Francesco Gonzaga, Nr. 43); und Brügge, das Zentrum für Prachtausgaben Ende des 15. Jhs. (*Bible historiale* von Edward IV., Nr. 42). Aus Dokumenten geht hervor, dass viele dieser Künstler auf mehreren Gebieten tätig waren, jedoch hat nahezu ausschließlich ihre Buchmalerei überlebt und uns Einblick in die große Kunst des Mittelalters gewährt.

Einer der erstaunlichsten Aspekte bei der Ausschmückung von Bibeln ist die stilisierte Kalligraphie in verschiedenen Formen zur Verzierung des Textes, wobei einzelne Buchstaben und manchmal ganze Wörter zu Elementen der Gestaltung werden. In vielen lateinischen Abschriften wurde der Anfangsbuchstabe jedes Buches der Bibel vergrößert und ausgearbeitet, oftmals auch mit Schmuckfeldern und -formen wie im Lothar-Psalter (Bild 7.4) und dem Psalter der Königin Melisende aus Jerusalem (Bild 19.2). Ein extremes Beispiel dieser Ausschmückung begegnet uns im zu Recht berühmten Evangeliar von Lindisfarne. Hier sind die ersten Worte jedes Evangeliums und der Hieronymus-Briefe so groß, dass sie fast die ganze Seite füllen, und aufwendig mit komplexen Mustern verziert (Abb. 2 und Bild 2.3). Diese Mode hatte bis in die frühe Neuzeit Bestand, wie wir an der Initiale aus Evangelistensymbolen am Anfang des Johannesevangeliums in einem schönen armenischen Evangeliar aus dem 17. Jh. sehen (Bild 44.4). Genauso wurden manchmal ganze Wörter als „Wortfelder" verschönert, so zum Beispiel in angelsächsischen Handschriften wie dem Vespasian-Psalter (Bild 3.2-3.5) und im armenischen Evangeliar (Bild 44.4).

DER EINSATZ WERTVOLLER MATERIALIEN

In den luxuriösesten Codices wurde der Bibeltext durch Goldtinte oder Blattgold aufgewertet. Für die Tinte nahm man Goldstaub mit Leim verrührt. Sie wird auch Muschelgold genannt, da sie oft, wie die anderen Pigmente, in Muschelschalen aufbewahrt wurde. Mit dem Muschelgold wurde der Text in vielen der hier vorgestellten Bände geschrieben, auch bei zweien, in denen der ganze Text in Gold steht: im Lothar-Psalter (Nr. 7) und im goldenen Harley-Evangeliar (Nr. 4). Theodor bezeichnete in seinem Psalter sein Buch als schön geschrieben (*γραφὲν*) und in Gold geschrieben (*χρυσογραφηθέν*). In anderen Werken wurde, gleichwohl nicht oft, Silbertinte verwendet. In der Canterbury Royal Bible (Bild 5.1) wurde mit Silber- und Goldtinte auf eingefärbten oder bemalten Purpurblättern geschrieben (Purpur ist eine kaiserliche Farbe), um wichtige Einschnitte hervorzuheben. Und in den Fragmenten der Goldenen Kanontafeln (Nr. 1) hat man das Gold direkt auf das Pergament aufgetragen.

In den meisten Handschriften handelt es sich um eine Vergoldung mit Blattgold, das auf eine Gesso- oder Gummiharz-Grundierung aufgetragen und mit einem glatten Stein oder Tierzahn poliert wurde. Das Ergebnis, wie am Hintergrund und den Details der illuminierten Bibeln ab der Zeit der Karolinger zu sehen, ist atemberaubend – diese Bilder sind noch Jahrhunderte später makellos und glänzen. Im Christentum verweisen wertvolle Materialien auf die Bedeutung und Kostbarkeit des Textes selbst. Die Goldgründe schaffen eine Himmelskulisse und platzieren die Figuren in einen spirituellen Kontext. Schimmernde Hintergründe bei Evangelisten- und anderen Verfasserporträts in byzantinischen wie westlichen Handschriften unterstreichen die göttliche Inspiriertheit

ΑΥΤΟΝΑΥΤΟΥϹΔΙΕϹΤΗΑΠΑΥ
ΤΩΝΚΑΙΑΝΕΦΕΡΕΤΟΕΙϹΤΟΝ
ΟΥΝΟΝ·ΚΑΙΑΥΤΟΙΠΡΟϹΚΥΝΗ
ϹΑΝΤΕϹΑΥΤΟΝΥΠΕϹΤΡΕΨΑ
ΕΙϹΙΛΗΜΜΕΤΑΧΑΡΑϹΜΕΓΑΛΗϹ
ΚΑΙΗϹΑΝΔΙΑΠΑΝΤΟϹΕΝΤΩΙΕΡΩ
ΤΕϹΚΑΙΕΥΛΟΓΟΥΝΤΕϹΤΟΝ
ΘΝ ΑΜΗΝ·

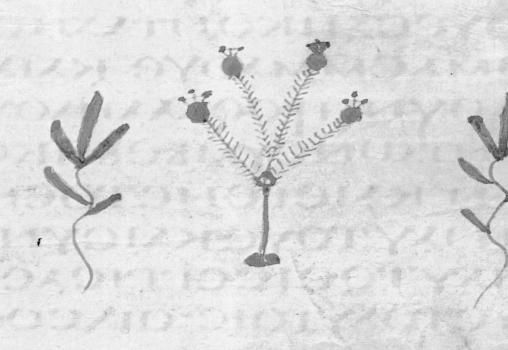

ΕΥΑΓΓΕΛΙΟΝ· ΚΑΤΑΛΟΥΚΑΝ·

Abb. 7 | Die früheste bekannte Abschrift des vollständigen Kanons in Griechisch. Stilisierte Bäume am Ende des Lukasevangeliums, im Codex Alexandrinus, Konstantinopel oder Kleinasien, 5. Jahrhundert, Royal 1 D. viii, fol. 41 (Detail).

der Texte, wie in der Guest-Cutts-Handschrift (Nr. 9), dem Harley-Echternach-Evangeliar (Nr. 12) und dem Burney-Evangeliar aus Konstantinopel (Nr. 18).

Die als Farben benutzten Pigmente konnten kostspielig und selten sein. Wie Mesrop von Khizan (*fl.* 1603-1652), der das herrliche armenische Evangeliar in Isfahan (Nr. 44) illuminierte, vermerkte, wurden „Lapislazuli und alle möglichen Pigmente" verwendet. Im Mittelalter war Lapislazuli nur im heutigen Afghanistan zu bekommen, nicht weit von Isfahan, doch viel weiter weg als, sagen wir, Paris. Auch wurde es Ultramarinblau („Übersee-Blau") genannt. Bis in jüngster Zeit nicht-invasive Untersuchungstechniken wie die Raman-Spektroskopie aufkamen, war schwer zu bestimmen, ob das in einer Kopie benutzte Blau Lapislazuli, das billigere Azurit oder ein pflanzliches Pigment war. Sie sind mit bloßem Auge nicht zu unterscheiden. Vielleicht wegen des ähnlichen Aussehens und der Kosten von Lapislazuli kombinierten die Künstler manchmal die Blaus verschiedener Herkunft in derselben Miniatur.[3] Früher dürfte Lapislazuli außerdem schwer zu beschaffen und noch teurer gewesen sein. Das Blau im Evangeliar von Lindisfarne (Nr. 2) etwa wurde aus Färberwaid hergestellt.[4]

DER ZWECK DER ILLUMINATION

Verzierte und illuminierte Kalligraphie ist in heiligen Texten anderer Religionen ebenfalls zu finden, doch von den abrahamitischen ist nur die christliche Bibel ausgiebig illustriert. In der jüdischen Tradition sind figürliche Bilder wegen der strikten Auslegung des Zweiten Gebots gegen Götzenbilder oder Porträts (2. Mose 20,4) auf bestimmte Bücher und biblische Kommentare (nie in der *Thora*) beschränkt. Genauso kommt die Kunst der Koran-Handschriften in heiliger Kalligraphie sowie ornamentalen Mustern und Motiven zum Ausdruck, aber nicht in der Darstellung von Menschen oder Tieren. Doch im westlichen wie im östlichen Christentum ist nahezu jede Art der Illustrierung möglich – seien es einzelne narrative Bilder in Buchstaben, wortgetreue oder allegorische Illustrationen oder auch erzählende Miniaturen in Bilderbibeln mit wenig Text.

Ferner stammt die Illumination anscheinend bereits aus sehr früher Zeit. Die erste Ausschmückung einer christlichen Bibel in der ältesten kompletten Abschrift des ganzen Kanons: im Codex Alexandrinus aus dem 5. Jh.[5] In dieser griechischen Bibel beinhalten die „Schlussbilder" oder Zierfelder am Ende eines jeden Buches stilisierte Pflanzen und Bäume (Abb. 7) oder andere Formen wie einen Kelch. Eine andere Handschrift aus dem 5. oder 6. Jh. (die Cotton Genesis, heute durch Feuer schwer beschädigt, Abb. 8) muss einst mit ihren über 300 Bildern einer der am reichsten illustrierten Texte des 1. Buch Mose gewesen sein, die jemals angefertigt wurden. Die Goldenen Kanontafeln (Nr. 1) wurden um die Zeit illuminiert, als Papst Gregor der Große (um 540–604) Bischof Serenus von Marseille wegen der Zerstörung der Heiligenbilder in dessen Kirche ermahnte. Tatsächlich förderte Gregor aktiv die Verwendung von Bildern und verglich sie mit Lesebüchern für Analphabeten (*in ipsa legunt qui litteras nesciunt*).[6] Und vielleicht sind damit auch die illustrierten Handschriften für Auftraggeber, die Latein nicht wirklich beherrschten, zu erklären, etwa die Harley *Bible moralisée*, mit ihren vielen Bildern (Nr. 26) oder die englische Apokalypse mit den großen herrlichen Illustrationen zur Offenbarung (Nr. 27). Doch als noch wichtigere Rechtfertigung, dass Bibeln, Bibelkommentare sowie Werke für Andacht und Liturgie mit Bildern versehen wurden, erläuterte Gregor weiter: „Denn eine Sache ist es, eine Malerei anzubeten, eine andere, durch die Malerei die Geschichte zu lernen, [und] was anzubeten

ANMERKUNGEN

3 Spike Bucklow, „A Tale of Two Blues", in: *The Cambridge Illuminations; The Conference Papers*, hrsg. von Stella Panayotova (London, 2007), S. 205–214.

4 Katherine Brown, „Pigment Analysis by Raman Microscopy", in: Michelle Brown, *The Lindisfarne Gospels: Society, Spirituality and the Scribe* (London, 2003), Anhang 1.

5 Royal 1 D. v–viii.

6 *PL* 77, 1128.

sei." (*aliud est enim picturam adorare, aliud per picturae historiam quid sit adorandum addiscere*).

Im Osten jedoch war diese Sache nicht so klar. 726, während der heute als Bilderstreit bezeichneten Kontroverse, erließ der byzantinische Kaiser Leon III. der Isaurier (reg. 717–741) ein Edikt, mit dem alle Bilder zu Götzenbildern erklärt und ihre Zerstörung befohlen wurde. Nach Zeiten, in denen diese Politik mehrfach gelockert oder zurückgenommen wurde, fand sie formell 842 mit der Thronbesteigung von Kaiserin Theodora (reg. 842–856) ein Ende, da sie Ikonen oder Bilder zur Andacht wieder gestattete. Dieses Ereignis wird heute noch als Fest der Orthodoxie in der Ostkirche am ersten Fastensonntag gefeiert. Die Rechtfertigung für die Wiedereinführung von Bildern erfolgte 787 mit dem Zweiten Konzil von Nicäa:

> „... denn die dem Bild achtungsvoll dargebrachte Verehrung geht ja auf dessen Urbild über, und wer zu einem Bild hin betet, betet zu dem, was darauf abgebildet ist ... nicht jedoch die nach unserem Glauben wahre Anbetung, die allein der göttlichen Natur zukommt, sondern so, wie man das kostbare und Leben spendende Kreuz, die heiligen Evangelien und die übrigen heiligen geweihten Gegenstände verehrt."[7]

Die außergewöhnlich schöne Buchmalerei in der Guest-Coutts-Handschrift (Nr. 9) verdeutlicht lebhaft die Qualität der illuminierten Bibeln, die danach in der östlichen Hauptstadt geschaffen wurden. Ein weiteres Beispiel für den Triumph der Bilderverehrer ist der Theodor-Psalter, der in seinen Randkommentaren sogar Porträts der in der Debatte wichtigen Personen zeigt (Bild 14.2). Die beiden Bücher belegen zudem den konservativeren stilistischen Wandel im Osten, verglichen mit der viel größeren Bandbreite an Sujets und der Präsentation in den hier vorgestellten Exemplaren aus dem Westen.[8]

TYPEN DER ILLUMINATION

Die Akzeptanz von Bildern in beiden Traditionen förderte die Entwicklung einer großen Vielfalt an Gestaltungstypen bei Bibeln. So konnten neben der Schmückung der Kalligraphie die Initialen von Wörtern, vor allem am Anfang von Büchern sowie wichtigen Einschnitten bei den Psalmen, mit Illustrationen, die die Geschichte des Texts darstellten oder kommentierten, „historisiert" werden. Das erste Beispiel im Westen ist im Vespasian-Psalter, der in Kent entstand und in dem zwischen die Buchstaben Tiere (Bild 3.4–3.5) sowie in den Körper des Buchstabens Bilder von David gemalt sind (Bild 3.2–3.3). Die historisierte Initiale wurde rasch für die nächsten 800 Jahre bei Prachtbibeln zum Charakteristikum – etwa im Winchester-Psalter aus dem 12. Jh. (Bild 20.2) und der Großen Bibel des 15. Jhs. (Bild 39.1–39.6). Einige Buchstaben wie das „T" boten sich für vielschichtige oder historisierte mehrstufige Initialen mit mehreren Szenen geradezu an, wie man am „I"*(n)* für das Buch Genesis in der Stavelot- und der Frankenthaler Bibel sieht (Bild 16.2–16.3, 21.2), als Miniatur in den kleinen Pariser Taschenbibeln oder vergrößert im „I"*(n) illo tempore* („In jener Zeit"), mit dem jede Lesung des Sainte-Chapelle-Evangeliars (Bild 29.1–29.4) beginnt. Bei Codices ohne Seitenangaben dient diese Ausschmückung auch zum Auffinden der Bücher oder Einschnitte.

Stilistisch zehren viele dieser Bibeln vom Erbe der griechischen und römischen Antike. Das ist besonders augenfällig in der aufwendigen Buchmalerei des frühen Christentums, uns heute bekannt aus den Überresten von Prunkcodices wie den Goldenen Kanontafeln (Nr. 1) und der Cotton Genesis (Abb. 8). Auch

ANMERKUNGEN

7 Definition des Heiligen Großen und Ökumenischen Konzils, des Zweiten in Nicäa, Übersetzung in: Daniel J. Sahas, *Icon and Logos: Sources in Eighth-Century Iconoclasm*, Toronto Medieval Texts and Translations, 4 (Toronto, 1986), S. 179.

8 Siehe dazu John Lowden, „Illustration in Biblical Manuscripts", in: *The New Cambridge History of the Bible*, 4 Bde., (Cambridge, 2012-2015), II: *From 600 to 1450*, hrsg. von Richard Marsden und E. Ann Matter (2012), S. 446–481.

Abb. 8 | Eine früh illustrierte Genesis. Abraham mit Engeln in der Cotton Genesis, Ägypten?, 5. oder 6. Jahrhundert, Cotton Otho B. vi, fol. 26v.

inhaltlich übernahmen die Ost- wie die Westkirche das traditionelle antike Verfasserporträt für Darstellungen der Evangelisten, die den Evangelien vorangestellt sind. Vom angelsächsischen Evangeliar von Lindisfarne (Bild 2.1) über das wunderschöne Burney-Evangeliar aus der Kaiserstadt Konstantinopel im 12. Jh. (Bild 18.1–18.4) bis zum Evangeliar von Kardinal Francesco Gonzaga (Bild 43.1–43.2) gehen Porträts der Evangelisten in stilisierten antiken Gewändern ihren Büchern voran. Zumeist sind diese beim Schreiben ihrer Texte dargestellt und halten Kiele sowie Messer für Korrekturen in Händen, oftmals zeigen sie auch die lesbaren ersten Wörter in ihren aufgeschlagenen Büchern. In der Arnstein-bibel wurden die Bilder der Evangelisten in die Anfangsbuchstaben ihrer Evangelien eingearbeitet (Bild 23.1–23.2).

Ein großer Unterschied zwischen der griechischen und der lateinischen Tradition ist, dass im Westen die Evangelisten in der Regel mit ihren Symbolen abgebildet sind, die wiederum auf die vier Lebewesen in den Visionen von Ezechiel und Johannes zurückgehen.[9] So interagieren die Evangelisten

ANMERKUNGEN

[9] Zu den Evangelistensymbolen siehe das goldene Harley-Evangeliar, Nr. 4.

im Æthelstan-Evangeliar direkt mit ihren Symbolen (Bild 8.1–8.2, 8.4) und halten die Symbole im goldenen Harley-Evangeliar die Anfangsverse des Texts (Bild 4.1–4.2). Im Gegensatz dazu erscheinen die Evangelisten in der griechischen Guest-Coutts-Handschrift, dem Burney-Evangeliar und dem griechischen Harley-Tetraevangelion allein oder im Fall von Johannes mit dem Gehilfen Prochorus, eine seltene Figur in der Tradition des Westens (Bild 9.1–9.2, 18.1–18.4, 24.1).

Daneben wurden im gesamten Christentum noch andere kostspieligere und erzählende oder auslegende Bilderfolgen in Bibeln aufgenommen. Die dicke Moutier-Grandval-Bibel aus der Karolingerzeit zum Beispiel enthält ganzseitige Illustrationen zur Genesis und zum Exodus, aber auch komplexere Bild-Kommentare zur Beziehung zwischen Altem und Neuem Testament (Bild 6.1–6.4). Manchmal wurden diese Sequenzen in den Textkorpus eingebaut, etwa im Lektionar von Mossul aus dem 13. Jh., das eine ausführliche Erzählung mit Szenen aus dem Leben Jesu umfasst (Bild 25.1–25.3), wie auch im herrlichen Londoner Queen Mary Psalter aus dem 14. Jh. (Bild 30.2–30.5). Zumeist stehen Bilder zu Jesu Leben und Passion jedoch vor den Psalmen. Auf diese Weise bieten sie zusätzlich einen Kontext und Fokus für die Andacht und betonen den prophetischen Charakter der Texte. Der erste lange Zyklus an einleitenden Bildern im Westen erschien im Tiberius-Psalter, der im 11. Jh. in Winchester entstand (Nr. 13). Diese erlangten danach weite Verbreitung in der Westkirche in den Prachtpsaltern. Ein anderes wunderschönes Beispiel ist jener, den der Künstler Basilius 100 Jahre später im Melisende-Psalter (Bild 19.4–19.6) im Königreich von Jerusalem malte. Der Psalter ist auch ein Beleg für die wechselseitige stilistische Beeinflussung der Kulturen, die viele illuminierte Handschriften zeigen, denn sein Präfationszyklus ist byzantinisch und seine außergewöhnlichen Buchdeckel aus Elfenbein präsentieren Figuren im Gewand des Kaisers von Byzanz (Bild 19.1). Auch der englische Winchester-Psalter aus dem 12. Jh. (Bild 20.4–20.5) enthält ein „byzantinisches Diptychon" in seinem Präfationszyklus. Beide Codices erinnern uns daran, dass Bücher und andere Objekte der Liturgie wie der Andacht – Ikonen, Kelche und Ziborien – transportabel waren und als Fürstengeschenke sowie hochgeschätzter persönlicher Besitz zirkulierten.[10]

Eine andere Methode der Illumination wurde im Harley-Psalter (Nr. 10) gewählt, der Kopie einer berühmten karolingischen Handschrift, in der die begleitenden Bilder praktisch Satz für Satz die Psalmen umsetzen. Und in anderen Büchern, die wohl für Laien gedacht waren, dominieren die Illustrationen und wird der Bibeltext nur zusammengefasst oder bei den Bilderbibeln als Inschriften aufgeführt. In einem bedeutenden frühen Exemplar, dem altenglischen Hexateuch (Nr. 11), füllen die lebhaften Bilder nahezu oder ganz die Seiten, begleitet von der ältesten noch erhaltenen englischen Übersetzung einiger Teile des Alten Testaments. Im 14. Jh. umfasst die englische Holkham-Bilderbibel (Nr. 32) Beischriften auf Französisch, während die Bilderbibel aus Padua (Nr. 37) italienische hat. Andere Bibeln des 14. und 15. Jhs. mit umfangreicherem oder paraphrasiertem Text erschienen auch in der Volkssprache. Die noch vorhandenen Kopien der populären *Bibles historiales* in Französisch sind fast immer reich illuminiert, wie in diesem Buch die drei herrlichen Kopien beweisen, die Königen gehörten (die Bilderbibel Karls V. (Nr. 36), Karls von Frankreich (Nr. 40, Abb. 1) sowie Edwards IV. (Nr. 42).

Wieder andere Handschriften zeigen sogar noch raffiniertere Methoden der biblischen Bildersprache. Einige komplexe Illuminationen waren für ein klösterliches oder geistliches Publikum bestimmt, etwa die vielschichtigen symbolischen Interpretationen in der großartigen Bibel

Abb. 9 | Ein Email-Prachteinband aus Limoges mit der Majestas Domini und den Symbolen der vier Evangelisten, Additional 27926, vorderer Buchdeckel.

ANMERKUNGEN

[10] Zum Schenken in der frühen Zeit siehe das Æthelstan-Evangeliar, Nr. 8.

von Floreffe für das im Moseltal gelegene Prämonstratenserkloster (Nr. 22). Doch die hochkomplexen „Typen“ und „Antitypen“ der *Biblia pauperum* (Nr. 38) und die Szenen in der Harley *Bible moralisée* (Nr. 26) wurden für Laien erstellt und illustriert - und vielleicht gemeinsam mit den Hofkaplänen gelesen und moralisch ausgelegt.

PRACHTEINBÄNDE

Schließlich trugen nicht nur die Seiten der Bibeln Bilder. Viele solche Texte hatten aufwendige Einbände mit Gold, Silber und Edelsteinen, die man heute „Prachteinbände“ nennt. Evangeliare zeigten häufig als zentrales Bild die Majestas Domini umgeben von den Symbolen der Evangelisten, wie bei der Guest-Coutts-Handschrift (Bild 9.4) und dem Email-Einband aus Limoges im 12. Jh., der ein deutsches Evangeliar schützte (Abb. 9). Doch da die wertvollen Materialien dieser Prunkdeckel anderweitig verwendbar waren, blieben leider nur relativ wenige erhalten. So wissen wir, dass König Æthelstan den Einband des Evangliars, das er dem Kloster Christ Church in Canterbury stiftete, mit Juwelen (Æthelstan-Evangeliar, Nr. 8) und Billfrith das Evangeliar von Lindisfarne (Nr. 2) mit Buchdeckeln aus Gold und Silber ausstatten ließ. Beide sind nicht erhalten. Manchmal ist zu erkennen, wo sich früher einmal Plaketten befanden, wie im Fall des bulgarischen Evangeliars von Zar Iwan Alexander (Nr. 35). Die wenigen noch vorhandenen wertvollen Buchdeckel lassen erahnen, wie prachtvoll die Einbände sein konnten. Ein besonders wertvolles Exemplar ist der Original-Einband des Melisende-Psalters mit seinem Buchrücken aus Seide, der mit Kreuzen aus Silberfäden und buntem Garn bestickt ist, sowie den Deckeln aus Elfenbein mit einem feinsinnigen Programm aus dem Leben Davids, durchsetzt mit den Tugenden und Lastern (Bild 19.1) sowie den Werken der Barmherzigkeit. Die Bilder dieser Einbände beweisen, dass sie für die öffentliche oder private Zurschaustellung – bei liturgischen Prozessionen in der Kirche oder als Statussymbol für seinen Besitzer – gedacht waren.

SCHLUSS

Von der gesamten Kunst des Mittelalters sind die illuminierten Handschriften wahrscheinlich dem breiten Publikum am schwersten zugänglich. Da sie zumeist in Bibliotheken aufbewahrt werden, waren sie in den letzten Jahrhunderten nur in Leseräumen oder ab und an in Ausstellungen zu sehen. Erst in jüngster Zeit sind viele digitalisiert im Internet für weite Kreise einsehbar. Doch in Buchform besitzen wir viel mehr mittelalterliche Malerei von höchster Qualität als in jedem anderen Medium. Allein der Queen Mary Psalter (Nr. 30; Abb. 10) enthält über 1000 gezeichnete und gemalte Illustrationen. Unser Buch will zur Beschäftigung mit diesem wachsenden digitalen Angebot anregen (fast alle gezeigten Exemplare stehen online) und zu der Auslegung wie dem Verständnis dieser religiösen Kunst beitragen.[11]

Wir bemühen uns hier, einen möglichst großen Überblick über illustrierte christliche Bibeln aus ganz Europa und darüber hinaus zu geben. Zu diesem Zweck stützen wir uns auf die unvergleichlichen Sammlungen der British Library. Wir wählten diverse Formen der Textzusammenstellung aus: Evangeliar, Psalter, Hexateuch und Oktateuch, Apokalypse, Neues Testament, Bilder- wie Riesenbibeln in Griechisch, Latein und den Volkssprachen. Diese Handschriften stellen einen Höhepunkt im Kunstschaffen der Menschheit dar. Gemeinsam demonstrieren sie, wie außerordentlich vielfältig, originell und wunderschön illuminierte Bibeln sind..

Abb. 10 | Gott erschafft die Tiere, im Queen Mary Psalter, Nr. 30, fol. 2 (Detail).

ANMERKUNGEN

[11] Siehe die Website der British Library mit den digitalisierten Handschriften: <http://www.bl.uk/manuscripts/>

1

DIE GOLDENEN KANONTAFELN

Fragmente frühchristlicher Pracht aus Konstantinopel

Kanontafeln des Eusebius von Caesarea in Griechisch. Konstantinopel, 6. oder 7. Jahrhundert.

- 215 × 175 mm
- 2 Blatt
- Additional 5111/1 (fol. 10–11)

Mehr als tausend Jahre lang war Konstantinopel (heute Istanbul) der Inbegriff für atemberaubende Pracht. Benannt nach Kaiser Konstantin dem Großen (reg. 306–337), der 324 die Hauptstadt des Römischen Reiches dorthin verlegte, entwickelte sich Konstantinopel mit der Zeit zur Kapitale des Christentums. Die Goldenen Kanontafeln sind ein eindrucksvoller Beleg für die bemerkenswerte Qualität der Buchmalerei in christlichen Texten. Ein Experte sieht sie als „die vielleicht kostbarsten Fragmente einer frühchristlichen Handschrift überhaupt".[1] Obwohl nur noch wenige Fragmente vorhanden sind, vermitteln sie eine Vorstellung von der Schönheit früher Bibelhandschriften, die womöglich verloren gegangen sind, warnen uns aber auch davor, auf der Basis der noch erhaltenen vorschnell Verallgemeinerungen zu treffen.

Als Text sind die Kanontafeln viele Jahrhunderte lang allgegenwärtig und gehören zum Grundstock für christliche Kopien der Heiligen Schrift. Die etwa zweitausend Handschriften, welche die vier Evangelien in griechischer Sprache (das *Tetraevangelion)* enthalten, beginnen überwiegend mit diesen Tafeln. Dasselbe gilt für mehrere hundert Exemplare mit den ins Lateinische und andere alte Sprachen übersetzten Evangelien.[2] Diese vom Kirchenvater Eusebius († 340), dem Bischof von Caesarea in Palästina, erstellten Zahlentafeln, zeigen durch vergleichende Gegenüberstellung der Textabschnitte aus den fundamentalen, aber verschiedenen Erzählungen der Evangelisten Matthäus, Markus, Lukas und Johannes inhaltliche Übereinstimmungen auf. Wie Eusebius in einem vorangestellten Brief an seinen Freund Carpianus erklärt, hat er die zehn kanonischen Tafeln (oder „Canones", griech. für „Richtschnur") zusammengestellt, damit der Leser erkennen kann, „wer von den Evangelisten welche Passage schrieb, zu der sie von der Liebe zur Wahrheit gedrängt wurden, über diese Dinge zu berichten."[3] Kanon I listet sämtliche einander entsprechenden Stellen in allen vier Evangelien auf, Kanon II bis IX verschiedene Übereinstimmungen in zwei oder drei Evangelien und Kanon X Passagen, die lediglich in einem Evangelium vorkommen. Aufbauend auf einem System, das er Ammonios von Alexandria zuschrieb und bei dem der Text in Verse eingeteilt wurde, gliederte Eusebius die Evangelien in fortlaufend nummerierte Abschnitte und

1.1 | Zwei ausgeschmückte rahmende Arkaden mit einem Medaillonporträt auf dem Rundbogen, der die Kanones VIII bis X der Eusebianischen Kanontafeln überdacht, fol. 11 (Detail).

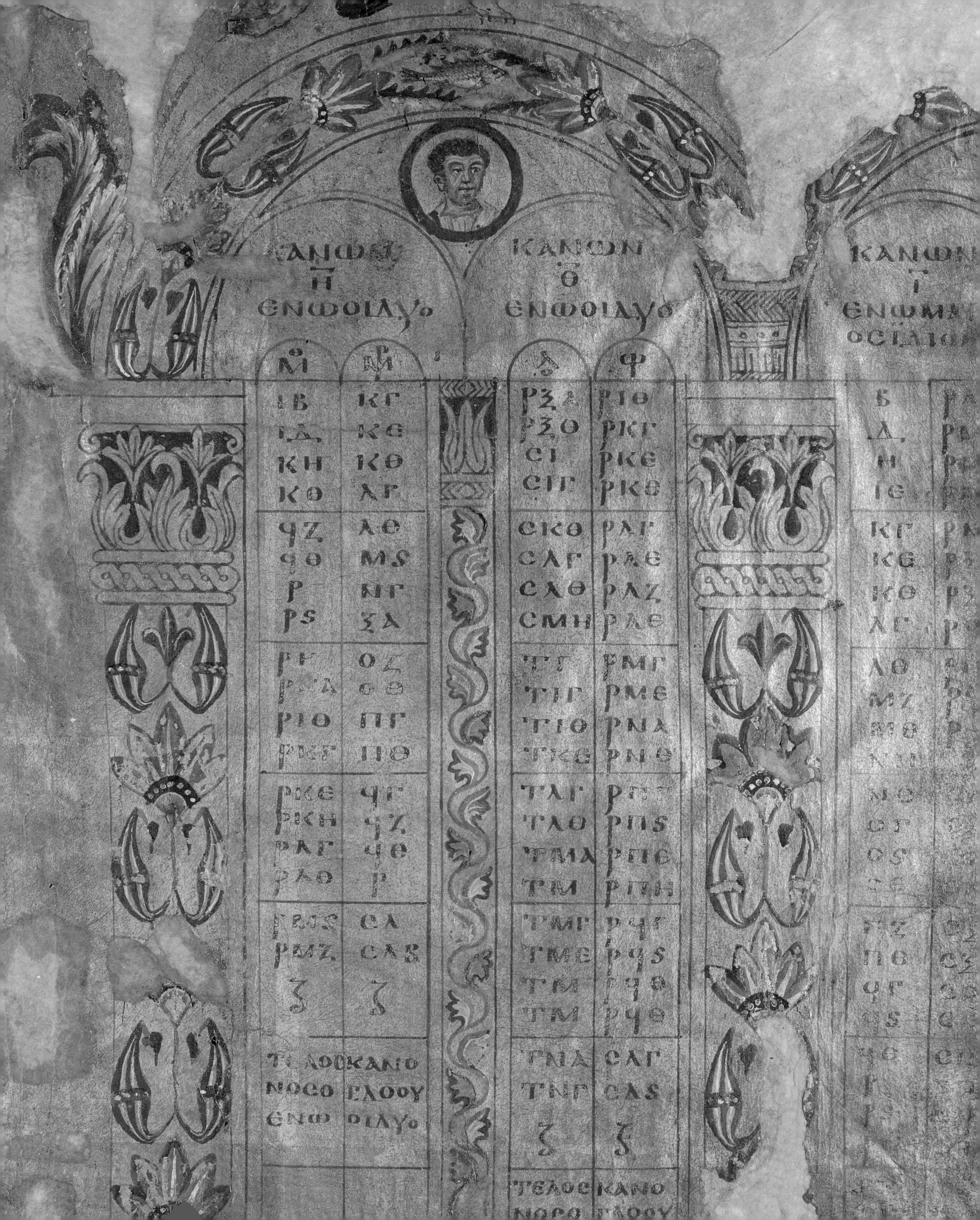

ΚΑΝΩΝ
Η
ΕΝΩ ΟΙ ΔΥΟ
ΚΑΝΩΝ
Θ
ΕΝΩ ΟΙ ΔΥΟ
ΚΑΝΩΝ
Ι

1.2 | Zwei ornamentierte Rahmenarkaden mit einem Medaillonporträt umschließen Kanon I der Eusebianischen Kanontafeln, fol. 10v (Detail).

benutzte die Nummern in seinen Tabellen dazu, eine Verbindung zwischen ähnlich lautenden Textpassagen herzustellen. Auf diese Weise machte er die Einheitlichkeit der vier Erzählungen deutlich, ohne sie zu einem einzigen Text zu harmonisieren. Die vorhandenen Blätter sind seltene Zeugnisse einer frühen Revision des Eusebianischen Kanons.

Die Goldenen (oder Londoner) Kanontafeln blieben durch einen glücklichen Zufall erhalten. Sie wurden getrennt vom Text der vier Evangelien, denen sie einmal vorangestellt waren, einer vor 1189 erstellten Handschrift der griechischen Evangelien beigefügt.[4] Wie es scheint, wurden sie zunächst zusammen mit dieser Handschrift im Kloster Simonos Petras am heiligen Berg Athos, dem orthodoxen Glaubenszentrum in Nordgriechenland, aufbewahrt und gelangten erst Anfang des 18. Jahrhunderts durch einen in London lebenden Griechen namens Antonios Trifillis nach Großbritannien. (Von Trifillis wurden die Handschriftenausgabe und die Kanontafeln an den reichen Londoner Arzt Anthony Askew (1722–1774) weitergegeben.) Das noch vorhandene Fragment der Handschrift umfasst das Ende des Briefes von Eusebius an Carpianus (Bild 1.3), einen Teil von Kanon I (Bild 1.2), die Kanones VII bis IX vollständig und einen Teil von Kanon X (Bild 1.1). Ursprünglich waren beide Blätter doppelt so groß. Sowohl der Brief als auch die Tafeln sind in einer eindrucksvollen Majuskelschrift (Großbuchstaben) auf

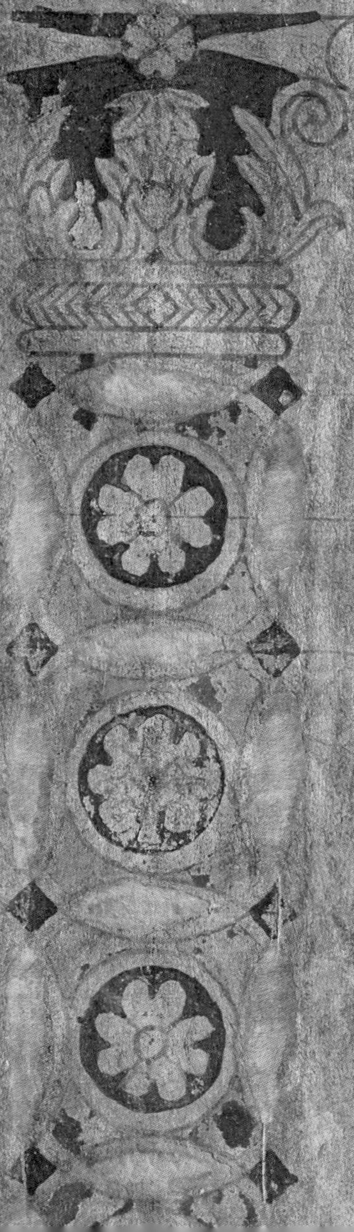

ΚΑΝΟΝΩΝ ΕΙΟΥΝΑΝΑΠΤΥΞΑϹΕΝ
ΕΥΑΓΓΕΛΙϹΤΩΝ ΟΠΟΙΟΝΔΗΠΟΤ
ϹΤΗϹΑΙΤΙΝΙΩΒΟΥΛΕΙΚΕ ΑΛΑ
ΝΕϹΤΑΠΑΡΑΠΛΗϹΙΑΕΙΡΗΚΑϹ
ΟΥϹΕΚΑϹΤΟΥΤΟΠΟΥϹΕΥΡΕ
ΑΥΤΩΝΗΝΕΧΘΗϹΑΝΗϹΕΠΕΧ
ΑΝΑΛΑΒΩΝΤΟΝΠΡΟΚΕΙΜΕΝ
ΖΗΤΗϹΑϹΤΕΑΥΤΟΝΕΝΤΩ
ΚΙΝΝΑΒΑΡΕΩϹΥΠΟϹΗΜΙΩ
ΕΙϹΙΜΜΕΝΕΥΘΥϹΕΚΤΩΝΕΠ
ΚΑΝΟΝΟϹΠΡΟΓΡΑΦΩΝΤΟ
ΠΕΡΙΟΥΖΗΤΕΙϹΕΙΡΗΚΑϹΙ

1.3 | Eine ornamentierte Rahmenarkade mit Medaillonporträt im Bogen umgibt den Brief von Eusebius an Carpianus, fol. 10 (Detail).

zuvor vollständig mit Goldfarbe, sog. Muschelgold, überzogenem Pergament geschrieben.[5] Beide sind mit prachtvoll illuminierten Arkaden aus Bögen und Säulen gerahmt, die streng geometrische und lineare Formen in Kombination mit außergewöhnlich naturalistischen Elementen zeigen. Sorgfältig gezeichnete Konturen und ein gleichmäßiges Farbschema unterstreichen die handwerkliche Qualität des gesamten Aufbaus. An anderen Stellen sorgt eine energische und aufwendige Pinselführung für dreidimensionale, natürliche Formen, darunter üppige Blüten sowie farbenprächtige Vögel. Der Brief wird von einem einzigen breiten Bogen gerahmt, dessen Spannweite einstmals die gesamte Seitenbreite einnahm; die Kanontafeln werden auf ihrer jeweiligen Seite von zwei schmäleren Bögen gekrönt.

Innerhalb der in Arkaden gerahmten Tafeln ist jeder Bogen oben mit der Kanonnummer beschriftet und darunter in weitere kleinere Bögen unterteilt, die mit dem abgekürzten Namen des betreffenden Evangelisten versehen sind. Unter diesen kleineren Rundbögen stehen die Vergleichslisten der Abschnittsnummern für jedes Evangelium in griechischen Buchstaben und Vierergruppen. In den noch erhaltenen Kanonbögen finden sich vier vollständige Rundporträts männlicher Figuren, drei von ihnen sind mit einem Nimbus dargestellt. Bei diesen Medaillons handelt es um eine Porträtform, die eine römische *imago clipeata* imitiert, das heißt einen auf einem Rundschild angebrachten Kopf, mit der man berühmte Vorfahren oder Herrscher ehrte.[6] Direkt über dem Medaillon in der Mitte des Bogens der ausgeschmückten Hauptarkade von Kanon VIII und IX (Bild 1.1) ist das christliche Symbol des Fisches eingearbeitet. Wahrscheinlich war das Londoner Fragment als vollständige Handschrift mit insgesamt zwölf Medaillons ausgestattet. Es wurde behauptet, dass sie Apostelköpfe zeigten und von ähnlichen Büsten inspiriert waren, die sich im Arkadenrundgang am Mausoleum von Konstantin dem Großen neben der Apostelkirche in Konstantinopel befanden.[7]

ANMERKUNGEN

1 Weitzmann, *Illumination* (1977), S. 116.

2 Vgl. das Evangeliar von Lindisfarne, die Canterbury Royal Bible, das Harley-Echternach-Evangeliar und das armenische Evangeliar, Bild 2.4, 2.5, 5.2, 12.4, 44.1.

3 *PG* 22,1276C.

4 Jetzt: Additional 5111, 5112.

5 Zu Muschelgold siehe „Tausend Jahre Kunst und Schönheit", S. 21.

6 Zur *imago clipeata* siehe auch Theodor-Psalter, Nr. 14.

7 Nordenfalk, „Canon Tables" (1963).

LITERATUR

Carl Nordenfalk, *Die spätantiken Kanontafeln* (Göteborg, 1938), S. 127–146.

Carl Nordenfalk, „The Apostolic Canon Tables", *Gazette des Beaux-Arts*, 62 (1963), 17–34 (S. 19–21).

Kurt Weitzmann, *Late Antique and Early Christian Book Illumination* (London, 1977), S. 19, 29, 116, Taf. 43.

Byzantium: Treasures of Byzantine Art and Culture from British Collections, hrsg. von David Buckton (London, 1994), Nr. 68.

John Lowden, „The Beginnings of Biblical Illustration", in: *Imaging the Early Medieval Bible*, hrsg. von John Williams (University Park, PA, 1999), S. 9–59 (S. 24 ff.).

2

DAS EVANGELIAR VON LINDISFARNE

Einzigartige angelsächsische Ornamentik

Vier Evangelien in Latein mit hinzugefügten Interlinearglossen in Altenglisch.
Lindisfarne, um 700 (eingefügte Glosse, Chester-le-Street, um 970).

- 365 × 275 mm
- 259 Blatt
- Cotton Ms. Nero D. iv

Das Evangeliar von Lindisfarne (Book of Lindisfarne) spielt eine entscheidende Rolle für unser Wissen über die angelsächsische Buchherstellung in einem der wichtigsten westeuropäischen Zentren des Christentums im Frühmittelalter. Nach dem Book of Kells ist diese aufwendige Handschrift die wahrscheinlich bekannteste Kopie der vier Evangelien, die erhalten geblieben ist. Die große Bedeutung des Buches liegt in der Bekanntheit seiner Schöpfer, der Schönheit seiner Ausschmückung und der Übersetzung ins Altenglische, die im 10. Jh. als Interlinearglosse zwischen die Zeilen des lateinischen Textes gesetzt wurde. Es sind die ältesten, noch existierenden altenglischen Evangelientexte.

Über Entstehungszeit und -ort des Evangeliars wurde viel diskutiert, da beides auf der Interpretation eines Kolophons (einer Art „Nachwort") aus derselben Zeit wie die altenglischen Glossen und der stilistischen Einordnung der Buchmalerei beruht. Den Kolophon hat der damalige Vorsteher der etwa 10 km nördlich von Durham gelegenen Gemeinde Chester-le-Street, ein Priester namens Aldred (*fl.* um 970) hinzugefügt, nachdem er seine Übersetzung zwischen die Zeilen des lateinischen Textes geschrieben hatte. In der leeren Spalte auf der letzten Buchseite erklärt Aldred sinngemäß:

> Eadfrith, Bischof der Kirche von Lindisfarne,
> hat dieses Buch zu Ehren Gottes und des hl. Cuthbert
> und aller Schutzheiligen dieser Insel geschrieben.
> Und sein Nachfolger Æthilwald, Bischof von Lindisfarne,
> hat es sachkundig gebunden und mit einem Einband versehen.
> Und Billfrith, der Einsiedler, er schmiedete die Ornamente,
> die sich auf dem Buchdeckel befinden und
> schmückte diesen mit Gold und kostbaren Gemmen und
> auch mit purem Silber auf das Prächtigste.[1]

Eadfrith war Mönch im Kloster auf der Holy Island und von etwa 698 bis zu seinem Tod um 722 Bischof von Lindisfarne. Aus dem Kolophon geht

2.1 | Evangelistenporträt des Matthäus, der auf einer Bank sitzt und in einem großen offenen Codex schreibt, zusammen mit seinem geflügelten Symbol und einem anderen bärtigen Mann, der hinter einem Vorhang hervorschaut. Am Anfang seines Evangeliums, fol. 25v.

UMSEITIG
2.2–2.3 | Teppichseite mit ornamentalem Flechtwerk in Form eines Kreuzes und gegenüber der Beginn des Matthäusevangeliums mit der großen Zierintiale „L" von *Liber* für „Buch", fol. 26v–27.

imago hominis
O AGIOS
MATT
HEUS

+ ihs xps · matheus homo
incipit euangelii
genelogia mathei
LIBER
GENERATI
ONIS IHU
XPI FILII DAVID FILII ABRAHAM

CANON PRIMUS QUATTUOR

MAT	MAR	LUC	IOH
cxx	xxviiii	cxlii	lxxviiii
cxx	xxxii	cclxi	lxxvii
cxliii	xxxviiii	ccl	xlvii
cxliii	xxxviiii	ccl	xli
cclxxiii	clii	cclx	xx
cclxxiii	clii	cclx	xliiii
cclxxiii	clii	cclx	xcii
cclxxvi	cliiii	lxxiii	xciiii
cclxxx	clxii	cclxviiii	xxxii
cclxxxiii	clxv	cclxvii	lv
cclxxxiii	clxv	cclxvii	lxii
cclxxxiii	clxvi	cclxvi	lxv
cclxxxiii	clxv	cclxvi	lxvii
cclxxxviii	clxx	cclxxv	xxxii
cxci	clxxii	cclxxviiii	clii
cxciiii	clxxv	cclxxxi	clxi
cxcv	clxxvii	cclxxxv	liiii
cxcv	clxxvii	cclxxxii	xlii
ccc	clxxxi	cclxxxv	cliiii
ccc	clxxxi	cclxxxv	lxxviiii
cccii	clxxxiii	cclxxxvii	clx
ccciiii	clxxxiiii	cclxxxviiii	clxx
cccvii	clxxxvii	cxcc	clxii
cccvii	clxxxvii	cxcc	clxxiii

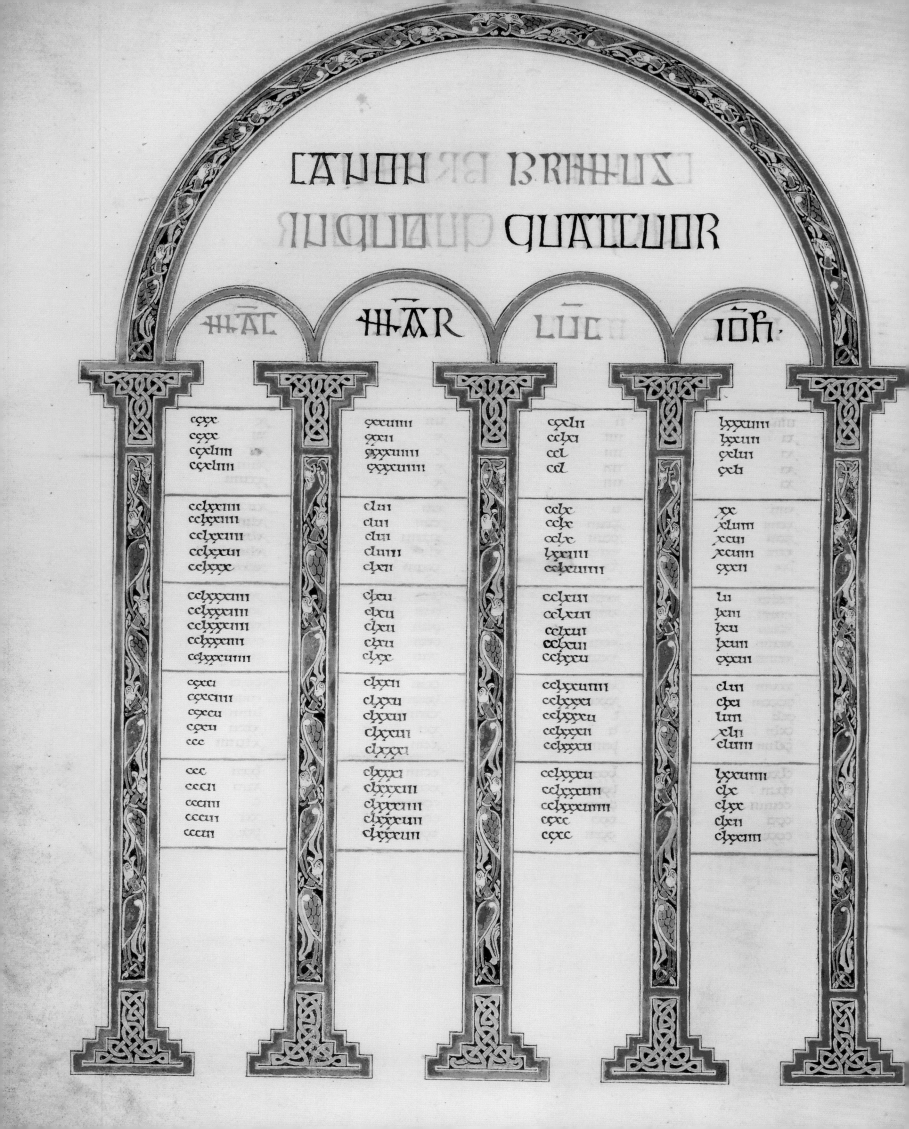

2.4 | Kanon I mit der Überschrift *Canon primus in quo quattuor* und den Vergleichspassagen aus allen vier Evangelien, wie in den Spaltenüberschriften angezeigt: *Mat[thäus]*, *Mar[kus]*, *Luc[as]* und *Ioh[annes]*, fol. 10 (Detail).

eindeutig hervor, dass Eadfrith den Text eigenhändig schrieb *(awrát)*, jedoch nicht, ob er ihn auch ausgeschmückt hat. Dagegen werden andere, die an der Herstellung des Werks beteiligt waren, namentlich genannt (Æthilwald als der Buchbinder und Billfrith als der Goldschmied für den prunkvollen Einband, der in seiner glänzenden Pracht aus Edelmetallen und Edelsteinen an einen Reliquienschrein erinnert haben mag). Da in diesem Nachwort kein Buchmaler oder Künstler Erwähnung fand, kamen Fachleute zu dem Schluss, dass Eadfrith nicht nur der Schreiber, sondern auch der Illuminator war. Der Illustrator wurde oft nicht extra aufgeführt, weil die Verzierung der Buchstaben damals zur Kalligraphie dazugehörte.[2]

Das Abschreiben und Ausgestalten der Evangelien stellt eine bemerkenswerte künstlerische Leistung dar. Das Buch enthält fünf außergewöhnlich reich illuminierte ganzseitige Teppichseiten (Bild 2.2). Diese Form der Seitenverzierung wird so bezeichnet, weil sie eine gewisse Ähnlichkeit mit den Mustern orientalischer Teppiche aufweist (tatsächlich sahen manche Fachleute sogar einen direkten Einfluss von Teppichmustern). Vier dieser Teppichseiten erscheinen jeweils zu Beginn eines Evangeliums und die fünfte am Anfang des Buches vor dem einleitenden Teil. Letzterer enthält begleitende, zum typischen Inhalt eines Evangeliars gehörende Texte, wie die Briefe des hl. Hieronymus († 420; s. Abb. 2 und Bild 2.6), Kapitelverzeichnisse und die zehn Kanontafeln.[3]

Das Hauptmotiv jeder Teppichseite ist ein kunstvoll in die Gesamtkomposition eingearbeitetes Kreuz. Es scheint durchaus

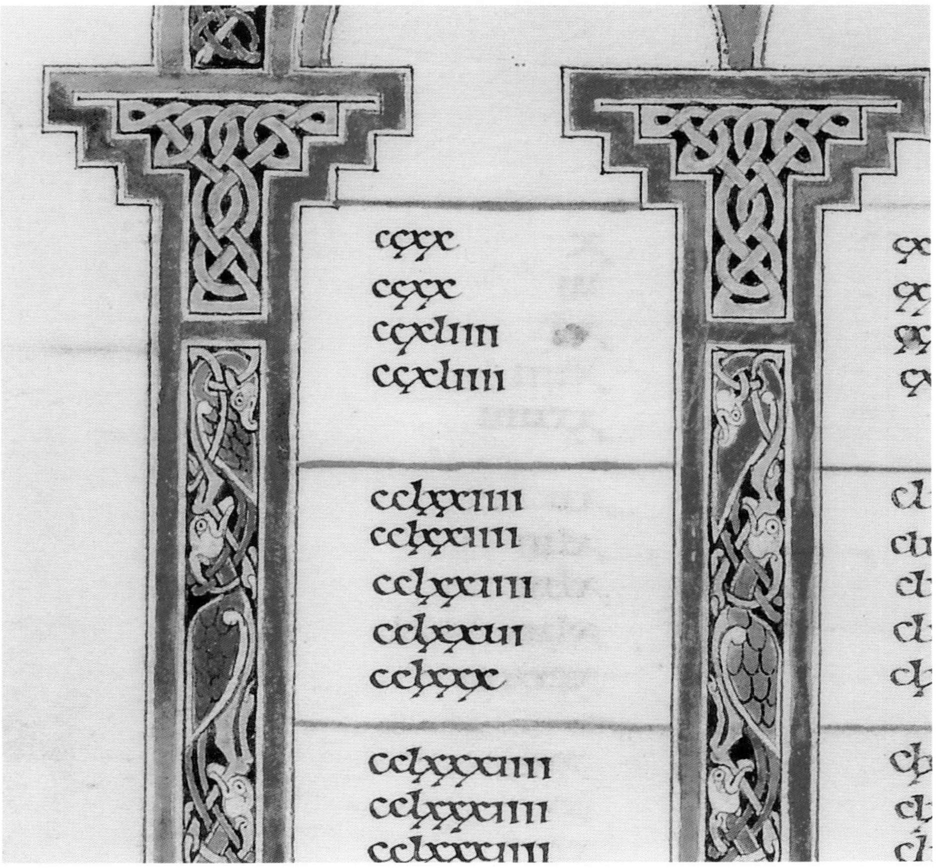

2.5 | Teil von Kanon I, fol. 10 (Detail).

beabsichtigt, dass diese aufwendig und kostbar gestalteten Seiten quasi als „innerer Einband" der einzelnen Evangelien den prachtvollen äußeren widerspiegeln, der laut Kolophon „mit Gold und kostbaren Gemmen" verziert war. Auch bei noch erhaltenen Gold- und Silberarbeiten aus dieser Zeit, etwa im Schiffsgrab von Sutton Hoo, finden sich ähnliche Muster wie in den Füllungen der Teppichseiten mit ihren Knoten- und Flechtwerken, ineinander verschlungenen, verdrehten und lang gezogenen Körpern sowie stilisierten Vögel- und Vierfüßerköpfen. Diese für die damalige englische Buchherstellung charakteristischen Muster werden auch bei den Kanontafeln des Evangeliars von Lindisfarne in den mit Vogelketten und Flechtwerkbändern gefüllten Arkaden (Bild 2.4 und 2.5) verwendet. Dasselbe gilt für die großen reich verzierten Initialen im gesamten Buch (s. Abb. 2, Bild 2.3 und 2.6). Jene, die am Anfang eines Evangeliums oder einer anderen wichtigen Stelle stehen, nehmen sogar die ganze Seite ein. Dabei werden die Buchstaben selbst den Formen und Farben untergeordnet und zum reinen Ornament, die dann, wie ein Experte vermutete, „Talisman-Zeichen, die verehrt werden, aber keine erkenn- und lesbaren Buchstaben" mehr sind.[4]

Ferner deuten die vier Evangelistenporträts auf Kenntnisse der südeuropäischen Kunst (Bild 2.1). Der Text des Buches stammt offenbar aus einer italienischen Quelle: Zum Beispiel enthalten die jedem Evangelium vorangestellten Listen Kalendarien der Schriftlesungen für neapolitanische Festtage. Daher kann Eadfrith durchaus in einem Exemplar der Evangelien die Verfasser- oder Evangelistenporträts, die wiederum auf den in frühen griechischen Texten vorangestellten Porträts beruhten, als authentische Vorlagen betrachtet haben. Die Figuren im Evangeliar von Lindisfarne sind in antike Gewänder gehüllt und sitzen auf ebenso klassisch-antiken Kissen und Bänken. Jeder Evangelist wird zudem in seiner Darstellung durch den in lateinischen Buchstaben geschriebenen Namenszusatz „O AGIOS" auf Griechisch als Heiliger bezeichnet. Zwei der vier Evangelisten halten anstatt eines Buches eine Schriftrolle, die auf die Antike hinweist und an die Tradition der Manuskripterstellung im Rollenformat anknüpft, wie sie vor der Entwicklung des Codex üblich war.[5] Jedoch hat Eadfrith die Figuren stärker stilisiert, womit er demonstrierte, dass ihm daran gelegen war, sie an die reichen, nicht figurativen Muster der Teppichseiten und die verzierten Buchstaben anzugleichen, sodass ein komplexes Kunstwerk entstand.

LITERATUR

Evangeliorum quattuor Codex Lindisfarnensis, 2 Bde., kommentiert von T. D. Kendrick und anderen (Olten, 1956–60).

Janet Backhouse, *The Lindisfarne Gospels* (London, 1981).

Michelle Brown, *The Lindisfarne Gospels: Society, Spirituality and the Scribe* (London, 2003).

Richard Gameson, *From Holy Island to Durham: The Contents and Meanings of the Lindisfarne Gospels* (London, 2013).

2.6 | Ausgeschmückte Buchstaben am Anfang des Hieronymus-Briefes *Plures fuisse*, fol. 5v (Detail).

ANMERKUNGEN

1 Englische Übersetzung aus dem Altenglischen: Gameson, *Lindisfarne Gospels* (2013), S. 93.

2 Vgl. Gameson, *Lindisfarne Gospels* (2013), S. 25; und vgl. die Bibel von Stavelot, Nr. 16, in der ebenfalls der Schreiber, aber nicht der Illuminator namentlich genannt wird.

3 Zu den Kanontafeln siehe Die Goldenen Kanontafeln, Nr. 1, und zum hl. Hieronymus siehe „Tausend Jahre Kunst und Schönheit", S. 12, das Harley-Evangeliar, Nr. 4, den Lothar-Psalter, Nr. 7 und die Frankenthaler Bibel, Nr. 21.

4 J. J. G. Alexander, *Insular Manuscripts: 6th to the 9th Century*, A Survey of Manuscripts Illuminated in the British Isles, 1 (London, 1978), S. 11.

5 Für den Übergang von der Schriftrolle zum Codex siehe Einleitung, S. 13.

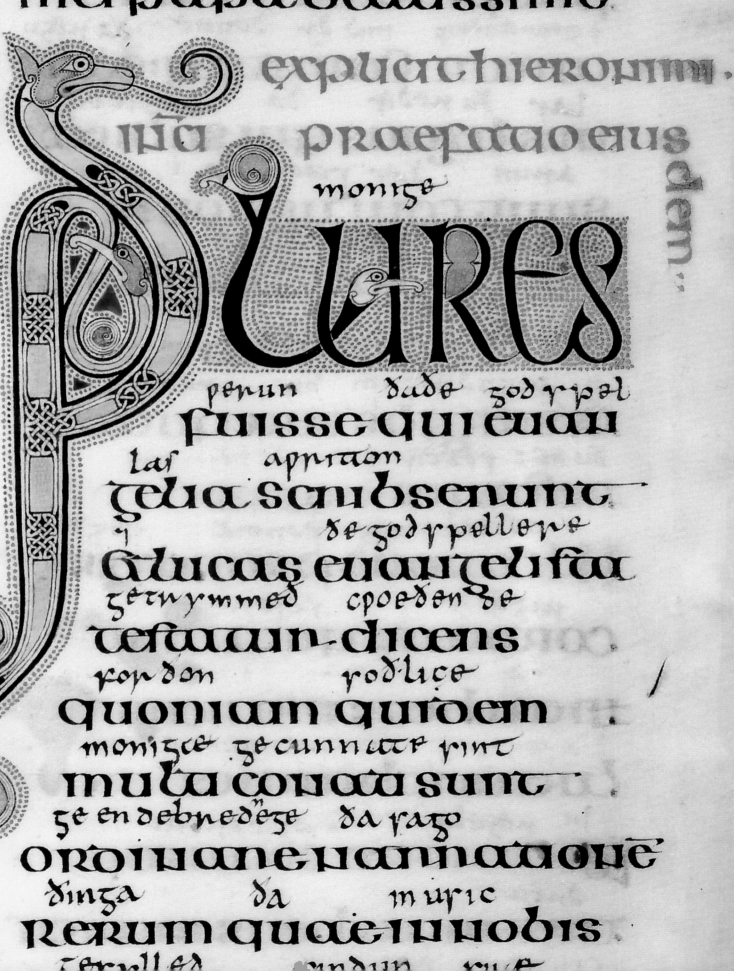

ðu ge truwfæst sie ł gemyndgu
ualeas et memineris
minres pape ðu eadgu
mei papa beatissime

EXPLICIT HIERONIMI.

INCIPIT PRAEFATIO EIUSDEM.

monige
PLURES
werun ðaðe godspel
fuisse qui euan
las awriton
gelia scribserunt
ł ðe godspellere
et lucas euangelista
getrymmed cwoeðende
testatur dicens
forðon soðlice
quoniam quidem
monigo gecunnade sint
multi conati sunt
geendebrednesse ða saga
ordinare narrationem
ðinga ða in usic
rerum quae in nobis

3

DER VESPASIAN-PSALTER

Die ersten narrativen Initialen in Westeuropa

Psalter in Latein mit hinzugefügten Interlinearglossen in Altenglisch. Kent, erste Hälfte des 8. Jahrhunderts (Glossen Mitte 9. Jahrhundert hinzugefügt).

- 240 × 190 mm
- 160 Blatt
- Cotton Vespasian A. i

Das Buch der Psalmen bildete das Herzstück der mittelalterlichen Spiritualität. Von daher überrascht es wohl kaum, dass Psalmen-Handschriften zu den häufigsten, noch aus dem Mittelalter erhaltenen Büchern zählen. Allein aus dem angelsächsischen England besitzen wir rund fünfzig Exemplare. Diese Bücher werden Psalter genannt, wenn sie um weitere Texte ergänzt sind, die für die Andacht hilfreich waren. Das können Vorreden zu den Psalmen sein oder Kalender mit den Heiligentagen, anderen Hochfesten und oftmals noch mehr Angaben, denn viele Kalendarien beinhalten auch Informationen über Personen oder Ereignisse, die für den Besitzer wichtig waren, wie die Weihung von Kirchen oder Geburts- und Sterbedaten von Familienangehörigen. Im Regelfall folgen den Psalmen die Cantica (von *Canticum* – „Gesang"), also Hymnen sowie eher orts- oder personenbezogene Gebete und Litaneien, sodass die Psalter jeweils ein aus einer Liedersammlung, die ursprünglich auf Hebräisch verfasst war und in der jüdischen Liturgie verwendet wurde, individuell zusammengestelltes Andachtsbuch ergeben. Ob für Einzelpersonen oder Gemeinschaften hergestellt, bei den meisten dieser Gebets- und Andachtsbücher handelt es sich um reich verzierte und prächtig illuminierte Handschriften. Das gilt auch für den Vespasian-Psalter. Seine Buchmalerei nach dem Prinzip der Wortillustration stellt zudem das in Europa früheste Beispiel für historisierte (narrative) Initialen dar, mit denen die symbolische und an Metaphern reiche Sprache der Psalmen in (realen) Bildern ihren Ausdruck findet.[1]

Der Psalter ist in einer klaren und gut lesbaren Unzialschrift (ausschließlich Großbuchstaben) geschrieben. Die Bemessung und Positionierung der Zeilen- und Wortabstände führt zu einem eleganten Schriftbild (Bild 3.2–3.4). Jeder Psalm beginnt mit einer großen verzierten Initiale, die vielfach aufwendig gestaltet und im charakteristischen Ornamentstil der angelsächsischen Buchkunst mit zoomorphen (Tierformen) Mustern gefüllt sind. Bei einer anderen, noch komplexeren Variante der Textanfänge sieht man nicht nur die Initiale, sondern auch die folgenden Buchstaben des ersten Worts prachtvoll verziert und oft mit einem gemalten Hintergrund unterlegt. In drei Fällen handelt es sich um Menschen- oder

3.1 | David spielt Harfe, umgeben von seinen Musikanten und zwei ihm zu Füßen sitzenden Männern, die Beifall klatschen, mit Tierdarstellungen in der rahmenden Arkade, fol. 30v.

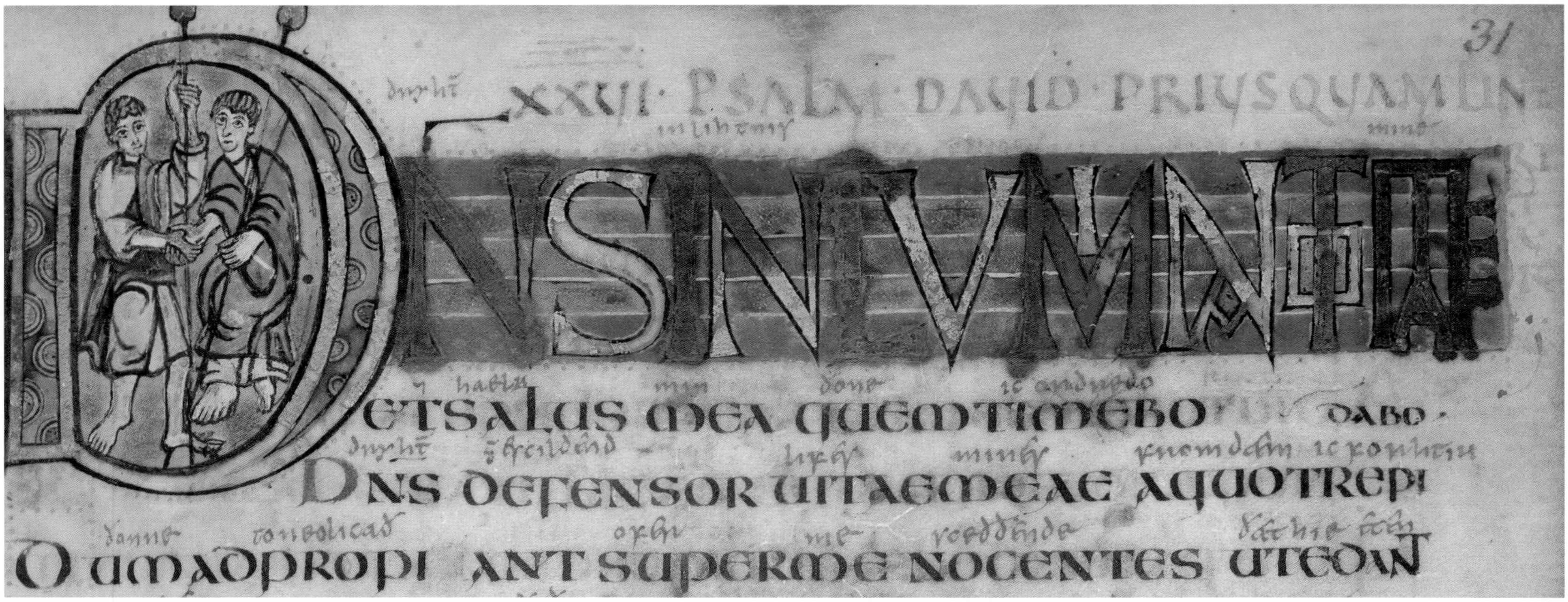

OBEN

3.2 | Zwei Männer (vermutlich David und Jonathan), die sich die Hände schütteln, im Buchstaben „D“*([omi]n[u]s)* des lateinischen Wortes für „Herr“ am Anfang von Psalm 27 (26), fol. 31 (Detail).

UNTEN

3.3 | David inmitten seiner Herde, wie er das Maul eines Löwen aufreißt, im Buchstaben „D“*(ixit)*, (übersetzt „[Der Narr] spricht“) am Anfang von Psalm 53 (52), fol. 53 (Detail).

3.4 | Ein Teil des verzierten und mit einer Vogeldarstellung ausgeschmückten Wortes *Cantate* („Singt") am Anfang von Psalm 98 (96), fol. 93v (Detail).

Tierfiguren, zum Beispiel einen Vogel wie bei Psalm 96 (Bild 3.4). Die kunstvolleren Buchstaben treten zumeist an den acht Gliederungszeilen des Psalters auf, die als Unterteilung der im Klosterleben täglich sowie in den Sonntagsvespern vorgetragenen Psalmengruppen jeweils am Beginn der Psalmen 1, 26, 38, 52, 68, 80, 97 und 109 stehen. Letztlich spiegeln die Gruppen die Anordnung wider, die der heilige Benedikt († 547) in Kapitel 16 seiner Regel *(Regula Benedicti)* unter Hinweis auf die Betrachtung des Psalmisten formulierte: „Siebenmal am Tag singe ich dein Lob" (Ps 119,164) und „Um Mitternacht stehe ich auf, um dich zu preisen" (Ps 119, 62).

Unter den verzierten Buchstaben befinden sich auch zwei mit Szenen aus dem Leben Davids, und zwar am Anfang von Psalm 26 und Psalm 52 (Bild 3.2–3.3). Als Motiv bietet sich Davids Leben geradezu an, da er als Verfasser der Psalmen gilt. So lautet auch die Überschrift von Psalm 26 dieser Psalterhandschrift: *Psalm[us] David*. Darunter sind im „D"*([omi]n[u]s)* des lateinischen Wortes für „Herr" zwei junge bartlose Männer abgebildet, die sich die Hände schütteln, vermutlich David und Jonathan (Bild 3.2). Weiter hinten im Buch ist David als Hirte inmitten von Schafen und Widdern zu sehen, wie er seine Herde gegen einen Löwen verteidigt. Dies wird allerdings nicht in den Psalmen, sondern im 1. Buch Samuel erzählt:

> Dein Knecht weidete die Schafe für seinen Vater. Wenn dann ein Löwe oder ein Bär kam und ein Schaf von der Herde wegtrug, so lief ich ihm nach und schlug auf ihn ein und entriss es seinem Rachen. Erhob er sich gegen mich, so ergriff ich ihn bei seinem Bart, schlug ihn und tötete ihn (1 Sam 17,34–35, Bild 3.3).

Typisch ist auch eine andere Darstellung von David, die ihn als Musiker zeigt und in Psaltern oft seinen Liedern, den Psalmen, vorangestellt erscheint. Das war wohl ebenso im Vespasian-Psalter der Fall, obwohl das Bild dann später vor Psalm 26 platziert wurde (Bild 3.1).

Wie fast alle biblischen Bücher im westlichen Christentum wurde der Text des Psalters auf Lateinisch geschrieben, und zwar nach einer der Übersetzungen, die traditionell dem heiligen Hieronymus (347–420) zugewiesen werden.[2] Dieser arbeitete fast 25 Jahre lang an der Übertragung von biblischen Texten aus dem Griechischen und Hebräischen ins gesprochene Latein und brachte drei Versionen oder Revisionen der Psalmen zum Abschluss. Die erste ist eine nach der griechischen Septuaginta angefertigte Übersetzung und heute als *Psalterium Romanum* oder „Römischer Psalter" bekannt, weil sie von der Kirche in Rom übernommen wurde. Der Vespasian-Psalter ist die früheste bekannte Kopie der *Romanum*-Übersetzung von Hieronymus, die dann in England allgemein bis Ende des 10. Jhs. als Hauptversion verwendet wurde.

Eine noch größere Bedeutung bekommt der Vespasian-Psalter durch die im 9. Jh. als Interlinearglosse eingefügte altenglische Übersetzung, die wie im Evangeliar von Lindisfarne (Nr. 2) über den lateinischen Worten steht. Bei dieser Glosse handelt es sich um die älteste, noch erhaltene Psalmenübersetzung ins Englische und der Vespasian ist einer von 14 Psaltern, die Altenglisch beinhalten.[3] Aufgrund des Schrift- und Dekorationsstils stimmen die Experten darin überein, dass der Psalter im südlichen angelsächsischen England oder in „Southumbria" (südlich des Humber) angefertigt wurde. Hinsichtlich der Frage, aus welcher Klosterwerkstatt er stammen und wer der mögliche Empfänger gewesen sein könnte, gehen die Meinungen jedoch auseinander. Ein Vorschlag lautet, das Buch wurde von Nonnen der Benediktinerabtei Minster-in-Thanet nahe Canterbury hergestellt.[4] 1599 ging der Vespasian-Psalter in den Besitz des Sammlers Sir Robert Cotton (1571–1631) über, der ihn käuflich erworben hatte. In Cottons Bibliothek stand der Psalter als erstes Buch auf dem obersten Brett (A. i) eines Bücherregals, an dem eine Büste des römischen Kaisers Vespasian befestigt war. Der Name des Psalters ist also eine Standortbezeichnung oder Signatur.

LITERATUR

David Wright, *The Vespasian Psalter*, Early English Manuscripts in Facsimile, 14, (Kopenhagen, 1967).

Phillip Pulsiano, „Psalters", in: *The Liturgical Books of Anglo-Saxon England*, hrsg. von Richard W. Pfaff, Old English Newsletter Subsidia, 23 (Kalamazoo, MI, 1995), S. 61–86.

Michelle Brown, *Manuscripts from the Anglo-Saxon Age* (London, 2007), S. 7, 10, 15, 53 und 60.

3.5 | Ein Teil des verzierten und mit einer Vogeldarstellung ausgeschmückten Wortes *Salvum* („Hilf") am Anfang von Psalm 69 (68), fol. 64v (Detail).

ANMERKUNGEN

Die Zählung der Psalmen richtet sich generell nach der älteren Vulgata. Zitiert wurde nach Zählung der *Nova Vulgata* (Nr. der älteren Vulgata bei Bildern in Klammern).

1 Zu historisierten Initialen siehe Einleitung, S. 24. Rosemary Muir Wright, „Introduction to the Psalter", in: *Studies in the Illustration of the Psalter*, hrsg. von Brendan Cassidy und Rosemary Muir Wright (Stamford, 2000), S. 1–11 (S. 5).

2 Zum hl. Hieronymus siehe „Tausend Jahre Kunst und Schönheit", S. 12–13.

3 Minnie Cate Morrell, *A Manual of Old English Biblical Materials* (Knoxville, TN, 1965), S. 45–81.

4 Michelle Brown, *Anglo-Saxon Age* (2007), S. 53.

halne
usque
NON ES
VENI IN ALTITUDINE

4

DAS HARLEY-EVANGELIAR

Die in Gold geschriebenen Evangelien

Vier Evangelien in Latein
Karolingerreich (Aachen?), um 800.

- 365 × 250 mm
- 259 Blatt
- Harley Ms. 2788

Karl der Große wurde am Ersten Weihnachtstag (25. 12.) im Jahr 800 in Rom zum Kaiser gekrönt. Von seinem Hof in Aachen aus initiierte er die als karolingische Renovatio oder karolingische Renaissance bezeichnete Wiederbelebung des römischen Kunststils, die Glanz und Pracht des antiken Roms wiederauferstehen lassen sollte. Dass dies gelang, beweist eine kleine Gruppe von noch erhaltenen Prachtevangeliaren. Sie sind stilistisch sehr ähnlich und wurden wahrscheinlich in Aachen, vielleicht sogar direkt unter Aufsicht Karls des Großen, erstellt. Eines davon ist das Harley-Evangeliar, das neben den vier Evangelien auch eine reiche Begleitausstattung, wie großartige Kanontafeln, Kapitelverzeichnisse und eine Liste der für die liturgische Lesung vorgesehenen Evangelienperikopen für das Kirchenjahr enthält. Jede Textseite des durchweg mit Goldtinte geschriebenen Codex ist von einem komplex ausgeschmückten Rahmen umschlossen. Als Luxusexemplar zeigt es am Beginn jedes Evangeliums auch ein ganzseitiges Porträt des betreffenden Evangelisten, dem eine aufwendig verzierte Incipitseite mit den ersten Worten des Textes gegenübergestellt ist (Bild 4.1–4.4).

Die Evangelisten sind in diesen Porträts mit ihren Symbolen dargestellt: Der Mensch versinnbildlicht Matthäus, der Löwe Markus, der Stier Lukas und der Adler Johannes. Diese Symbole gehen zurück auf die Vision des Propheten Ezechiel (oder Hesekiel) von den vier Lebewesen mit den vier Gesichtern (Ez 1,5–11) und auf die Vision des Johannes von den vier Lebewesen vor dem Thron Gottes (Offb 4,6–8). Die Kirchenväter haben diese bereits früh mit den Evangelisten verknüpft. Zum Beispiel bemerkte Hieronymus in der Einleitung zu seinem Matthäuskommentar, dass der Adler den Evangelisten Johannes bezeichnet *(significat)*, der, weil er die Schwingen eines Adlers erhält und zu Höherem eilen kann *(assumptis pennis aquilae, et ad altiora festinans)*, das Wort Gottes erörtert.[1] Hier sind die Symbole in einem separaten architektonischen Element untergebracht, und zwar jeweils über dem Evangelisten in der Lünette (halbrunder Raum) der rahmenden Arkade.[2] Die Evangelisten halten Schriftrollen oder in zwei Fällen aufgeschlagene Bücher mit den Anfangstexten der Evangelien. So steht zum Beispiel im Buch des Adlers bei Johannes: *In principio erat verbum et verbum erat apud*

4.1 | Evangelistenporträt des Johannes, der ein offenes Buch hält, und über ihm sein Symbol, der Adler, ebenfalls mit einem aufgeschlagenen Buch, fol. 161v.

UMSEITIG

4.2–4.3 | Evangelistenporträt des Markus, der ein offenes Buch hält, darüber sein Symbol, der Löwe, und gegenüber der Anfang seines Evangeliums mit der großen Zierintiale „I"*(nitium)*, fol. 71v–72 (Details).

INPRINCI
PIO ERAT
VERBUM,
ET VERBUM
ERAT APUD
DM
ET DS
ERAT
VERBUM.
HOC ERAT IN
PRINCIPIO
APUD DM.
EGO MISI VOS
METERE QUOD
VOS NON LA
BORASTIS.
ALII LABO
RAVERUNT.
ET VOS
IN LABORES
EORUM IN
TROISTIS

INITIVM EVANGELII IHV XPI FILII DI SIC
SCRIPTVM EST IN ESAIA PROP ECCE MITTO ANG
VIGILATE ERGO NES CITIS ENIM QUANDO DOMINUS DOMUS VENIAT SERO
AN MEDIA NOCTE AN GALLI CANTU AN MANE NE CUM VENERIT REPENTE INVENIAT
VOS DORMIENTES

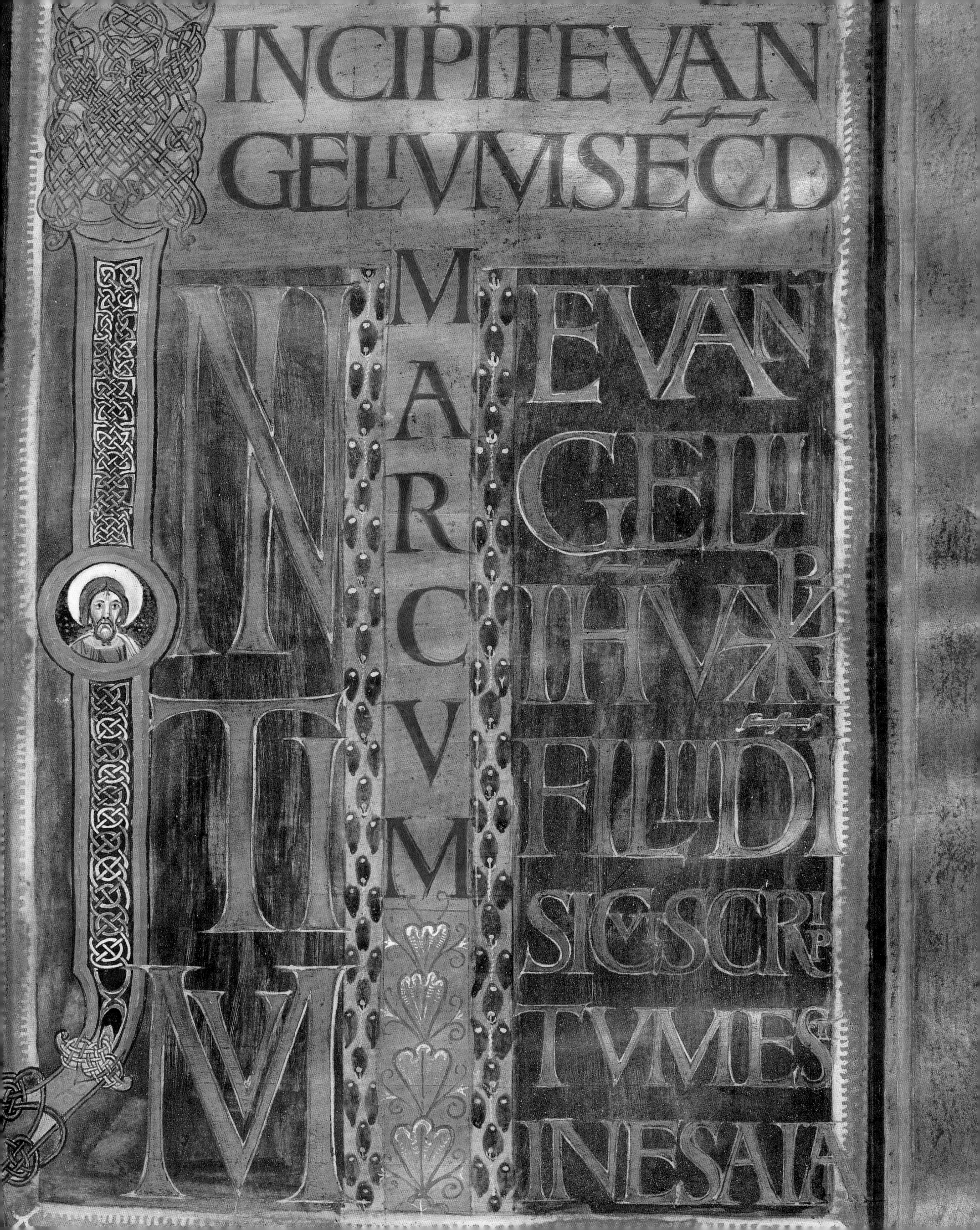
INCIPITEVAN
GELIVMSECD
MARCVM
INITIVM
EVAN
GELII
FILIIDI
SICVTSCRIP
TVMEST
INESAIA

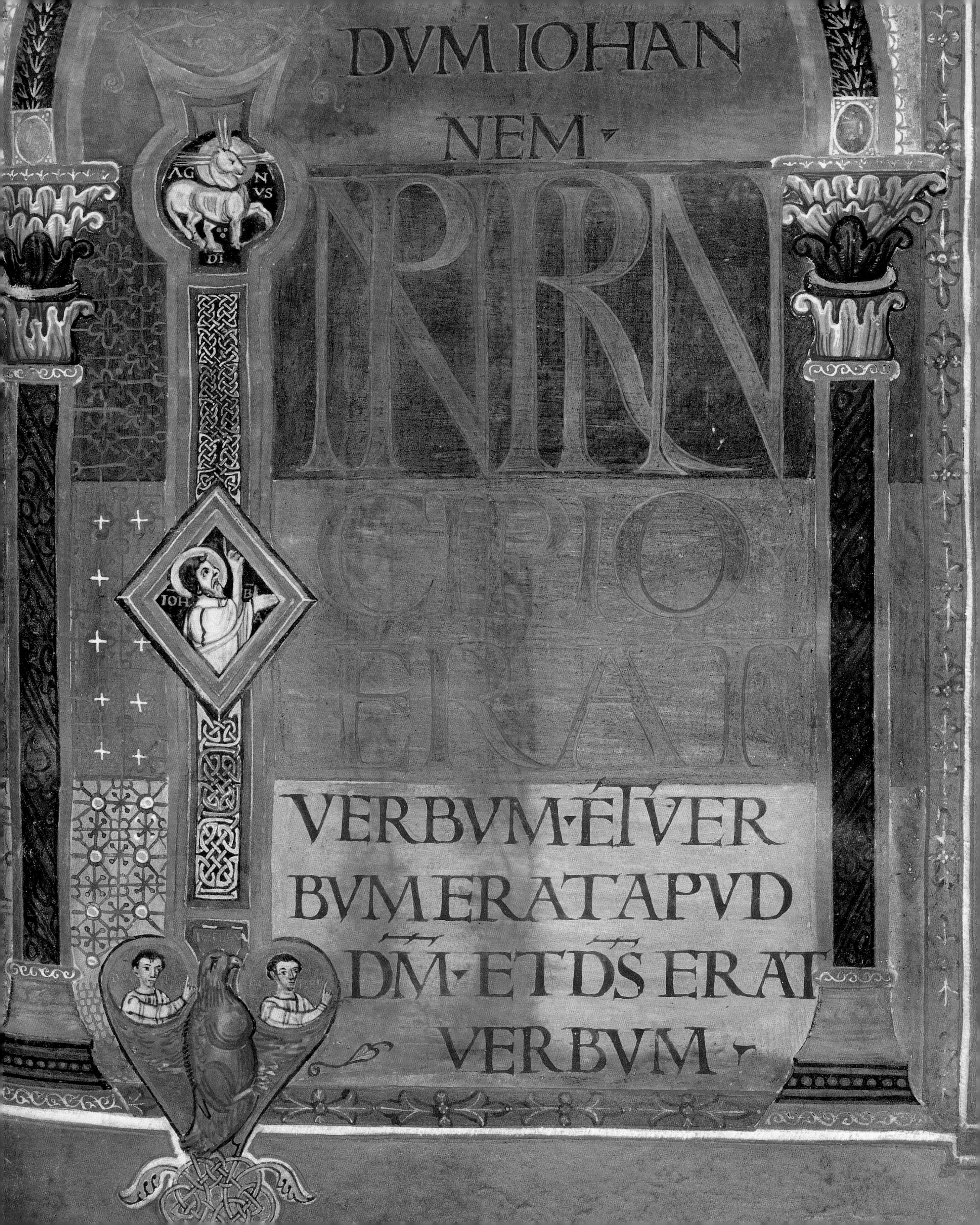

DVM IOHAN
NEM
AG NVS
DI
IOH
VERBVM·ET VER
BVM ERAT APVD
DM·ET DS ERAT
VERBVM

4.4 | Der Anfang des Johannesevangeliums mit dem Lamm Gottes, dem Evangelisten und zwei Jüngern im Körper des Buchstabens „I" *(n)*, fol. 162 (Detail).

D[eu]m et D[eu]s erat verbum hoc erat in principio apud D[eu]m („Im Anfang war das Wort, und das Wort war bei Gott, und das Wort war Gott. Dieses war im Anfang bei Gott." Joh 1,1–2, Bild 4.1). Die Symbole erscheinen in einer ähnlichen Position auch auf den Kanontafeln oben in der Arkade, wo sie direkt über dem Rundbogen als optischer Hinweis auf den Evangelisten und der ihm gewidmeten Spalte dienen (siehe Abb. 6, S. 21).

Dies zeigt, wie komplex die Beziehung von Text und Bild, oder besser Texten und Bildern, im gesamten Harley-Evangeliar ist. Außerdem wurde, vermutlich weil der erste Vers jedes Evangeliums durch das Symbol präsentiert wird, der Text im offenen Buch des Evangelisten aus einem anderen Teil seines Evangeliums gewählt. Zum Beispiel hat Johannes gerade diesen Vers geschrieben: *Ego misi vos metere quod vos non laborastis alii laboraverunt et vos in labores eorum introistis* („Ich habe euch ausgesandt zu ernten, woran ihr nicht gearbeitet habt; andere haben gearbeitet, und ihr seid in ihre Arbeit eingetreten." Joh 4,38, Bild 4.1). Genauso stammt der Text von Markus, der aus dem aufgeschlagenen Buch in den Hintergrund weiterläuft, aus Kapitel 13,35–36. Die Aufforderung zur Wachsamkeit, „denn ihr wisst nicht, wann der Herr des Hauses kommt", bezieht sich möglicherweise auf den nimbierten Christus in der ausgeschmückten Initiale gegenüber (Bild 4.3–4.4). Noch weitere Bilder wurden in die Anfangsbuchstaben der Evangelien eingefügt, die keinen direkten Bezug zu den Texten in den offenen Büchern der Evangelisten erkennen lassen. Beim Johannesevangelium illustrieren das Agnus Dei (Lamm Gottes), Johannes der Täufer und die beiden Jünger unten 1,36–37: „Und indem er auf Jesus blickte, der vorüberging, sprach er: Siehe, das Lamm Gottes! Und die beiden Jünger hörten ihn reden und folgten Jesus nach." (Bild 4.4).

Der Stil, die Platzierung, Kleidung und Szenerie der Evangelisten zeugen vom bewussten Rückgriff auf antike Vorbilder. Die marmorierten Säulen der Arkaden, die auch die Kanontafeln gliedern (Abb. 6, S. 20), erinnern an die römischen Porphyrsäulen, die Karl der Große nach Aachen bringen ließ, um seine Palastkapelle damit zu schmücken. Und nicht nur der klassizistische Stil der Evangelisten oder die Modellierung ihrer Gesichter, sondern sogar die Utensilien, mit denen sie ihre inspirierten Texte schreiben, sind Belege für die Vision Kaiser Karls von einer wiederauferstandenen klassischen und doch christianisierten Welt.

LITERATUR

Götz Denzinger: Harley-Evangeliar. In: Peter van den Brink, Sarvenaz Ayooghi (Hrsg.): *Karl der Große – Charlemagne. Karls Kunst.* Sandstein, Dresden 2014, S. 224 ff. (mit Literatur).

Karl der Große: Charlemagne, Karls Kunst, hrsg. v. Peter van den Brink und Sarvenaz Ayooghi (Aachen, 2014), Nr. 16.

Die Karolingischen Miniaturen, hrsg. v. Wilhelm Koehler und Florentine Mütherich, 8 Bde (Berlin, 1930–2013), II: *Die Hofschule Karls des Großen* (1958), hrsg. v. Wilhelm Koehler, S. 56–69 und 42–66.

James A. Harmon, *Codicology of the Court School of Charlemagne: Gospel Book Production Illumination, and Emphasised Script*, European University Studies, Series 28, History of Art, 21 (Frankfurt, 1984).

George Henderson, „Emulation and Invention in Carolingian Art", in *Carolingian Culture: Emulation and Innovation*, hrsg. v. Rosamond McKitterick (Cambridge, 1994), S. 248–273.

ANMERKUNGEN

1 *PL* 26, 19.

2 Vgl. Die Canterbury Royal Bible, Bild 5.1, wo beide, der Evangelist und sein Symbol, in der Lünette platziert sind.

5

DIE CANTERBURY ROYAL BIBLE

Eine frühe Canterbury-Bibel

Bibel (besteht heute nur noch aus den vier Evangelien) in Latein. Canterbury, erstes Viertel des 9. Jahrhunderts.

- 470 × 355 mm
- 77 Blatt
- Royal Ms. 1 E. iv

Als Papst Gregor I. der Große 597 den heiligen Augustinus von Canterbury († 604/605) mit einem Missionsauftrag zu Æthelberht, dem König von Kent († 616?), entsandte, damit er ihn und seine Untertanen zum Christentum bekehrte, war Canterbury eines der großen Bildungszentren im angelsächsischen England. Augustinus dürfte sicherlich liturgische Bücher, Psalter und Evangeliare mitgebracht haben, und man nahm später an, dass auch eine große Bibel von Papst Gregor für Missionszwecke darunter war. Dieser Grundstock an Texten wurde kopiert und vom Kloster und der zugehörigen Kirche St. Peter and St. Paul aus in den Osten verbreitet. Später wurden Kirche und Kloster dem inzwischen heiliggesprochenen Missionar und ersten Erzbischof von Canterbury Augustinus geweiht.

Ein Teil einer Anfang des 9. Jhs. in der Abtei St. Augustinus kopierten Bibel ging in den Bestand der English Royal Library über und wird heute Canterbury Royal Bible genannt, als Verweis auf den historischen Hintergrund. Es sind nur die vier Evangelien und die Kanontafeln erhalten (weitere Seiten konnten in anderen Sammlungen identifiziert werden)[1]. Aus internen Standortsignaturen und Nummerierungen geht jedoch hervor, dass der Codex einst über 900 Blatt stark und vermutlich eine Vollbibel war. Aufgrund seiner Größe (470 mm Seitenhöhe) dürfte er als Pultbibel für gemeinschaftliche Lesungen[2] und, wie der Buchschmuck zeigt, auch zum Ausstellen gedacht gewesen sein.

Das auffälligste Buchornament sind die wenigen mit Silber- und Goldtinte auf Purpurpergament beschriebenen Blätter (Bild 5.1 und 5.3). Dass diese besondere Farbe zum Färben der Blätter sowie sehr viel kostbare Materialien wie Gold und Silber verwendet wurde, deutet auf einen Herrscher oder hohen Kleriker als Besitzer hin. Einige römische Kaiser beanspruchten für sich das alleinige Recht, purpurfarbene Kleidung zu tragen. Ebenso galten auf Purpur geschriebene Bücher als Statussymbole: Einem Bericht zufolge erhielt Konstantin der Große (reg. 306–337) ein in Gold und Silber auf Purpurpergament geschriebenes Gedicht als Geschenk *(ostro tota nitens, argento auroque coruscis scripta noti)*.[3] Diese Technik fand dann auch Anwendung bei Bibeltexten. Der Schreiber des für Karl den Großen im

5.1 | Porträt des Lukas mit seinem Symbol, dem Flügelstier, am Anfang seines Evangeliums, fol. 43.

UMSEITIG

5.2 | Kanon I, mit der Überschrift *Incip[it] canon primis in quo iiii* und den Namen der Evangelisten Matthäus, Markus, Lukas, Johannes, fol. 4 (Detail).

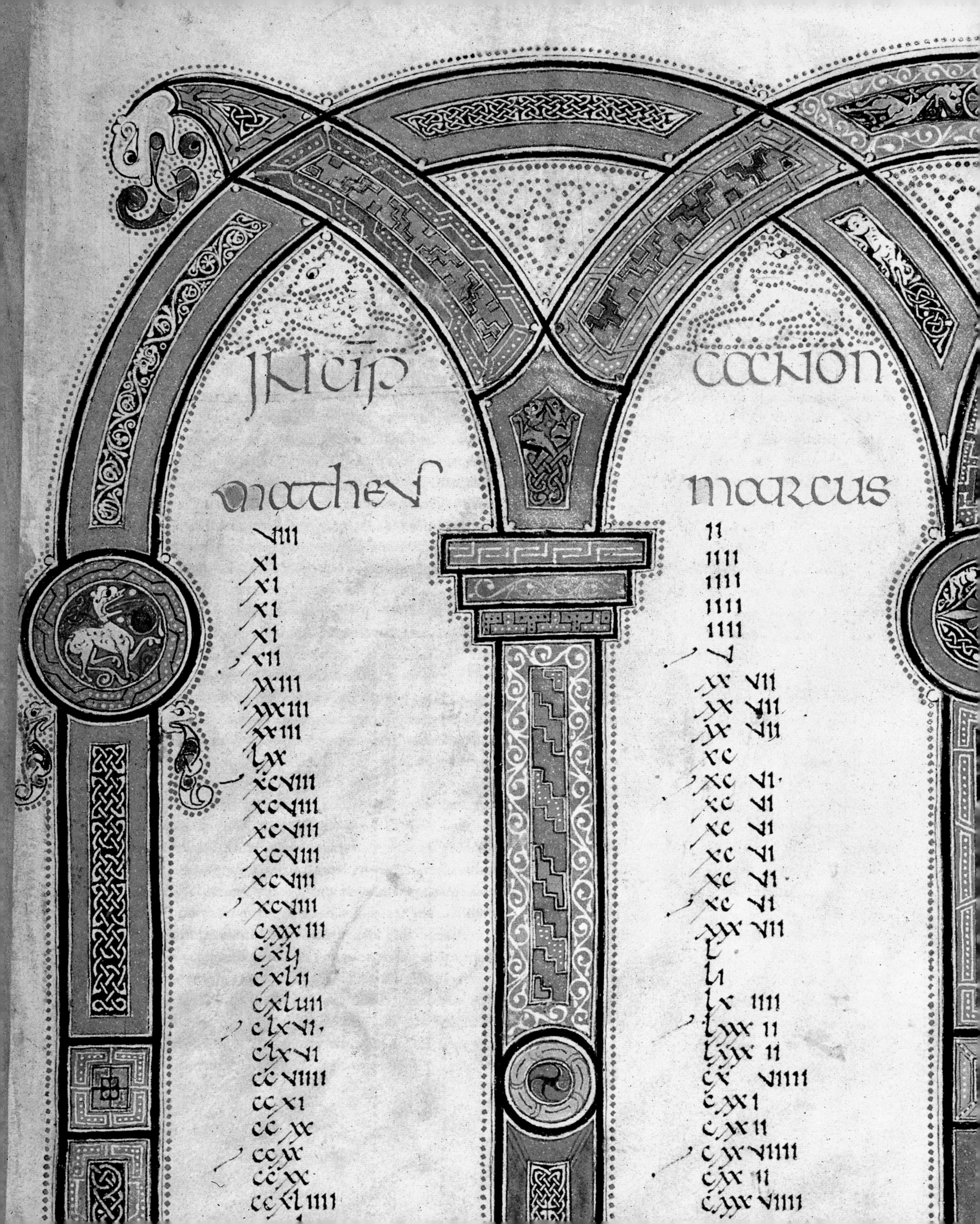
marcus

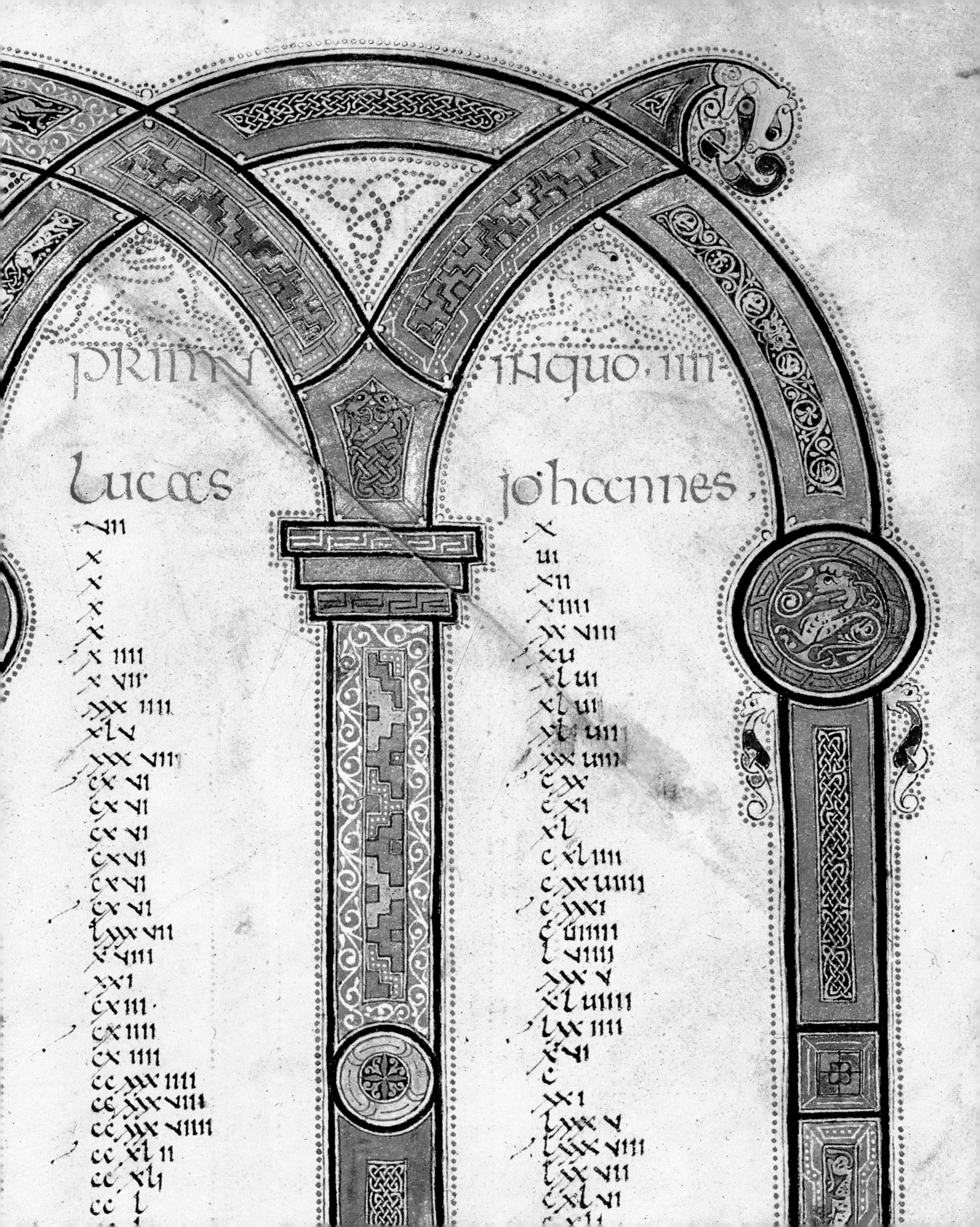
PRIM
IN QUO IIII
lucas
iohannes

Jahr 780 erstellten Evangelistars erläuterte die Funktion dieser kostbaren Materialien im christlichen Kontext:

> Die goldenen Buchstaben werden auf purpurne Blätter gemalt.
> Sie offenbaren das durch das rosenfarbige Blut Gottes eröffnete Himmelreich
> Und die glänzenden Freuden des gestirnten Himmels,
> Und das Wort Gottes, in würdigem Glanz schimmernd,
> Verheißt den leuchtenden Lohn des ewigen Lebens.[4]

Die vier Purpurblätter in der Canterbury Royal Bible sind seltene Relikte – es sind nur noch zwei andere angelsächsische Bücher mit solchen Seiten bekannt (im Rest Europas hingegen gibt es mehr). Drei Purpurblätter enthalten nur Text, doch auf dem vierten findet sich ein Evangelistenporträt von Lukas (Bild 5.1). Er ist nicht als schreibende, sitzende Gestalt, sondern als Halbfigur in einem Medaillon dargestellt. Sein Symbol, der Flügelstier, nimmt allerdings im Tympanon eines Bogens über den verzierten Säulen eine herausgehobene Position ein.[5] Die Säulen mit ihren runden und eckigen Feldern voller Flechtwerk erinnern stark an Kunstschmiedearbeiten und rahmen das in Gold- und Silberlettern geschriebene Incipit des Lukasevangeliums: *Quoniam quidem* („Schon viele"). Diese besonderen Seiten der Bibel erfreuten sich hoher Wertschätzung und waren sogar noch Jahrhunderte nach ihrer Anfertigung in Gebrauch. Anfang des 11. Jhs. wurde auf der Rückseite (verso) eines dieser Incipits das Evangelistenporträt des heiligen Markus eingefügt (Bild 5.3). In diesem späteren Porträt sind der Evangelist und sein Symbol mit entgegengesetzter Blickrichtung und in einem Rahmen dargestellt, der im Vergleich zur älteren Malerei mit schlichteren Blattmustern gefüllt ist.

Die Canterbury Royal Bible beinhaltet auch illuminierte Kanontafeln (Bild 5.2), deren Ausschmückung dieselbe Art von komplexen Mustern aus Flechtwerk und zoomorphen Formen aufweist, wie man sie auf der Incipit-Seite zu Lukas sieht.[6] Die Tafeln lassen sich mit jenen im rund 100 Jahre älteren Evangeliar von Lindisfarne (Nr. 2) vergleichen. Gemeinsame Elemente in der Ornamentik sind rote Punkte, zoomorphe Formen wie Vogel- und Tierköpfe sowie Felder mit Stufen und Flechtwerk, die an Schmiedearbeiten erinnern. Und wie im Lindisfarne-Evangeliar wird die Kostbarkeit des Textes mit der ungemein üppigen Ausschmückung, hier mit Gold und Silber auf den purpurgefärbten Blättern, demonstriert.

LITERATUR

Patrick McGurk, „An Anglo-Saxon Bible Fragment of the Late Eighth Century: Royal 1 E. vi", *Journal of the Warburg and Courtauld Institutes*, 25 (1962), 18–34.

J. J. G. Alexander, *Insular Manuscripts: 6th to the 9th Century, A Survey of Manuscripts Illuminated in the British Isles*, 1 (London, 1978), Nr. 32.

Herbert Kessler, „The Book as Icon", in: *In the Beginning: Bibles before the Year 1000*, hrsg. von Michelle P. Brown (Washington, 2006), S. 77–103.

Richard Gameson, „The Canterbury Royal Bible", in: Scot McKendrick, John Lowden and Kathleen Doyle, *Royal Manuscripts: The Genius of Illumination* (London, 2011), Nr. 2.

5.3 | Evangelistenporträt des Lukas mit seinem Symbol, dem Flügellöwen, im 11. Jh. hinzugefügt, fol. 30v.

ANMERKUNGEN

1 Canterbury, Kathedrale von Canterbury, MS Add. 16; Oxford, Bodleian Library, ms Lat. bib. b. 2.

2 Zur Verwendung von Pultbibeln siehe Frankenthaler und Arnsteiner Bibel, Nr. 21 und 23.

3 P. Optatianus Porfyrius, *Carmina* I: 1-4

4 Paris, BnF, MS nouv. acq. lat. 1203, fol. 126v-127, engl. Übersetzung Paul E. Dutton, wie zitiert in: Kessler „Book as Icon" (2006), S. 77, [Anm. d. Übers.: deutsche Übersetzung des Widmungsgedichts zitiert aus „Buchkultur im Mittelalter", hrsg. von Michael Stolz, Adrian Mettauer (2005), S. 50]. Zu Karl dem Großen siehe das Harley-Evangeliar, Nr. 4, und die Moutier-Grandval-Bibel, Nr. 6.

5 Zu den Symbolen der Evangelisten siehe das Harley-Evangeliar, Nr. 4.

6 Zu Kanontafeln allgemein siehe die Goldenen Kanontafeln, Nr. 1.

6

DIE BIBEL VON MOUTIER-GRANDVAL

Symbolische figurative Kunst

Bibel in Latein.
Tours, zweites Viertel des 9. Jahrhunderts.

- 510 × 375 mm
- 449 Blatt
- Additional 10546

Im Zuge einer geplanten Kirchenreform versammelte Karl der Große Gelehrte und Ratgeber aus ganz Europa an seinem Hof.[1] Einer von ihnen war der Engländer Alkuin von York, der bis Anfang 800 eine berichtigte Bibelversion für Karl erarbeitet hat. Nach seiner Ernennung zum Abt von Saint-Martin de Tours im Jahr 796 entwickelte sich das Kloster unter ihm und seinen Nachfolgern zu einem bedeutenden Zentrum für die Herstellung von Bibeln – über 40 Exemplare aus der ersten Hälfte des 9. Jhs. sind noch erhalten.[2] Diese als Alkuin-Bibel bekannte Version der Vulgata des Hieronymus verwendet die *Gallicanum* an Stelle der *Romanum* als lateinische Fassung der Psalter und eine bestimmte Reihenfolge der biblischen Bücher und Prologe.[3] Das Skriptorium in Tours spezialisierte sich auf die Anfertigung von großformatigen Kopien mit sehr gut lesbaren Texten in einer besonders „zum Export geeigneten Schönschrift".[4] Bei vielen handelte es sich um riesige Pandekten, das heißt um Vollbibeln, die eine Abschrift der vollständigen Texte aller Bücher in einem einzigen Band vereinen.

Drei von den vierzehn noch vorhandenen touronischen Pandekten sind spektakulär illustriert und wurden unter Abt Adalhard (reg. 834–843) und seinem Nachfolger Vivian (reg. 844–851) erstellt, als die Buchmalerei in Tours ihren Höhepunkt erreicht hatte.[5] Die älteste davon ist die 449 Blatt starke und über einen halben Meter hohe Moutier-Grandval-Bibel. Sie ist benannt nach dem Kloster Moutier-Grandval in der Diözese Basel, für das sie vielleicht ursprünglich als Exportprodukt vom Skriptorium in Tours erstellt wurde. Die vier Miniaturen im Buch gelten als eines der frühesten Beispiele ganzseitiger narrativer Kunst in mittelalterlichen Handschriften.

Die erste Illustration erscheint am Anfang der Genesis und zeigt in vier Registern, in denen sich das Geschehen von links nach rechts entwickelt, die Abfolge der Ereignisse, die im zweiten und dritten Kapitel des 1. Buch Mose beschrieben sind: die Erschaffung von Adam und Eva; Gottes Mahnung, nicht vom Baum der Erkenntnis zu essen; die Versuchung und der Sündenfall; die Vertreibung von Adam und Eva aus dem Paradies; Eva stillt einen Säugling und Adam bestellt das Feld (Bild 6.1). Der mit goldenen Buchstaben auf die Rahmenleisten zwischen den Registern geschriebene Spruch fasst die dargestellten Ereignisse zusammen und kann als Begleittext zu den Bildern aufgefasst werden.[6] Auch das Buch Exodus wird durch eine ganzseitige, in zwei Szenen aufgeteilte Darstellung zweier bedeutender Episoden eingeleitet (Bild 6.4).

6.1 | Die Erschaffung von Adam und Eva, die Ermahnung, die Versuchung und der Fall, die Vertreibung und Eva stillt während Adam das Feld bestellt, am Anfang der Genesis, fol. 5v.

UMSEITIG (LINKS)
6.2 | Die Majestas Domini (der thronende Christus) mit den vier Evangelistensymbolen am Anfang des Neuen Testaments, fol. 352v.

UMSEITIG (RECHTS)
6.3 | Das Lamm und der Löwe Judas mit dem Buch der Sieben Siegel umgeben von den Evangelistensymbolen und (unten) eine sitzende Figur, die einen Schleier hält, den die Evangelistensymbole anheben, fol. 449.

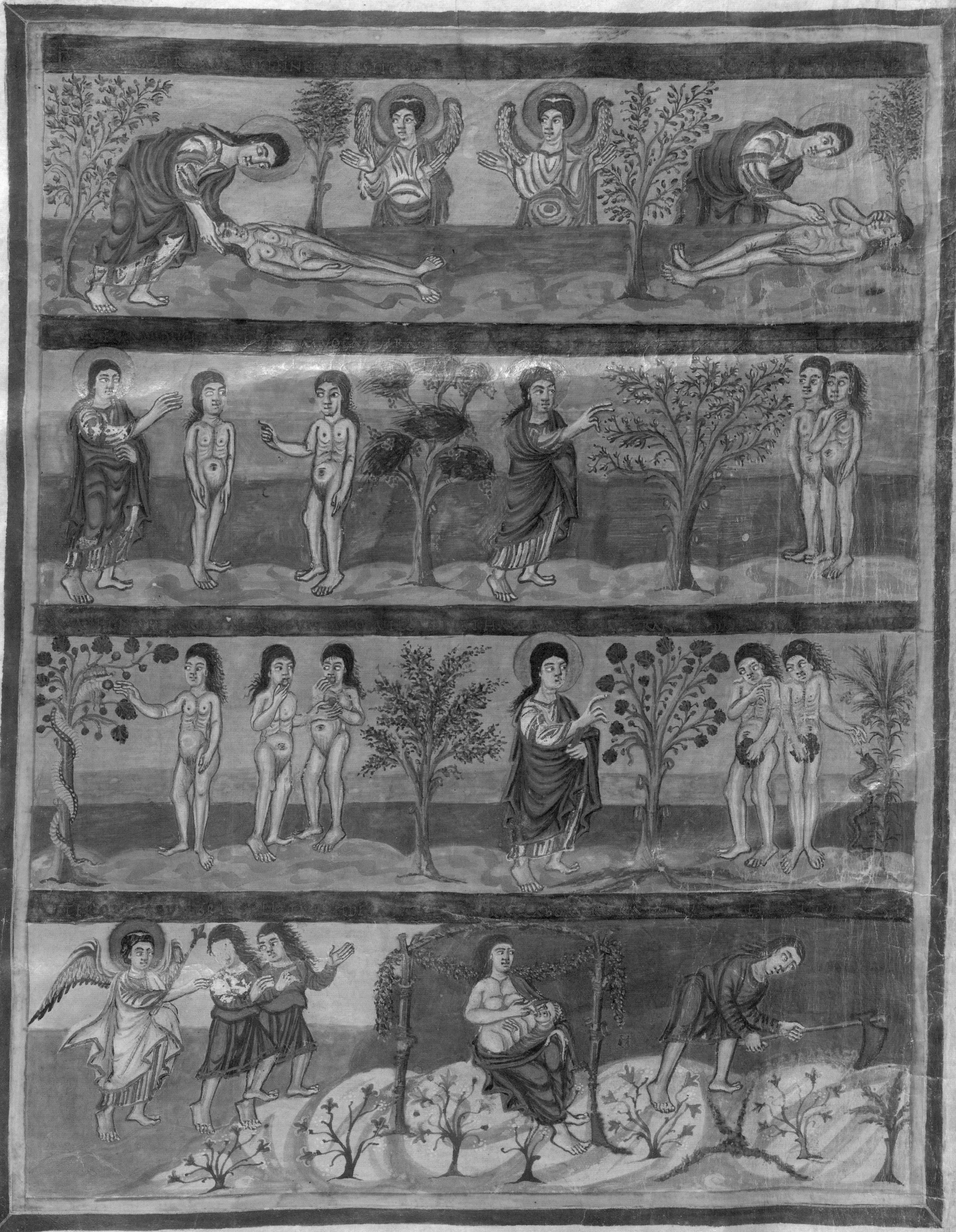

Johannes
REXMI
SIVEP
QUATTUOR
TUBAE
CAT AETHE
DIGNE
PHETAE O
GELICAE
ATQ:

Matheus
Ioh.
Marcus
Lucas
SEPTEM SIGILLIS AGNUS INNOCENS MODIS SIGNATA MIRIS IURA DISSERIT

MOYS

6.4 | Moses nimmt die Gebote aus der Hand Gottes in Empfang und verkündet sie dem Volk, am Anfang von Exodus, fol. 25v.

In der oberen nimmt Moses auf einem in Flammen stehenden Berg die Gesetze aus der Hand Gottes in Empfang, wie es in 2 Mos 24,17 heißt: „Die Erscheinung der Herrlichkeit des Herrn auf dem Gipfel des Berges zeigte sich vor den Augen der Israeliten wie verzehrendes Feuer." Darunter verkündet Moses die Zehn Gebote auf den zwei Tafeln dem Volk Israel (2 Mos 34,29–32). Dass sich der Maler dem antiken Kunststil verpflichtet fühlte, zeigen die Gewänder der Figuren, die Vorhänge und vor allem die architektonische Kulisse mit den Arkaden, der Kassettendecke und den darunter stehenden Figuren, die an römische Wandmalereien erinnern, wie man sie von Ausgrabungen in Pompeji und Herculaneum her kennt.

Im Gegensatz dazu sind die beiden anderen ganzseitigen Miniaturen in dieser Bibel komplexere Interpretationen des Textes. Die erste ist dem Neuen Testament vorangestellt und hat als zentrales Motiv die Majestas Domini, das Bild des thronenden Christus, umgeben von den Symbolen der vier Evangelisten, die Bücher halten (Bild 6.2).[7] In den Ecken sieht man vier Männer mit Schriftrollen (vermutlich die vier wichtigsten Propheten Jesaja, Jeremia, Daniel und Ezechiel). Daher fungiert dieses Bild nicht als Illustration einer bestimmten Bibelstelle, sondern als visueller Kommentar, oder eine Kurzfassung, zu den vier Evangelien, die als Erfüllung der im im Alten Testament enthaltenen Prophezeiungen folgen.

Die Ikonographie der vierten ganzseitigen Miniatur vereint diese beiden Darstellungsvarianten. Im oberen Teil umgeben die Evangelistensymbole das Lamm und den Löwen Judas, die, indem sie das Buch mit den sieben Siegeln öffnen, den Inhalt von Offenbarung 5,1–7 und 6,1 illustrieren (Bild 6.3). Die von den Symbolen gehaltenen Texte stehen hier in tironischen Noten, einer lateinischen Kurzschrift, die im 1. Jh. v. Chr. Marcus Tullius Tiro (103–4 v. Chr.), der Sklave und später freie Privatsekretär des römischen Staatsmannes Cicero, zum Mitschreiben der Reden im Senat entwickelte.[8] Der sitzende Mann in der unteren Hälfte lässt sich nicht so einfach durch eine Textstelle bestimmen. Nach Meinung einiger Bibelwissenschaftler könnte es Moses sein, der den Schleier hält, den die Evangelistensymbole lüften, oder eine Personifikation Gottes, der sich „in der Schrift als eine einzelne Person offenbart".[9] In seinem Kommentar zur Apokalypse bemerkte Beatus von Liébana sinngemäß, dass das Antlitz der Bibel von Moses bis Christus verschleiert war und am Ende dieser Bibel offenbart wird.[10] Dieses Bild, das heute die letzte Seite ziert, könnte ursprünglich die Anfangsseite der Offenbarung oder des ganzen Bandes gewesen sein, um die Einheit des Alten und Neuen Testaments hervorzuheben.

ANMERKUNGEN

1 Zu Karl dem Großen siehe das Harley-Evangeliar, Nr. 4.

2 David Ganz, „Mass Production of Early Medieval Manuscripts", in: *The Early Medieval Bible: Its Production, Decoration and Use,* hrsg. von Richard Gameson (Cambridge, 1994), S. 53–62.

3 Zur *Gallicanum*-Fassung der Psalter siehe Lothar-Psalter, Nr. 7.

4 Rosamond McKitterick, „Carolingian Bible Production: The Tours Anomaly", in: *The Early Medieval Bible: Its Production, Decoration and Use*, hrsg. von Richard Gameson (Cambridge, 1994), S. 63–77 (S. 63).

5 Walter Cahn, *Romanesque Bible Illumination* (Ithaca, NY, 1982), S. 46. Die anderen beiden sind Staatsbibliothek Bamberg, Msc. Bibl. 1, und Paris, BnF, ms lat. 1.

6 Vgl. Kessler, *Illustrated Bibles* (1977), S. 33.

7 Zu den Evangelistensymbolen siehe das Harley-Evangeliar, Nr. 4.

8 Wir danken David Ganz, dass er uns darauf aufmerksam gemacht hat.

9 Vgl. Cahn, *Romanesque Bible Illumination* (1982), S. 50; Kessler, „Book as Icon" (2006), S. 92.

10 Zitiert in Kessler, „Book as Icon" (2006), S. 92; zu Beatus siehe die Silos-Apokalypse, Nr. 15.

LITERATUR

Die Bibel von Moutier-Grandval, British Museum ADD.MS.10546, mit Textbeiträgen von Johannes Duft und anderen (Bern, 1971). [Faksimile]

Die Karolingischen Miniaturen, hrsg. von Wilhelm Koehler und Florentine Mütherich, 8 Bde. (Berlin, 1930-2013), II, *Die Hofschule Karls des Großen,* hrsg. von Wilhelm Koehler (1958), S. 56-69 und 42-66; III, 1. Teil: *Die Gruppe des Wiener Krönungs-Evangeliars,* hrsg. von Wilhelm Koehler (1960), S. 22-27, 30 f. und 35-45

Herbert Kessler, *The Illustrated Bibles from Tours,* Studies in Manuscript Illumination, 7 (Princeton, 1977).

Herbert Kessler, „The Book as Icon", in: *In the Beginning: Bibles before the Year 1000,* hrsg. von Michelle P. Brown (Washington, 2006), S. 77–103 (S. 91–92, 99, Abb. 11).

David Ganz, „Carolingian Bibles", in: *The New Cambridge History of the Bible,* 4 Bde. (Cambridge, 2012–2015), II: *From 600 to 1450,* hrsg. von Richard Marsden und E. Ann Matter (2012) S. 325–337.

7

DER LOTHAR-PSALTER

Ein kaiserlicher Psalter

Psalter in Latein
Aachen, um 842–855.

- 235 × 185 mm
- 172 Blatt
- Additional 37768

Auch unter Lothar I. (795–855), dem Enkel Karls des Großen und ältesten Sohn Ludwigs des Frommen, der von 817 an zusammen mit seinem Vater als römischer Kaiser herrschte, setzte sich die Herstellung von prachtvoll gestalteten Handschriften mit biblischen Texten fort. In diesem Psalter ist Lothar als gekrönter, buchstäblich mit Edelsteinen überhäufter Kaiser in einem Gewand dargestellt, das dem des römischen Kaisers Constantinus II. sehr ähnlich sehen soll (Bild 7.1).[1] Dem Bild gegenüber steht ein in Gold geschriebenes Gedicht über Lothar als „triumphierender Kaiser" *(Caesareum ... triumphum)*, dem die Völker des Ostens *(oriens)* wie des Westens *(occidui)* untertan sind. In der Aachener Domschatzkammer befinden sich noch ähnlich prunkvoll gearbeitete Kunstschätze, die auf römische Kaiser verweisen, wie das reich mit Edelsteinen und Perlen besetzte Lotharkreuz (obwohl erst rund 150 Jahre nach Lothars Tod angefertigt), dessen eingearbeitete Kamee eine mit Lorbeerkranz gekrönte Büste zeigt. Der Psalter ist eng mit der kaiserlichen Familie verknüpft, wie ein dem Kaiserbild vorangestelltes Gebet bestätigt, das sich nicht nur auf Lothar, sondern auch auf seine Söhne bezieht und sogar für seine Tochter Bertrada geschrieben sein könnte.[2] Diese Handschrift ist eine von fünf noch erhaltenen, die sich vom Stil und Format her sehr ähneln. Fachleute kamen aufgrund ihrer hohen Qualität zu dem Schluss, dass sie aus einer kleinen Werkstatt an Lothars Hof in Aachen stammt, in der auch andere Bücher für den Kaiser und seine unmittelbare Familie hergestellt wurden (sie wird daher oft als Hofschule Kaiser Lothars bezeichnet).

Wie in den Handschriften seines Großvaters wird die römische Antike sicher bewusst immer wieder aufgegriffen, sowohl visuell durch Bildelemente, z.B. Lothars Kleidung und den imperialen mit Tierköpfen verzierten Faltstuhl, auf dem er sitzt, wie auch im Text durch entsprechende Hinweise. Dieses Bild gilt als eine der ältesten noch vorhandenen Darstellungen eines karolingischen Throns, der häufig mit dem heute in Paris aufbewahrten Dagobert-Thron aus vergoldeter Bronze des Frankenkönigs Dagobert I. († 639) verglichen wird.[3] Auch das direkt folgende Davidbild hat einen Bezug zum Königtum (Bild 7.2). David ist als Leier[4] spielender Psalmist dargestellt, der zwar anstatt einer Krone einen Heiligenschein hat, dafür aber wie Lothar ein Gewand trägt, das ebenso wie sein Aussehen und die Steinbank mit dem Kissen, auf der er

7.1 | Porträt Kaiser Lothars I. mit Krone, Langzepter und Schwert, fol. 4.

UMSEITIG (LINKS)
7.2 | Porträt des jungen David, sitzend und Leier spielend, fol. 5.

UMSEITIG (RECHTS)
7.3 | Porträt des heiligen Hieronymus als Priester mit Albe, Messgewand, Stola und einem Buch in der Hand, fol. 6.

HIERO
NIMUS

I
AT
US
UIR
QUI
NON
ABIIT
INCONSILIOIMPIORUM

XI
AL
UU
M.
ME FAC DNE
QUONIAM DEFE
CIT SANCTUS

LXI
NNE
DO SUBIECTAERIT
ANIMAMEA AB
IPSO ENIM SALU
TARE MEUM

CI
N
E
EXAUDI
ORATIONEMME
AMETCLAMORME
US ADTEUENIAT

VON OBEN LINKS IM UHRZEIGERSINN

7.4 | Zierinitiale „B"*(eatus)*, Psalm 1, fol. 9; „S"*(alvum)*, Psalm 10, fol. 17; „No"*(nne)*, Psalm 60, fol. 64; und „D"*([omi]ne)*, Psalm 100; fol. 105 (Details).

sitzt, im klassisch-römischen Stil erscheint. Vermutlich dient David in diesem Zusammenhang als Vorbild eines biblischen Königs, den Gott (vielleicht wie Lothar) aus vielen Brüdern erwählt hat *(de multis fratribus unum quem Deus elegit)*, wie es im Gedicht auf der gegenüberliegenden Seite steht, in dem auch behauptet wird, Davids Psalmen „kündigen Christus der Welt an" *(signarent Xr[istu]m mundi)*.[5]

Das dritte, vor den Psalmen eingeordnete Porträtbild zeigt den hl. Hieronymus (Bild 7.3). Auch er ist eine imposante Gestalt mit Tonsur, die einen Segensgestus macht und ein edelsteinbesetztes Buch hält. Er trägt die Kleidung eines Priesters (nicht eines Kardinals, wie in späteren Darstellungen) und eine Stola, deren Dekor zu seinem Buch passt.[6] Wie David wird auch Hieronymus mit dem Erstellen der Psalmen in Verbindung gebracht, allerdings nicht als Autor, sondern als Übersetzer.

Die nach dem Bild stehenden Psalmentexte folgen der Fassung des *Psalterium Gallicanum*, so genannt, weil sie in Gallien im Gegensatz zu der in Italien und England im Frühmittelalter gebräuchlichen *Romanum*-Fassung zu liturgischen Zwecken verwendet wurde.[7] Zwischen 386 und 391 vollendete Hieronymus seine Übersetzung auf der Basis der griechischen Psalmentexte von Origenes († um 254) nach dessen Ausgabe des Alten Testaments in Hebräisch und Griechisch, der *Hexapla*. Die lateinische *Gallicanum*-Fassung der Texte wurde am Hofe Karls verwendet und später als Standard in der Vulgata übernommen. Wie bedeutend Hieronymus und sein verbesserter Text sind, wird hier auf einer ganzen Seite direkt vor dem Buchtext in golden geschriebenen Worten zum Ausdruck gebracht: *Incipit liber Psalmorum emendatus a Sancto Hieronimo presbitero* („Hier beginnt das Buch der Psalmen, bereinigt vom hl. Hieronymus, dem Priester").

Der künstlerische Reichtum des Buches zeigt sich auch an den herrlich verzierten und mit komplexen Mustern gefüllten Initialen in Gold. Sie markieren nicht wie beim Vespasian-Psalter (Nr. 3) die Gliederungszeilen einer Achter-, sondern einer Zehnergruppe von Psalmen, eine liturgische Unterteilung in zehn Abschnitte *(decuriae)*, die man aus Mailänder Psaltern kennt und als liturgische Tradition auf den hl. Ambrosius zurückgeht (Bild 7.4).[8] Stilistisch sind diese kunstvollen Initialen mit ihren dichten Knoten und Spiralen aus farbigen Linien und Formen ein Beleg für die anhaltende Beliebtheit der Flechtwerkmuster im Karolingerreich. Darüber hinaus wird durch die Ikonographie und Reihenfolge der Ganzseitenporträts und begleitenden Texte Lothars Platz als Nachfolger weltlicher und geistlicher Oberhäupter herausgestellt.

ANMERKUNGEN

1 Dodwell, *Pictorial Arts* (1993), S. 60.

2 Hierzu wird ein Artikel von Rudolf Schieffer erscheinen.

3 Paris, BnF, Département des Monnaies, médailles et antiques.

4 Vgl. David im Vespasian-Psalter, Bild 3.1.

5 Siehe Lowden, „Royal/Imperial Book" (1993), S. 224.

6 Zu Hieronymus als Kardinal siehe die Riesenbibel, Nr. 39.

7 Zu den Übersetzungen von Hieronymus, siehe „Tausend Jahre Kunst und Schönheit", S. 12, und zum *Psalterium Romanum* siehe Vespasian-Psalter, Nr. 3.

8 Zu dieser Tradition siehe Huglo, „Psalmody" (2010).

LITERATUR

Die Karolingischen Miniaturen, hrsg. von Wilhelm Koehler und Florentine Mütherich, 8 Bde. (Berlin, 1930-2013), IV, Teil 1, *Die Hofschule Kaiser Lothars, Einzelhandschriften aus Lotharingien* (1971), Text, S. 11-15, 17 ff., 21 ff., 28-32, 35-46, 76, 82 f.; Taf. 1-7.

Margaret Gibson, „The Latin Apparatus", in: The Eadwine Psalter: *Text, Image, and Monastic Culture in Twelfth-Century Canterbury*, hrsg. von Margaret Gibson, T. A. Heslop und Richard W. Pfaff, Modern Humanities Research Association, 14 (London, 1992), S. 108-122.

C. R. Dodwell, *The Pictorial Arts of the West, 800-1200* (New Haven, 1993), S. 60, Taf. 47.

John Lowden, „The Royal/Imperial Book and the Image and Self-Image of the Medieval Ruler", in: *Kings and Kingship in Medieval Europe*, hrsg. von Anne J. Duggan, King's College London Medieval Studies, 10 (London, 1993), S. 213-240 (S. 223-226, Taf. 34).

Michel Huglo, „Psalmody in the Ambrosian Rite: Observations on Liturgy and Music", in *Ambrosiana at Harvard: New Sources of Milanese Chant*, hrsg. von Thomas Forrest Kelly und Matthew Mugmon (Cambridge, MA, 2010), S. 97-124.

8

DAS ÆTHELSTAN-EVANGELIAR

Ein königliches Geschenk

Die vier Evangelien in Latein.
Lobbes, südlich von Brüssel,
im letzten Viertel des 9. oder
1. Viertel des 10. Jahrhunderts.

- 235 × 180 mm
- 218 Blatt
- Cotton Tiberius A. ii

König Æthelstan († 939) gilt als „Gründer des Königreichs England", da ihm erstmals ein Zusammenschluss der verschiedenen Reiche in England gelang.[1] Er war auch als großzügiger Patron religiöser Einrichtungen bekannt, denen er Reliquien, Ländereien und kostbare Handschriften spendete. Dieses Evangeliar trägt seinen Namen im Titel aufgrund einer im 10. Jh. hinzugefügten Inschrift, die Æthelstan als den gefeierten „König und Herrscher über ganz Britannien" (*Anglorum basyleos et curagulus totius Bryttaniae*) benennt. Das Æthelstan-Evangeliar war eine seiner Gaben, denn eine spätere Inschrift beschreibt, dass das Buch als Geschenk von *rex pius Aeðlstan* (fol. 15) an die Christuskirche in Canterbury überging. Dort wurde es traditionsgemäß bei Krönungen verwendet. Diese ist eine von sechs noch erhaltenen Handschriften, die Æthelstan religiösen Einrichtungen und eine von zwei, die er der Christuskirche vermacht hatte, obwohl diese nur der „Rattenschwanz" einer viel größeren Menge sein dürften.[2]

Æthelstans Buchgeschenk in Form des Evangeliars war offenbar ein frühes Beispiel für die im Mittelalter gängige Praxis des Schenkens und Gegenschenkens.[3] Das Manuskript selbst ist nicht in England, sondern auf dem Kontinent entstanden und war vermutlich zuerst ein Geschenk an ihn von seinem Schwager Otto I., dem König des Ostfrankenreiches ab 936, vielleicht 929 oder 930 anlässlich der Heirat Ottos mit seiner Halbschwester Edgitha († 946). Dies legt zumindest eine Inschrift in englischer Handschrift nahe, die *Odda* [Otto] *rex* und *Mihthild mater regis* („Mathilda, Mutter des Königs" – also Ottos Mutter, † 968) benennt. Die hochwertige Schrift und Ornamentik des Evangeliars waren sicher angemessen für ein königliches Geschenk. Dennoch sorgte Æthelstan mit zusätzlichen Überschriften in Gold und einem edelsteinbesetzten, leider nicht mehr erhaltenen Prachteinband für noch mehr Ausschmückung.[4]

Wie kostbar der Codex ist, zeigt sich auch an den vier sehr schönen mit Gold verzierten Evangelistenporträts (Bild 8.1–8.2, 8.4). Alle Evangelisten sind mit ihrem Symbol abgebildet und tragen Gewänder, die genau wie die Hintergründe im klassizistischen Stil erscheinen, wie man es auch in vielen anderen frühen Prachtevangeliaren sieht.[5] Im Æthelstan-Buch interagieren die Evangelisten mit ihren Symbolen, was bei Markus besonders auffällt, da er den Kopf nahezu ganz nach hinten dreht, um zu seinem Löwen aufzusehen (Bild 8.1). Vielleicht sind diese direkten Blicke ein Ausdruck für die himmlische Inspiration dargestellt durch die

8.1 | Evangelistenporträt des Markus, der in ein geöffnetes Buch schreibt und den Blick mit gedrehtem Kopf seinem Symbol zuwendet, das ein geschlossenes Buch hält, am Anfang seines Evangeliums, fol. 74v.

UMSEITIG
8.2–8.3 | Evangelistenporträt des Matthäus, der eine Schreibfeder und ein Tintenfass in Händen hält, während ihn sein Symbol, die Menschengestalt, beim Schreiben seines Evangeliums lenkt; und (gegenüber) die ersten Worte des Evangeliums *Lib[er] generationis*, in mit Flechtwerk und Gold ornamentierten Großbuchstaben; fol. 24v–25.

MARCUS
UT ALTA FREMIT UOX
PER DESERTA LEONIS

HOC MATTHEUS
AGENS
HOMINEM
GENERALITER
IM
PLET
LIBER
GENE
RATIONIS

IURE SACER
DOTIS LUCAS TENET
ORA IUVENCI

8.4 | Evangelistenporträt des Lukas, der eine ausgebreitete Schriftrolle hält, über ihm sein Symbol, der Stier, am Anfang seines Evangeliums, fol. 112v.

Symbole, die scheinbar die heiligen Texte in Form von Büchern und Schriftrollen liefern.[6] Lukas öffnet eine Schriftrolle auf seinem Schoß, auf der in goldenen Lettern der Anfang von Vers 5 aus dem ersten Kapitel seines Evangeliums *fuit in diebus* („zur Zeit [des Herodes]") zum Betrachter hin geschrieben steht (Bild 8.4). Sein mit roten und goldenen Klammern verschlossenes Buch liegt auf dem Pult und spiegelt das Buch seines Stier-Symbols wider. Alle Evangelistensymbole sind geflügelt dargestellt, was auf Ezechiels Vision von den vier Lebewesen zurückgeht, die jeweils „vier Flügel" hatten (Ez 1,6) und auf die des Johannes „jedes der vier Lebewesen hatte sechs Flügel" (Offb 4,8).

In seinem *Carmen Paschale*, einem Gedicht aus dem 5. Jh., verbalisiert Sedulius († um 450) diese Beziehung zwischen den Verfassern der Evangelien und ihren Symbolen in den Zeilen seiner Verse, von denen die relevanten hier als Begleittext zum Porträt jeweils über dem entsprechenden Evangelisten erscheinen. Zum Beispiel steht bei Markus im Giebel *Marcus ut alta fremit vox per deserta leonis* („Markus, in dem die Stimme eines brüllenden Löwen in der Wildnis zu hören ist") in goldenen Lettern geschrieben (Bild 8.1). Die nächsten Zeilen des Gedichts sind nicht dargestellt, bestätigen aber die Bedeutung der Symbole sowie die übereinstimmende Botschaft der Evangelien: *Quatuor hi proceres una te voce canentes tempora ceu totidem latum sparguntur in orbem* („Diese vier Männer singen Dein Lob mit einer Stimme, die sich wie die Jahreszeiten über die ganze Erde verbreitet").[7]

Wie in anderen Prestigeexemplaren mit vier Evangelien auch, wurden die Verfasserporträts den oft ganzseitigen Incipits der Evangelienanfänge gegenübergestellt (Bild 8.2–8.3). Zudem sind die Buchstaben selbst mit den für Prachtausgaben im Mittelalter charakteristischen Flechtwerk-, Knoten- und Tiermustern, etwa aus Vögelköpfen, aufwendig ornamentiert. So füllen zum Beispiel die ersten drei Buchstaben des Wortes *Liber* („Buch") am Anfang des Matthäusevangeliums fast die ganze Seite mit ihren ineinander verschlungenen Mustern (Bild 8.3). Der Künstler dieses Porträts verwendet im Unterschied zu den drei anderen mehr von der Seite für sein Bild und ist daher gezwungen, die goldene Verszeile über Matthäus ganz außen am oberen Rand zu platzieren. Trotz dieser stilistischen Ungleichheiten bleibt die Gesamtwirkung allein durch die einleitenden Doppelseiten und die üppige Verwendung von Gold dieselbe: eine wahre Prachtpräsentation der Heiligen Schrift.

ANMERKUNGEN

1 Wood, „King Æthelstan's Psalter" (2013), S. 38.

2 Keynes, „King Æthelstan's Books" (1985); Pratt, „Kings and Books" (2015), S. 337.

3 Vgl. Gameson, „Earliest English Royal Books" (2013); Pratt, „Kings and Books" (2015), S. 338, 356.

4 Zu Prachteinbänden siehe auch das Evangeliar von Lindisfarne, Nr. 2; das Bild des heiligen Hieronymus, der ein Buch mit edelsteinbesetztem Prachteinband trägt, im Lothar-Psalter, Bild 7.3; und das Egerton-Evangelistar, Nr. 17.

5 Vgl. das Evangeliar von Lindisfarne, Nr. 2, und das Harley-Evangeliar, Nr. 4.

6 Zum biblischen Ursprung der Symbole siehe das Harley-Evangeliar, Nr. 4, und die Arnsteinbibel, wo der Adler im Porträt des Johannes mit seinem Schnabel die Lippen des Evangelisten berührt (Bild 23.1).

7 Sedulius, *Carmen Paschale*, Buch 1, Zeile 359, Übersetzung ins Englische, Patrick McBrine (2008).

LITERATUR

Simon Keynes, „King Athelstan's Books", in: *Learning and Literature in Anglo-Saxon England: Studies Presented to Peter Clemoes on the Occasion of his Sixty-Fifth Birthday*, hrsg. von Michael Lapidge und Helmut Gneuss (Cambridge, 1985), S. 143–201.

Julian Harrison, „The Athelstan or Coronation Gospels", in Scot McKendrick, John Lowden und Kathleen Doyle, *Royal Manuscripts: The Genius of Illumination* (London, 2011), Nr. 4.

Richard Gameson, „The Earliest English Royal Books", in: *1000 Years of Books and Manuscripts*, hrsg. von Kathleen Doyle und Scot McKendrick (London, 2013), S. 3–35 (bes. S. 10–15).

Michael Wood, „King Athelstan's Psalter", in: *1000 Years of Books and Manuscripts*, hrsg. von Kathleen Doyle und Scot McKendrick (London, 2013), S. 37–55.

David Pratt, „Kings and Books in Anglo-Saxon England", *Anglo-Saxon England*, 43 (2015), 297–377.

9

DIE GUEST-COUTTS-HANDSCHRIFT

Ein illuminiertes Neues Testament aus Konstantinopel

Neues Testament in Griechisch. Konstantinopel, Mitte des 10. Jahrhunderts.

- 290 × 210 mm
- 302 Blatt
- Additional 28815

Von einer der größten Raritäten unter den biblischen Handschriften kann man sprechen, wenn sie alle 27 Bücher des Neuen Testaments wie ursprünglich verfasst in Griechisch enthält. Von den rund 5.700 identifizierten griechischen Bibelhandschriften umfassen nur etwa 60 das gesamte Neue Testament. Hinzu kommt, dass von diesen heute weniger als zehn aus dem 10., 11. und 12. Jh. erhalten sind.[1] Als eine solche ursprüngliche Fassung zählt auch das vorliegende Manuskript zu diesen bemerkenswerten Raritäten.

Diese griechische Handschrift bildet gleich eine zweifache Ausnahme, da sie auch aufgrund der edlen Illumination etwas Besonderes ist. Sie ist wohl das schönste byzantinische Manuskript der British Library und birgt in den Evangelien noch zwei der vier ganzseitigen Evangelistenporträts (Bild 9.1) und ein Ganzporträt des hl. Lukas am Anfang der Apostelgeschichte (Bild 9.2). Jedes steht auf einem eingefügten Einzelblatt in einem breiten, kunstvoll verzierten Rahmen. Als typisches Merkmal für die aus Konstantinopel stammenden Meisterwerke des 10. Jhs. sind die gemalten Porträts unverkennbare Neuinterpretationen antiker Skulpturen. Erschaffen hat sie der Illuminator, indem er die römischen Gewänder seiner Figuren in raschen und zügig aufgetragenen Schichten sowie mit Schatten und Lichtern malte, die nur teilweise die zugrunde liegenden Naturformen beschreiben und eher einer nicht irdischen, fahrigen Abstraktion nahekommen. Jede Darstellung spiegelt dabei sowohl das christliche wie auch das klassische Erbe von Konstantinopel wider.

Neben diesen schönen Porträts findet sich auf jeder Einleitungsseite am Anfang der neutestamentlichen und ergänzenden Texte ein illuminierter, nach unten offener Balkenrahmen oder „π"-förmiger Torbogen (*πύλη*; Bild 9.3), der den in goldener Ziermajuskel geschriebenen Titel überspannt. Die meisten Initialen, die solche Textunterteilungen markieren, sind mit aufwendig ornamentierten Blättern und Ranken verziert, nur die schlichte goldene Initiale der Apostelgeschichte bildet hier eine Ausnahme (Bild 9.3). So weit es sich anhand der zwei Blattfragmente vor dem Lukasevangelium beurteilen lässt, war der Band einst mit in Gold auf Purpurpergament geschriebenen Kaptitellisten sogar noch viel opulenter ausgestattet.[2] Die gesamte Buchmalerei zeugt von einem äußerst hohen Standard, der während der sogenannten makedonischen

9.1 | Lukas schreibt sein Evangelium im Licht einer Hängelampe und sitzt an einem Tisch, auf dem diverse Schreibutensilien stehen, am Anfang seines Evangeliums, fol. 76v (Detail).

UMSEITIG

9.2–9.3 | Lukas steht mit seinem Federbehälter und einer langen Schriftrolle neben einem hohen Tisch, der als Ablage für weitere Schriftrollen dient; gegenüber der Anfang der Apostelgeschichte mit der goldenen Überschrift unter dem gemalten Balkenrahmen-Ornament und einer einfachen Goldinitiale am Textrand, fol. 162v–163r.

ὁ λουκας

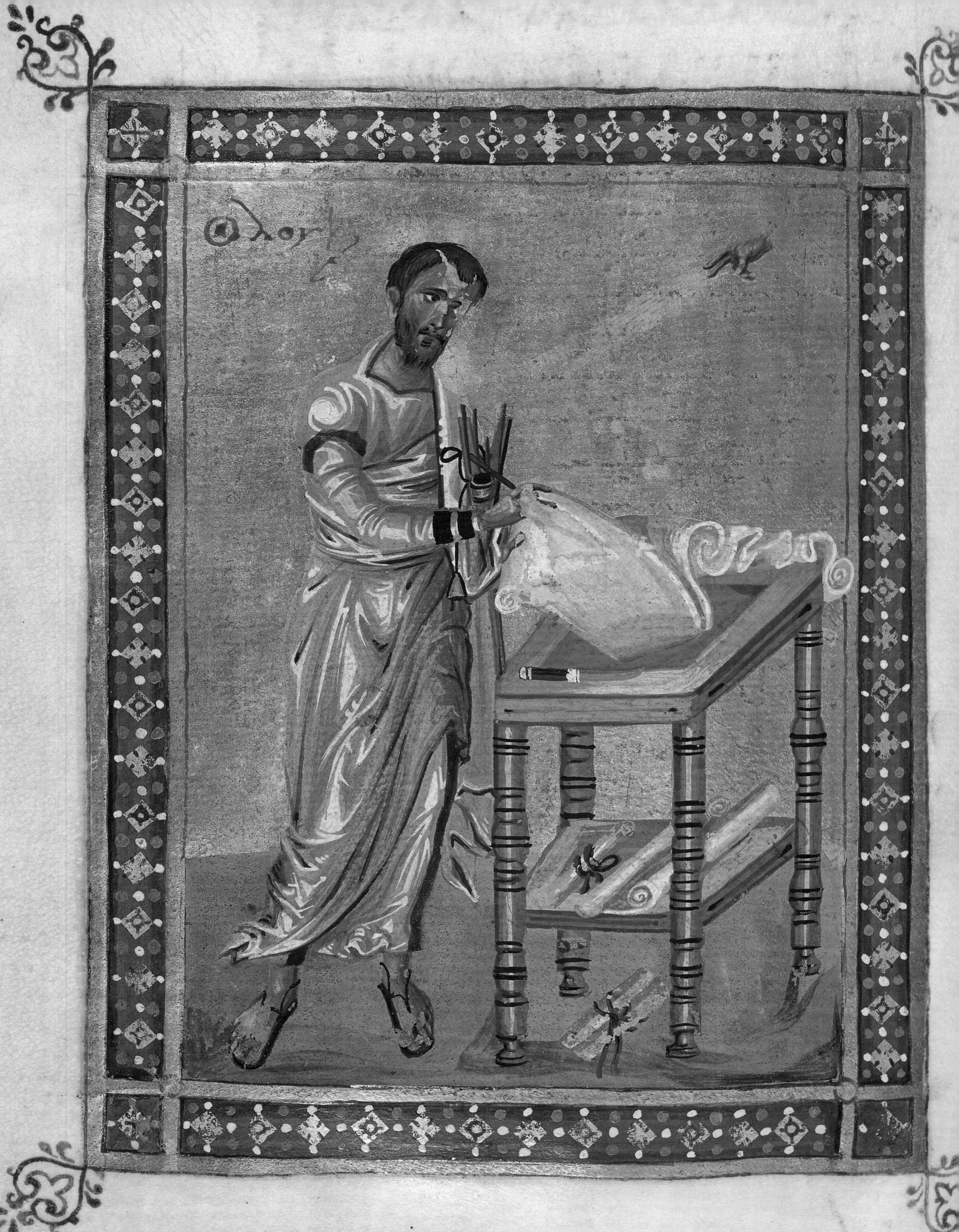

Α Περὶ τῆς ἐξ ἀναστάσεως διδασκαλίας Χριστοῦ ᾗ πᾶσι πρὸς τοὺς μαθητὰς
καὶ περὶ ἐπαγγελίας τῆς τοῦ ἁγίου πνεύματος δωρεᾶς τε καὶ τρόπου
τῆς ἀναλήψεως τοῦ Χριστοῦ καὶ περὶ ἐνδόξου καὶ δευτέρας αὐτοῦ παρουσίας:

+ ΠΡΑΞΕΙΣ ΤΩΝ ΑΓΙΩΝ ΑΠΟΣΤΟΛΩΝ:

Α

Τὸν μὲν πρῶτον λόγον ἐποιησάμην περὶ πάν-
των ὦ Θεόφιλε. ὧν ἤρξατο ὁ Ἰησοῦς ποιεῖν τε καὶ
διδάσκειν· ἄχρι ἧς ἡμέρας ἐντειλάμενος
τοῖς ἀποστόλοις διὰ πνεύματος ἁγίου· οὓς ἐξελέξα-
το ἀνελήφθη· οἷς καὶ παρέστησεν ἑαυτὸν
ζῶντα μετὰ τὸ παθεῖν αὐτὸν ἐν πολλοῖς
τεκμηρίοις. δι' ἡμερῶν τεσσαράκοντα ὀ-
πτανόμενος αὐτοῖς καὶ λέγων τὰ περὶ τῆς
βασιλείας τοῦ Θεοῦ· καὶ συναλιζόμενος πα-
ρήγγειλεν αὐτοῖς ἀπὸ Ἱεροσολύμων μὴ χω-
ρίζεσθαι. ἀλλὰ περιμένειν τὴν ἐπαγγελίαν
τοῦ πατρὸς ἣν ἠκούσατέ μου· ὅτι Ἰωάννης
μὲν ἐβάπτισεν ὕδατι. ὑμεῖς δὲ βαπτισθή-
σεσθε ἐν πνεύματι ἁγίῳ οὐ μετὰ πολλὰς ταύτας
ἡμέρας· οἱ μὲν οὖν συνελθόντες. ἐπηρώ-
των αὐτὸν λέγοντες· κύριε. εἰ ἐν τῷ χρόνῳ τού-
τῳ. ἀποκαθιστάνεις τὴν βασιλείαν τῷ Ἰσραήλ·
εἶπεν δὲ πρὸς αὐτούς· οὐχ ὑμῶν ἐστιν γνῶναι
χρόνους ἢ καιρούς. οὓς ὁ πατὴρ ἔθετο ἐν τῇ ἰδί-
ᾳ ἐξουσίᾳ· ἀλλὰ λήψεσθε δύναμιν ἐπελ-
θόντος τοῦ ἁγίου πνεύματος ἐφ' ὑμᾶς· καὶ ἔσεσθέ
μοι μάρτυρες ἐν Ἱερουσαλὴμ καὶ ἐν πάσῃ τῇ
Ἰουδαίᾳ καὶ Σαμαρείᾳ· καὶ ἕως ἐσχάτου
τῆς γῆς· καὶ ταῦτα εἰπὼν. βλεπόντων

Renaissance unter den byzantinischen Kaisern der makedonischen Dynastie zwischen 867 und 1056 in der östlichen Hauptstadt des Christentums herrschte. Diese kulturelle und künstlerische Wiederbelebung erfolgte, nachdem der berühmte Byzantinische Bilderstreit zwischen Ikonenverehrern und Ikonenzerstörern im Jahr 843 mit der Niederringung des Ikonoklasmus und der erneuten Verehrung der Ikonen endete.[3]

Heute enthält der Codex den Text, der auf das 10. Jh. datiert werden kann, von gut drei Vierteln des Neuen Testaments, geschrieben in einer griechischen Minuskel (Kleinbuchstaben). Den Anfang bilden die vier Evangelien, dann folgen die Apostelgeschichte, sieben katholische Briefe und die ersten vier Paulusbriefe.[4] Vor den katholischen Briefen sind die Inhaltsangaben und Kapitellisten *(capitula)* aller Briefe zusammengefasst. Die Paulusbriefe werden von einem langen Vorwort eingeleitet, das einem Diakon namens Euthalius zugeschrieben wird. Alle Evangelientexte sind an den Rändern mit Abschnitt- und Kanontabellennummern sowie nummerierten Kapiteltiteln versehen, aber die Eusebianischen Kanontafeln[5] fehlen, und von den Kapitellisten vor jedem Evangelium sind nur noch ein paar Spuren vorhanden. Auch in der Apostelgeschichte und den Briefen finden sich Randnummern und zudem mehrere längere Glossen, die zum Teil frühen christlichen Kommentatoren zugeschrieben werden. An anderen Stellen sind die Randeinträge vor allem auf die im Text zitierten alttestamentlichen Quellen beschränkt. Wie seit Längerem bekannt, vervollständigt eine weitere Handschrift in der British Library (Egerton 3145) diesen Codex und enthält die fehlenden zehn Paulusbriefe sowie das Buch der Offenbarung. Die Vermutung liegt nahe, dass der gesamte Band, oder seine Vorlage, eine Abschrift von zwei oder drei einzelnen Manuskripten war.

Einige Jahrhunderte später wurde der ursprüngliche einbändige Codex in zwei Teile gestückelt und die vorliegende Handschrift mit einem kunstvollen Vorderdeckel ausgestattet, um die besondere Bedeutung ihrer Texte, die Verkündung des Wortes Gottes, in der orthodoxen Liturgie durch ein fassliches Symbol zu unterstreichen (Bild 9.4). Die als Hauptmotiv eingearbeiteten Szenen aus dem Leben des heiligen Märtyrers Demetrios gehen auf eine viel frühere Arbeit zurück und deuten darauf hin, dass der Codex damals einer diesem Heiligen geweihten Kirche oder Abtei gehörte.[6] Wahrscheinlich befanden sich Mitte des 19. Jhs. beide Teile des Bandes in der Provinz Epirus im Westen Griechenlands. 1864 erwarb Baroness Angelina Burdett-Coutts den kleineren Teil (Egerton 3145) von einem Händler in Ioannina und 1867 Sir Ivor Bertie Guest den größeren Teil zusammen mit anderen griechischen Handschriften epirotischer Provenienz. 1936 wurden die seit fast einem Jahrhundert getrennten Teile in der British Library wieder vereint.

LITERATUR

Kurt Weitzmann, *Die byzantinische Buchmalerei des 9. und 10. Jahrhunderts* (Berlin, 1935), S. 20.
Gervase Mathew, *Byzantine Painting* (London, 1950), S. 3, 6, Taf. 1–2.
Byzantium: Treasures of Byzantine Art and Culture from British Collections, hrsg. von David Buckton (London, 1994), Nr. 147.
Andreas Rhoby, „Zu den Szenen aus der Vita des heiligen Demetrios auf dem Einbanddeckel des Neuen Testaments in der British Library (Add. Ms 28815)", *Byzantinische Zeitschrift*, 105 (2012), 131–141.

9.4 | Der thronende Christus, flankiert von der Jungfrau Maria und Johannes dem Täufer, mit den vier Evangelistensymbolen in den Ecken des Mittelfelds und den Seraphim (sechsflügelige Engel) oben und unten; die vier Evangelisten, Petrus und Paulus (mehrfach oben und unten); und Szenen aus dem Leben des hl. Demetrius (mehrfach rechts und links); auf dem mit Metall beschlagenen Buchdeckel.

ANMERKUNGEN

1 D. C. Parker, *An Introduction to New Testament Manuscripts and their Texts* (Cambridge, 2008), S. 77 f.
2 Zu Purpurseiten siehe die Canterbury Royal Bible, Nr. 5.
3 Zu Ikonoklasmus siehe „Tausend Jahre Kunst und Schönheit", S. 24. und den Theodor-Psalter, Nr. 14.
4 Zu den Briefen siehe „Tausend Jahre Kunst und Schönheit", S. 12.
5 Zu Kanontafeln siehe die Goldenen Kanontafeln, Nr. 1.
6 Rhoby, „Zu den Szenen" (2012).

10

DER HARLEY-PSALTER

Ein angelsächsisches Meisterwerk

Psalter in Latein (unvollständig). Canterbury, erste Hälfte des 11. Jahrhunderts.

- 380 × 310 mm
- 73 Blatt
- Harley 603

Eines der wesentlichsten Merkmale der späten angelsächsischen Buchkunst sind die feingliedrigen Federzeichnungen anstelle von oder in Kombination mit gemalter Ornamentik. Zum Teil geht dies auf eine eindrucksvolle Psalterhandschrift zurück, die um das Jahr 1000 nach Canterbury gelangte und nach ihrem jetzigen Standort als Utrechter Psalter bekannt ist.[1]
In erster Linie präsentiert dieser Psalter einen völlig neuen Ansatz der Psalmenillustration. Anstatt die Miniaturen auf historisierte Initiale oder vorangestellte Szenen aus dem Leben Davids zu beschränken, wird jeder Psalm Vers für Vers mit Federzeichnungen quasi wörtlich illustriert.[2] Derselbe Stil findet sich in drei direkten Kopien des Utrechter Psalters, die im 11. und frühen 12. Jh. in Canterbury angefertigt wurden, und von denen der Harley-Psalter die erste ist.[3] Die Künstler des Harley-Psalters kopierten den Inhalt ihrer Vorlage ziemlich getreu und behielten auch den Ansatz der wörtlichen Illustration bei, bereicherten aber die Zeichnungen selbst durch flüchtige Federstriche mit Farbe und Bewegung.

Der Harley-Psalter beginnt nicht mit dem üblichen Bild von David als Musiker, sondern dem einer zentralen männlichen Gestalt, die ein Buch hält (vielleicht der Psalmist selbst) und mittels Gesten die Verse des Psalms erläutert.[4] Der Mann deutet auf den zu seiner Linken thronenden „Frevler“, während sein Begleiter auf den vis-à-vis sitzenden Mann zeigt (Bild 10.1), der laut Psalmentext ein „glücklicher Mensch“ ist, „der Freude findet an den Weisungen des Herrn“ und „über seine Weisung nachsinnt bei Tag und Nacht“ (Ps 1,2). Das Bild zeigt den Glücklichen, wie er vertieft in einem Buch lesend unter gekuppelten Arkaden sitzt und dabei dem Text mit seinem Finger folgt, während ihn ein Engel beschützt. Seine Pose ähnelt der, die man auf typischen Evangelistenporträts sieht, und er liest gerade den Anfang des betreffenden Psalms: *Beat[us] vir qui non abiit in con[silio impiorum]* („Wohl dem Mann, der nicht dem Rat der Frevler folgt“, Ps 1,1). Im Gegensatz dazu wird sein Antityp, der „im Kreis der Spötter sitzt“, von Männern mit Speeren umzingelt und vom Teufel mit einem Dreschflegel geschlagen. Unterhalb dieser Figuren sind weitere Verse aus Psalm 1 illustriert: auf der

10.1 | Die Gerechten und die Frevler, Psalm 1, fol. 1v (Detail).

UMSEITIG
10.2–10.3 | Illustrationen der Psalme 14, 15 und 16 (Zitiert nach Zählung der *Nova Vulgata*), fol. 7v–8.

IN FINEM PSALMUS DAVID XIII

DIXIT INSIPI-
ens in corde suo.
non est ds. corrupti sunt
& habominabiles facti sunt
in uoluntatibus suis ;
Non est qui faciat bonum.
non est usque ad unum ;
Dns de celo prospexit super
filios hominum. ut uide
at si est intellegens. aut
requirens dm ;
Omnes declinauerunt
simul inutiles facti sunt.
non est qui faciat bonum.
non est usque ad unum ;
Sepulchrum patens est
guttur eorum. linguis suis
dolose agebant. uenenū
aspidum sub labiis eorum ;
Quorum os maledictione
& amaritudine plenum
est. ueloces pedes eorum
ad effūdendum sanguinē ;
Contritio & infelicitas in
uiis eorum. & uiam pacis
non cognouerunt ;
Non est timor di ante ocu
los eorum. nonne cogno
scent omnes qui operant
iniquitatem ;
Qui deuorant plebē meam
sicut escam panis. dm non
inuocauerunt. illic trepida
uerunt timore. ubi non
erat timor ;
Quō ds in generatione iusta
est. consilium inopis con
fudisti. quia ds spes eius est ;
Quis dabit ex sion salutare
israel. dum auerterit dns
captiuitatem plebis suę ;
Laetetur iacob & exultet
israel

PSALMUS DAVID ·XIIII·

DNE QUIS HABITA
bit intabernaculo
tuo. aut quis requiesc& in
monte sco tuo ;
Quiingreditur sine macula.
&operatur iustitiam ;
Quiloquitur ueritatem in
corde suo. &nonegit dolū
inlingua sua ;
Nec fecit proximo suo malū.
&obprobrium non accepit
aduersus proximum suū ;
Adnihilum deductus est
inconspectu eius malignꝰ.
timentes autem dnm
magnificat
Qui iurat proximo suo &
non decipit eū. qui pec
cuniam suam nondedit
adusuram. & munera
super innocentem non
accepit ;
Quifacit hec. noncommo
uebitur ineternum ;

manuum tuarum ;
Omnia subiecisti sub pedi
bus eius. oues & boues. uni
uersa insuper. & pecora

campi
Volucres caeli & pisces ma
qui per ambulant semi
maris

IN FINEM PRO OCCULTIS PSALM

CONFITEBOR
tibi dne in toto cor
de meo. narrabo omnia
mirabilia tua ;
Laetabor & exultabo in te.
& psallam nomini tuo
altissime ;

aequitatem
Increpasti gentes & per
impius. nomen eorum
lesti in aeternum & in
lum seculi
Inimici defecerunt fra
in finem. & ciuitates e

10.4 | Illustration von Psalm 9, fol. 5 (Detail).

linken Seite die Personifikation eines Wasserbaches mit seiner Amphore, vor einem „Baum, der an Wasserbächen gepflanzt ist, der zur rechten Zeit seine Frucht bringt“ (Ps 1,3). Auch den personifizierten Wind neben dem Baum sieht man nach antikem Vorbild als Kopf mit Flügeln dargestellt, der die Lippen spitzt, um die Frevler (rechts) wegzublasen, denn „sie sind wie Spreu, die der Wind verweht“ (Ps 1,4). Ein Teufel hat einen der Frevler am Haken, während er gleichzeitig andere Sünder niedertrampelt und aufspießt. In der unteren Bildecke vernichtet ein größerer Teufel die Verdammten in einer Feuergrube, denn „der Weg der Frevler aber führt in den Abgrund“ (Ps 1,6).

Ein anderes Beispiel findet sich in der lebhaften Illustration der Psalmen 14 und 15 (*Psalmus David XIII–XIIII*, Bild 10.2–10.3). Auf der linken Seite sitzt der Herr umgeben von Engeln und „[der Herr] blickt vom Himmel herab“ auf eine Gruppe von Kämpfern, die alle „abtrünnig und verdorben“ sind (Ps 14,2–3), sowie auf diejenigen (rechts), die aus der Not gerettet werden (Ps 14,7). Die Antwort auf die Frage des Psalmisten „Herr, wer darf Gast sein in deinem Zelt, wer darf weilen auf deinem heiligen Berg?“ (Ps 15,1) wird illustriert durch diejenigen, „die makellos leben“, wozu auch ein Mann mit Geldbörse zählt, „der sein Geld nicht auf Wucher ausleiht“ (Ps 15,2 und 5). In der Regel erscheinen die Illustrationen zu einem Psalm direkt über den Versen, manchmal aber auch auf der Vorseite, wie es bei Psalm 16 *(Psalmus XV)* der Fall ist (Bild 10.3, unten am Rand).

Aufgrund ihrer Liedform und Poesie lassen sich die Psalmen besonders gut in Bildern interpretieren. Ein Beispiel hierfür ist, auf welch vielfältige Weise den Gerechten und den Ungerechten im ganzen Buch Gerechtigkeit zuteil wird. Deshalb sieht man oben in der Illustration zu Psalm 9 in einer Mandorla den Herrn als Richter, der die Waage der Gerechtigkeit hält. Unmittelbar darunter durchbohrt ein Engel mit seinem Schwert die Frevler, die hinabfahren müssen zum Totenreich, und rechts davon ist mit den Mauertrümmern der Vers „Du hast die Städte entvölkert, ihr Ruhm ist versunken“ illustriert (Ps 9,7; Bild 10.4).

Diese hervorragenden Zeichnungen sind eine anspruchsvolle visuelle Interpretation der Psalmen, die den biblischen Text veranschaulichen und zudem darauf hinweisen, zum Beispiel durch das Bild eines Mönchs mit Tonsur in der ersten Initiale des Psalters, dass diese komplexe Exegese der Psalmen ursprünglich eher für einen Kleriker denn für einen Laien gedacht war.

ANMERKUNGEN

1 Utrecht, Universiteitsbibliotheek, ms 32.

2 Vgl. Vespasian-Psalter, Nr. 3.

3 Die anderen sind: Cambridge, Trinity College, ms R.17.1, und Paris, BnF, ms lat. 8846.

4 Zu David als Musiker vgl. Vespasian-, Lothar-, Melisende-, Winchester- und Saint-Omer-Psalter, Bild 3.1, 7.2, 19.2, 20.2 und 33.1.

LITERATUR

William Noel, *The Harley Psalter* (Cambridge, 1995).

The Utrecht Psalter in Medieval Art: Picturing the Psalms of David, ed. by Koert van der Horst, William Noel und Wilhelmina C. M. Wüstefeld (Tuurdijk, Niederlande, 1996), Nr. 28.

T. A. Heslop, „The Implication of the Utrecht Psalter in English Romanesque Art“, in: *Romanesque: Art and Thought in the Twelfth Century. Essays in Honor of Walter Cahn*, hrsg. von Colum Hourihane, Index of Christian Art, Occasional Papers, 10 (Princeton, 2008), S. 267–290 (S. 270 ff., 279 ff., Abb. 7, 8).

William Noel, „Harley Psalter“, in: Melanie Holcomb et al., *Pen and Parchment: Drawing in the Middle Ages* (New Haven, 2009), Nr. 12.

11

DER ALTENGLISCHE HEXATEUCH

Die früheste westliche Bibel in der Sprache des Volkes

Hexateuch (Genesis bis Josua) in Altenglisch, mit hinzugefügten Glossen in Altenglisch und Latein. Canterbury, zweites Viertel des 11. Jahrhunderts (eingefügte Glossen 12. Jahrhundert).

- 330 × 220 mm
- 156 Blatt
- Cotton Claudius B. iv

Wie die meisten religiösen Handschriften des Mittelalters enthält auch diese nur einen Teil der Bibel. Allerdings handelt es sich bei diesem Codex nicht um ein Evangeliar oder einen Psalter, sondern um einen recht seltenen Hexateuch, das heißt, er umfasst die ersten sechs Bücher des Alten Testaments (Genesis, Exodus, Levitikus, Numeri, Deuteronomium und Josua). Noch seltener aber macht ihn sein in Altenglisch geschriebener Text, das früheste Beispiel einer englischen Übersetzung der sechs Bücher überhaupt. Die Handschrift ist mit fast 400 Miniaturen auf 156 Blatt der am reichsten bebilderte Bibel-Codex seiner Zeit in Europa.[1] Zudem ist im Westen keine frühere illuminierte Abschrift eines in die Volkssprache übersetzten bedeutenden Bibelteils bekannt.[2] Da die Bilder extrem zahlreich und zudem so vorrangig platziert sind – in vielen Fällen nehmen sie mehr Raum ein als der Text –, liegt es nahe, dass der Hexateuch als Bilderbuch für einen Laien in Auftrag gegeben wurde.

Angefertigt wurden die Übersetzungen zum Teil von Ælfric, oft mit Beinamen „Grammatikus", Benediktinermönch und Abt von Eynsham († um 1010), der „fast gänzlich" in Englisch schrieb, um seine Arbeiten einer Laien-Leserschaft zugänglich zu machen.[3] Heute gibt es nur noch eine vollständige, etwas später angefertigte Kopie mit altenglischem Text, die sich in der Bodleian Library befindet, allerdings ist sie nicht illuminiert.[4] Die Verwendung der Volkssprache für eine heilige Schrift bestätigt schon fast die Hypothese, dass der vorgesehene Empfänger dieses reich illustrierten Manuskripts kein Kleriker war. Wie der Harley-Psalter (Nr. 10) stammt auch dieser Codex aus Canterbury, wo beide noch vor Ankunft der Normannen zur Zeit der angelsächsischen geistigen Erneuerungsbewegung produziert wurden. Es ist möglich, dass diese Handschrift ursprünglich eine von mehreren war, die in der Abtei St. Augustinus speziell für Laien hergestellt wurde.[5] Außerdem sind die im 12. Jh. hinzugefügten Texte in Englisch und Latein ein Beweis dafür, dass der Codex weiterhin in Gebrauch blieb und auch von nachfolgenden Generationen gelesen wurde.

Die Illustrationen im Hexateuch sind zwecks zusätzlicher Hervorhebung farbig laviert. Genau wie im Harley-Psalter wird auch

11.1 | Gott weist Noah an, die Arche zu verlassen, während Noahs Familie (unten) gerade im Begriff ist, an Land zu gehen, fol. 15v (Detail).

UMSEITIG
11.2–11.3 | Gott erschafft die Fische und Vögel; und (gegenüber) Gott erschafft Adam und gibt ihm die Herrschaft über die Tiere; fol. 3v–4r (Details).

[...] ⁊ he sende ut eft culfran
heo com ða on æfnunge eft to noe. ⁊ brohte an twig of
anum elebeame mid grenum leafum on hyre muðe. Ða
undergeat noe ðæt ða wætera wæron adruwode ofer eor
ðan. ⁊ abad swa ðeah seofan dagas. ⁊ asende ut culfran
swa heo ne gecyrde ongean to him. Ða geopenode noe
ðæs arces hrof. ⁊ beheold ut. ⁊ geseah ðæt ðære eorðan
bradnis wæs adruwod. God ða spræc to noe ðus cweðende
gang ut of ðam arce ðu. ⁊ ðin wif. ⁊ ðine suna. ⁊ heora
wif. ⁊ eal ðæt ðær inne is midde læd ut mid ðe ofer
eorðan. ⁊ weaxe ge. ⁊ beoð gemænigfylde. ofer eorðan
Noe ða ut eode of ðam arce. ⁊ hi ealle. ofer eorðan:·

forð on heora hiwum · ⁊ eall fleogende c[ynn] æfter heora
cynne · God geseah ða ðæt hit god wæs · ⁊ bletsode hi ðus
cweðende · weaxað ⁊ beoð gemænifylde · ⁊ gefyllað ðære sæ
wæteru · ⁊ ða fugelas beon gemænifylde ofer eorðan ·
⁊ ða wæs geworden æfen · ⁊ merigen se fifta dæg ·

a

God cwæð eac swilce læde seo eorðe forð cuce nytena
on heora cynne, ⁊ creopende cyn · ⁊ deor æfter heora
hiwum · hit wæs ða swa gedon · ⁊ God ða geworhte ðære
eorðan deor æfter heora hiwum · ⁊ ða nytenu · ⁊ eall creo
pende cynn on heora cynne · God geseah ða ðæt hit god wæs
⁊ cwæð · Uton wyrcan man to anlicnysse · ⁊ to ure gelic
nysse · ⁊ he sy ofer ða fixas · ⁊ ofer ða fugelas · ⁊ ofer
ða deor · ⁊ ofer ealle gesceafta · ⁊ ofer ealle creopende
ðe styriað on eorðan · God gesceop ða man to his anlic

·S̃c̃s [illegible]· Methodius ẽẽt in carcere martyr; revelatum est ei a sp̄u de principio ⁊ fine mundi; q̄ et oratione et scripturam licet simpliciter reliquit · dicens q̄d [illegible] flagelli sunt de paradiso;

b Cete · neutri; indeclinabile ē · declinatur tamen hic cetus ceti · ⁊ omnē animā uiuentem atq; mo

7 habbað on eowrum ge...

fugelas, 7 ealle nytenu ðe styriað ofer eorðan. God cwæð

ða. Efne ic forgyfe eow eall gærs. 7 wyrta sæd berende

ofer eorðan. 7 ealle treowa ða ðe habbað sæd on him sylfum.

heora agenes cynnes. ðæt hi beon eow to mete. 7 eallum

nytenum. 7 eallum fugelcynne. 7 eallum ðam ðe styriað

on eorðan. on ðam ðe is libbende lif. ðæt hi habbon him

to gereordigenne. Hit wæs ða swa gedon. 7 god geseah ealle

ða ðing ðe he geworhte. 7 hi wæron swyðe gode. Wæs ða ge

worden æfen. 7 merien. se sixta dæg.

Methodius cwæð: adam wæs gesceapen man on lice of ðrittig wintra. 7 nabeles on ane dæge. 7 ...

7 æfter ðam twa wintra. 7 þrit wintra. 7 alla ða ...

… se lingue. duo milia centum septuagint
·iiij· tenere dicitur passuum: paulatim altius angustior coartata erat, ut pondus imminens facilius sustentaret.

11.4 | Der Turmbau zu Babel, fol. 19 (Detail).

hier das Zusammenspiel der Figuren durch übertriebene Gebärden und Bewegungen illustriert. Einige Bilder nehmen die ganze oder fast die ganze Seite ein und sind zu Recht als meisterhafte Darstellungen wichtiger Begebenheiten bekannt. Ein Beispiel ist die Darstellung zu Gottes Anweisung an Noah: „Komm heraus aus der Arche, du, deine Frau, deine Söhne und die Frauen deiner Söhne" (Gen 8,16; Bild 11.1). Noah öffnet das obere Verdeck der Arche und links von ihm bringt die Taube einen riesigen Olivenzweig, was bedeutet, das Land muss wieder trocken sein. Unten ist Noahs Familie gerade im Begriff, die Arche zu verlassen. Ein weiteres ganzseitiges Szenenbild illustriert den Turmbau zu Babel – ein wunderschönes mehrfarbiges Mauerwerk, das auf mehreren Ebenen errichtet wird (Bild 11.4). Die Arbeiter sind eifrig am Werk, hämmern und schleppen Material über eine Leiter (rechts) nach oben, während Gott (links) ziemlich gefährlich auf der obersten Sprosse einer noch höheren Leiter steht, die Arbeit prüft und sich darauf vorbereitet, die Menschen über die ganze Erde zu zerstreuen (Gen 11,1–9).

Besonders eindrucksvoll sind die großen, in den Text eingebetteten Miniaturen zur Schöpfungsgeschichte (Bild 11.2–11.3). Im Bild des fünften Tages, an dem Gott die Vögel der Luft und das Getier des Wassers erschafft, nimmt ein riesiges Seetier die gesamte Bildbreite ein, vermutlich einer der „großen Wale" *(miclan hwalas)* aus Genesis 1,21–22, wie im Text darüber beschrieben. In seiner linken Hand hält der Schöpfer einen Stab in der Form eines Kreuzes, das vielleicht sogar den Opfertod Christi vor der Erschaffung Adams prophezeien soll. Das gegenüberliegende Bild zeigt die Erschaffungsszene mit Gott, der Adam sagt, dass die Menschen herrschen sollen „über die Fische des Meeres, über die Vögel des Himmels, über das Vieh, über die ganze Erde und über alle Kriechtiere auf dem Land" (Gen 1,26). Adam ist von wunderschönen Tieren aller möglichen Arten umgeben, darunter nicht nur Vögel, ein Pferd, ein Widder und ein Esel, sondern auch ein zweihöckriges Kamel am linken unteren Bildrand. Die Illustrationen entsprechen dem altenglischen Text, der sich jedoch von dem der Vulgata unterscheidet, was darauf hindeutet, dass er für diesen Codex neu verfasst und nicht von einem lateinischen abgeschrieben wurde. Insofern stellt der altenglische Hexateuch einen unschätzbaren Wert als Kompilation biblischer Texte in der zeitgenössischen Volkssprache dar.

ANMERKUNGEN

1 Kauffmann, *Biblical Imagery* (2003), S. 57.

2 Milton MacGatch, Review of Dodwell and Clemoes, *The Old English Illustrated Hexateuch*, in: *Speculum*, 52 (1977), 365–369 (S. 368). Zu früheren Illustrationen eines einzelnen biblischen Buchs, siehe Cotton Genesis, „Tausend Jahre Kunst und Schönheit", S. 24 und Abb. 8.

3 Malcolm Godden, „Ælfric of Eynsham (*c.*950–*c.*1010)", *Oxford Dictionary of National Biography* (Oxford, 2004).

4 Oxford, Bodleian Library, ms Laud Misc. 509; siehe Kauffmann, *Biblical Imagery* (2003), S. 56 f.

5 David Pratt, „Kings and Books in Anglo-Saxon England", *Anglo-Saxon England*, 43 (2015), S. 297–377 (S. 328). Zu einer weiteren Handschrift aus der Abtei St. Augustinus siehe die Canterbury Royal Bible, Nr. 5.

LITERATUR

C. R. Dodwell und Peter Clemoes, Hrsgg, *The Old English Illustrated Hexateuch: British Museum Cotton Claudius B. IV*, Early English Manuscripts in Facsimile, 18 (Kopenhagen, 1974).

C. M. Kauffmann, *Biblical Imagery in Medieval England, 700–1550* (London, 2003), S. 55–72.

Benjamin C. Withers, *The Illustrated Old English Hexateuch, Cotton Claudius B.iv: The Frontier of Seeing and Reading in Anglo-Saxon England* (London, 2007).

12

DAS HARLEY-ECHTERNACH-EVANGELIAR

Imperiale Machart

Vier Evangelien in Latein. Echternach, Mitte des 11. Jahrhunderts.

- 255 × 190 mm
- 199 Blatt
- Harley 2821

Nachdem das Reich Karls des Großen auseinandergefallen war, traten seine Erben in karolingischer Tradition weiterhin als Förderer und Auftraggeber von Prachthandschriften auf. Der sächsische König Otto I. († 973) trug nach 962 Karls Titel als gekrönter Kaiser des „Heiligen Römischen Reiches" und ist zusammen mit seinem Sohn und Enkel (beide Otto) Namensgeber für den vor allem als ottonische Buchmalerei bekannten Kunststil.[1] Die ottonischen Kaiser sowie ihre salischen Nachfolger Konrad II. (reg. 1024–1039) und Heinrich III. (reg. 1039–1056) gaben einige der schönsten illuminierten Evangeliare, die je gemacht wurden, in Auftrag.

Eine kleine, aber unglaublich reich ausgestattete Handschriftengruppe stammt aus dem Skriptorium der 698 vom heiligen Willibrord, einem Missionar aus Northumbria, gegründeten Benediktinerabtei in Echternach, im heutigen Luxemburg, 16 Kilometer von Trier entfernt. Nicht nur, dass sich die noch erhaltenen sieben Evangeliare und zwei Evangelistare stilistisch und ikonographisch sehr ähneln, ihre Herkunft aus Echternach wird auch durch die Darstellung des Skriptoriums in einem der Codices belegt. Das Bild zeigt einen schreibenden Mönch und einen malenden Laien bei ihrer Arbeit in einem Kloster, das sich laut Inschrift in Echternach befindet.[2] Zudem gibt es eine enge Verknüpfung mit Kaiser Heinrich III., da er in drei der Codices abgebildet ist, zweimal zusammen mit seiner Frau Agnes von Poitou, die er 1043 geheiratet hatte.[3] Aufgrund der genannten Zusammenhänge lässt sich die Echternacher Handschriftengruppe auf Mitte des 11. Jhs. datieren.

Den mitunter augenfälligsten Aspekt dieser großartigen Evangelien- und Perikopenbücher bilden gemalte Schmuckseiten mit imitierten Stoffmustern, von denen jeweils zwei als Vorder- und Rückseite eines Blatts den einzelnen Evangelien vorangestellt sind. In vielen der Codices erscheinen die Muster monochrom oder in verschiedenen Schattierungen derselben Farbe und mit Tieren, wie man sie von byzantinischen Seidengeweben her kennt. Die Muster im Harley-Evangeliar zeigen sich bunter, komprimierter und ähneln denen der spätantiken Teppiche und Mosaikböden (Bild 12.1).[4] Diese Schmuckseiten erinnern an die Teppichseiten im Evangeliar von Lindisfarne (Nr. 2) und dienen genau wie diese als Deckblatt vor den Evangelien, das den nachfolgenden Text, die „frohe Botschaft", erst nach

12.1 | Teppichseite mit gemalten Stoffmustern, einem großen Löwenmedaillon in der Mitte und vier kleine Randmedaillons mit Vögeln, am Anfang des Lukasevangeliums, fol. 99 (Detail).

UMSEITIG
12.2–12.3 | Evangelistenporträt des Markus, der ein Buch in Händen hält und eine Segensgeste macht, mit seinem Symbol, dem Löwen; gegenüber die Geburt Jesu in drei Registern dargestellt mit den Tieren, dem Christuskind, der Jungfrau Maria, dem hl. Josef und Bethlehem, fol. 67v–68.

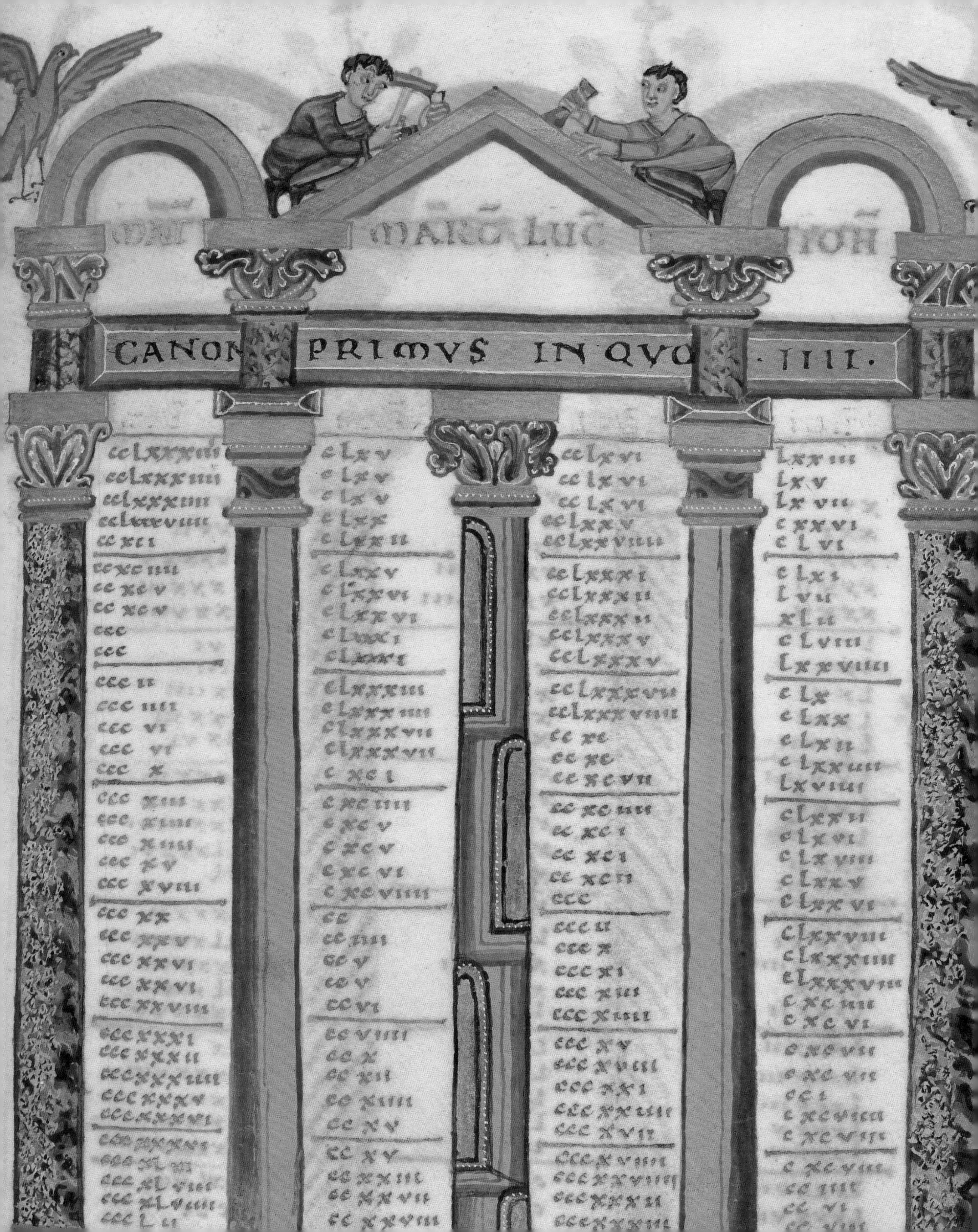

MAT
MARC
LUC
IOH
CANON PRIMUS IN QUO IIII.

12.4 | Kanon I, mit der Überschrift *Canon primus in quo IIII.*, darüber Handwerker, die an der Arkadenstruktur arbeiten, und Vögel zu beiden Seiten, fol. 9 (Detail).

dem Umblättern „offenbart". In diesem Sinne lassen sie sich mit den realen Seidenvorhängen vor manchen Manuskripten vergleichen, die man erst anheben muss, um die Miniaturen zu sehen, wie beim Egerton-Evangelistar (Nr. 17, jetzt getrennt und separat aufbewahrt) und im Fall der Arnsteinbibel (Nr. 23). Darüber hinaus sind viele der ganzseitigen Stoffmustermalereien in Purpurfarben gehalten, wodurch auch die gesamte, mit dieser Farbe verbundene Symbolik mit ins Spiel kommt.[5]

Doch die gemalten Stoffmuster kommen nicht nur als Teppichseiten zum Einsatz, sondern in den Echternacher Evangeliaren erstmals auch als dekorative Rahmen.[6] Mit einer solchen ornamentalen Umrahmung ist zum Beispiel das Evangelistenporträt des hl. Markus und die Darstellung der Geburt Jesu (Bild 12.2–12.3) im Harley-Evangeliar versehen. Die in leuchtenden, lebhaften Farben gemalten Figuren erscheinen hochgradig stilisiert und stehen bis auf ein paar Neuerungen ikonographisch in engem Zusammenhang mit älteren Vorlagen. So gilt der hl. Markus der Überlieferung nach als Gründer der Kirche in Alexandria, war dort auch der erste Bischof und ist von daher in der Harley-Handschrift im Messgewand eines Bischofs und mit Segnungsgestus dargestellt. Dieses Bild steht im Kontrast zu den eher typischen Abbildungen der Evangelisten, die gerade ihren Text ausarbeiten. Im Harley-Codex ist jeder Seite mit Evangelistenporträt ein ganzseitiges Szenenbild mit vier wichtigen Episoden gegenübergestellt, angeordnet in chronologischer Reihenfolge: die Verkündigung zu Matthäus, die Geburt Jesu zu Markus, die Kreuzigung zu Lukas und Christi Himmelfahrt zu Johannes. Die Auswahl kann als Folge einer Kürzung in diesem Codex entstanden sein und einem viel längeren Erzählzyklus entstammen, der in drei der noch erhaltenen Evangeliare aus Echternach erscheint.

Die Echternacher Evangelienbücher enthalten auch reich verzierte Kanontafeln, deren parallele Textspalten zwischen gemalten Marmorsäulen stehen. Im Harley-Codex finden sich Figuren und Tiere als Ornamentik der die Säulen überspannenden Giebel- und Bogenfelder, darunter auch Handwerker, die an der Arkadenstruktur selbst hart arbeiten (Bild 12.4). Ebenfalls zur Ausstattung zählt eine dargestellte Schenkungsszene, in der ein Abt mit Tonsur zusammen mit einem heiligen Diakon, möglicherweise Stephanus, dem thronenden Christus auf der gegenüberliegenden Seite ein Buch überreicht. Dieselbe Kombination tritt in ähnlicher Größe auch in den beiden anderen Echternach-Evangeliaren auf.[7] Die enormen Ähnlichkeiten im Hinblick auf Stil, Inhalt und Layout des Textes und der Bilder deuten darauf hin, dass die Codices als Geschenke erstellt wurden.[8]

ANMERKUNGEN

1 Zu Otto I. siehe auch das Æthelstan-Evangeliar, Nr. 8.
2 Bremen, Staatsbibliothek, Cod. b. 21, fol. 124v.
3 El Escorial, Biblioteca Real, Cod. Vitrinas 17, fol. 3v; Universitätsbibliothek Uppsala C 93, fol. 3. Heinrich III. ist auch im Codex von Bremen auf fol. 125 abgebildet (siehe Anm. 2).
4 Nordenfalk, *Codex* (1971), S. 102.
5 Zur Verwendung von Purpur siehe Die Canterbury Royal Bible, Nr. 5.
6 Nordenfalk, *Codex* (1971), S. 98.
7 Egerton 608; Paris, BnF, MS lat. 10438.
8 Wir danken Richard Gameson für diesen Hinweis.

LITERATUR

Albert Boeckler, *Das Goldene Evangelienbuch Heinrichs III* (Berlin, 1933), S. 44 ff., 49, 51 Anm. 2-3, 83-85, Taf. 206-209.
Carl Nordenfalk, *Codex Caesareus Upsaliensis: An Echternach Gospel-Book of the Eleventh Century* (Stockholm, 1971).
Henry Mayr-Harting, *Ottonian Book Illumination: A Historical Study*, 2. Aufl. (London, 1999), S. 186–205.
Canossa 1077: Erschütterung der Welt, hrsg. von Christoph Stiegemann und Matthias Wemhoff, 2 Bde. (München, 2006), II, Nr. 475.

13

DER TIBERIUS-PSALTER

Ein großer christologischer Zyklus

Psalter (unvollständig) in Latein mit Interlinearglossen in Altenglisch. Winchester, im 1. oder 3. Viertel des 11. Jahrhunderts.

- 245 × 150 mm
- 129 Blatt
- Cotton Tiberius C. vi

Der Tiberius-Psalter gilt als „eines der bedeutendsten noch erhaltenen Denkmäler der späten angelsächsischen Kultur".[1] Nicht zuletzt sind es die umfangreichen als sogenannte Präfationszyklen den Texten im Codex vorgebundenen Bilderfolgen, die ihn so bedeutend machen, da sie zu den frühesten bekannten westlichen Beispielen für einen langen christologischen Zyklus zählen. Vermutlich entstanden diese Zyklen aus der Exegese der Psalmen als eine Verkörperung des Lebens, des Sterbens und der Auferstehung Christi. Diese Auslegung spiegelt sich in den Worten Jesu wider: „Alles muss in Erfüllung gehen, was im Gesetz des Mose, bei den Propheten und in den Psalmen über mich gesagt ist" (Lk 24,44). Die anschaulichen Bilder erhöhen das Erbauungserlebnis beim Lesen und Verinnerlichen der Psalmen und kommentieren die biblischen Texte visuell. Heute ist die Wirkung der im Zyklus erscheinenden Zeichnungen etwas verblasst, weil das Manuskript 1731 als Teil der Cotton Collection im Ashburnham House bei einem Brand beschädigt wurde, was auch zu einem Schwund an Seiten führte.[2] Dennoch sind diese ganzseitigen angelsächsischen Illustrationen noch immer äußerst eindrucksvoll.

Sie beginnen mit Gottes Erschaffung der Welt und enthalten fünf Szenen aus Davids Leben, darunter zwei von seinem Kampf mit Goliath (Bild 13.2–13.3), in denen der furchtlose David den Arm nach hinten schwingt, um den Stein mit der Schleuder quer über die Seite auf Goliath zu werfen. Viele der Details sind wie in der Bibel beschrieben, so etwa Goliaths „Helm aus Bronze" und seine „bronzenen Schienen an den Beinen" (1 Sam 17,5–6). Andere Elemente sind im Bild zusammengefasst: Die Philister treten schon die Flucht an, noch bevor sich der Stein in der Luft befindet, und unter dem stehenden David sieht man ihn noch einmal, wie er gerade Goliath mit dessen eigenem Schwert tötet. Danach geht die Bilderfolge mit elf Episoden aus dem Leben Christi weiter. Alle Zeichnungen stecken voller Energie und Bewegung. Zum Beispiel hat Christus in der Darstellung seines Abstiegs in die Unterwelt gerade die Pforte zur Hölle durchbrochen und steht auf einem gefesselten Teufel, während er mit beiden Händen nach unten greift, um die Figuren aus dem

13.1 | Der Abstieg Christi in die Unterwelt, mit Christus, der mit beiden Händen nach unten greift, um die Seelen aus dem Höllenfeuer zu retten, während er auf einem gefesselten Teufel steht, fol. 14r (Detail).

UMSEITIG
13.2–13.3 | Davids Kampf gegen Goliath und (unten links) David tötet Goliath, fol. 8v–9r (Details).

offenen Höllenschlund in Form eines Drachens zu retten (eine angelsächsische ikonographische Innovation; Bild 13.1).[3] Im Bild auf der nächsten Seite hebt Christus seinen Arm, damit der heilige Thomas die Wunde in seiner Seite berühren kann, während die Gewandfalten beider Figuren in stark betonter Bewegung um sie herumwallen (Bild 13.4).

Der Tiberius-Psalter ist einer von vielen bedeutenden Psalterien in der *Gallicanum*-Fassung, die Mitte des 11. Jhs. in Winchester entstanden sind.[4] Von der Amtszeit des Bischofs Æthelwold (reg. 963-984) an war Winchester ein Zentrum der klösterlichen Reformbestrebungen und Bildung, wozu auch die Förderung altenglischer Texte zählte. All dies spiegelt sich in diesem Psalter wider, der außerdem eine fortlaufende Interlinearglosse in Altenglisch enthält, die zeitgleich mit dem lateinischen Text und wahrscheinlich vom selben Schreiber eingetragen wurde.

Der unverkennbare „Winchester-Stil" zeigt sich auch in der Akanthus-Ornamentik, wie man sie in den unter Æthelwolds Schirmherrschaft und danach produzierten Büchern findet. Das Besondere am Winchester-Akanthus sind die ausladenden, lappig um Rahmenleisten greifenden und Rosetten bildenden Blätter, die oft in hellen Farben und größeren Gruppen in die Ecken und auf die Mitte der goldenen Balkenrahmen gemalt wurden (siehe Abb. auf S. 329). Im Tiberius-Psalter schmücken diese Akanthusrahmen jeweils den Anfang der Psalmen 1, 51, 101 und 109, von denen die ersten drei das Buch in drei Gruppen, die sogenannten „drei Fünfziger", gliedern. Diese Einteilung, die sich auf das im Kloster übliche Rezitieren von jeweils 50 Psalmen bezieht, ist aus frühen Quellen und irischen Psaltern bekannt und wurde vom 10. Jh. an in englischen Exemplaren Standard.[5] Besonders hervorgehoben wird sie im Tiberius-Psalter, weil dem Beginn jeder Gruppe eine große Miniatur gegenübersteht. Zusammen mit dem Präfationszyklus ergeben diese Kunstwerke ein beeindruckendes, frühes englisches Andachtsbuch.

LITERATUR

W. Hofstetter, *Winchester und der spätaltenglische Sprachgebrauch*, Texte und Untersuchungen zur Englischen Philologie, 14 (München, 1987), S. 69-73.

Francis Wormald, „An English Eleventh-Century Psalter with Pictures: British Museum, Cotton ms Tiberius C. VI", *Walpole Society*, 38 (1962), 1-14, Taf. 1-30.

The Tiberius Psalter, Edited from British Museum ms Cotton Tiberius C vi, hrsg. von A. P. Campbell, Ottawa Medieval Texts and Studies, 2 (Ottawa, 1974).

Michael, Michael, „The Tiberius Psalter", in: *The Apocalypse and the Shape of Things to Come*, hrsg. von Frances Carey (London, 1999), S. 64 f. (Nr. 1).

C. M. Kauffmann, *Biblical Imagery in Medieval England, 700–1550* (London, 2003), S. 105–117.

13.4 | Der ungläubige Thomas berührt die Wunden Jesu, fol. 14v (Detail).

ANMERKUNGEN

1 Michael, „Tiberius Psalter" (1999).

2 Zu Sir Robert Cotton siehe Vespasian-Psalter, Nr. 4, und „Die Ursprünge der Handschriftensammlungen der British Library", S. 328.

3 Kauffmann, *Biblical Imagery* (2003), S. 52

4 *King Alfred's Old English Prose Translation of the First Fifty Psalms*, hrsg. von Patrick O'Neill, Medieval Academy Books, 104 (2001), S. 13; zum *Psalterium Gallicanum* siehe Lothar-Psalter, Nr. 7.

5 Nigel Morgan und Paul Binski, „Private Devotion: Humility and Splendour", in: *The Cambridge Illuminations: Ten Centuries of Book Production in the Medieval West*, hrsg. von Paul Binski und Stella Panayotova (London, 2005), S. 163–169 (S. 164).

ET EXTENDENS IESUS BRACHIUM SUUM THOMAS TETIGIT VULNERA EIUS ET

14

DER THEODOR-PSALTER

Die Psalmen in byzantinischen Bildern

Psalter in Griechisch.
Konstantinopel, 1066.

- 230 × 200 mm
- 208 Blatt
- Additional 19352

Diese einzigartige Handschrift enthält eine der anspruchsvollsten und komplexesten Bilderfolgen zu den Psalmen, die jemals für die West- wie die Ostkirche erstellt wurden. Anders als im lateinischen Westeuropa, wo in den kostbaren Psalter die Bildsequenzen vorangestellt sind, ist dieser Psalter mit mehr als 400 als Randschmuck gemalten Miniaturen illuminiert. Zusammen mit den erläuternden Inschriften bieten diese Bilder einen reichen visuellen Kommentar zum Bibeltext. Sie zählen auch zu den schönsten Beispielen des schnörkellosen Stils der byzantinischen Kunst und geben eleganten Hinweisen auf tiefe spirituelle Lesarten der Heiligen Schrift gegenüber einer naturalistischen Darstellung der stofflichen Welt den Vorzug. Obwohl die Bilder im Laufe der Zeit erhebliche Schäden erlitten, haben sie noch sehr viel von ihrer ursprünglichen Qualität und ihrer beabsichtigten optischen Wirkung bewahrt (Bild 14.1).

Im Gegensatz zu den meisten byzantinischen Handschriften beinhaltet der vorliegende Psalter viele Texte und Bilder, die den Kontext seiner Entstehung aufzeigen und würdigen. Auch wenn diese Details nicht für spätere Studien gedacht waren, so liefern sie uns heute doch sehr viele Belege, welche die Forschung benötigt, um die Geschichte dieses Buches aufklären zu können. Am Ende des Codex stehen zwei sechszeilige Inschriften. Laut der ersten, die in Gold auf Rot geschrieben ist, wurde die von Michael, Abt des mächtigen Studiosklosters in Konstantinopel, in Auftrag gegebene Handschrift im Februar 1066 fertiggestellt. Abt Michael Mermentoulos, wie wir ihn aus anderen Quellen kennen, ist auf der gegenüberliegenden Seite abgebildet, wie er sein Buch Christus darbietet. Bereits zuvor wird er in diesem Psalter gezeigt, wie er vor Johannes dem Täufer, dem Namenspatron des Klosters, und dem heiligen Theodor (729–826), dem berühmtesten Abt des Klosters und einem der wichtigsten Befürworter der Bilderverehrung in der byzantinischen Kirche, von Christus als Abt eingesetzt wird. Im zweiten, nur mit roter Tinte ausgeführten Eintrag bezeichnet sich die für das Schreiben und die Chrysographie[1] verantwortliche Person als Theodor, Erzpriester

14.1 | Ein alter Mann am Ende seines Lebens, von dem „das Beste daran nur Mühsal und Beschwer" war (Psalm 90,10), fol. 121 v (Detail).

UMSEITIG
14.2–14.3 | Der Patriarch Nikephoros und der heilige Theodor Studites halten eine Rundikone mit Christusporträt; ihre Debatte vor Kaiser Leo V.; und Ikonoklasten fangen gerade an, ein Medaillonporträt Christi mit dem Schwamm auszulöschen, bei Psalm 26,5; gegenüber der junge David mit seiner Harfe und einem Hirtenstab beim Hüten seiner Schafe, bei Psalm 27; fol. 27v–28.

γέρων

Ψαλμὸς τῷ Δαδ:

Κρῖνόν με Κε ὅτι ἐγὼ ἐν ἀκακίᾳ
μου ἐπορεύθην:
Καὶ ἐπὶ τῷ Κῷ ἐλπίζων οὐ μὴ ἀ-
σθενήσω:
Δοκίμασόν με Κε καὶ πείρασόν με:
Πύρωσον τοὺς νεφρούς μου καὶ τὴν
καρδίαν μου:
Ὅτι τὸ ἔλεός σου κατέναντι τῶν ὀ-
φθαλμῶν μού ἐστι:
Καὶ εὐηρέστησα ἐν τῇ ἀληθείᾳ σου:
Οὐκ ἐκάθισα μετὰ συνεδρίου μα-
ταιότητος:
Καὶ μετὰ παρανομούντων οὐ μὴ
εἰσέλθω:
Ἐμίσησα ἐκκλησίαν πονηρευομένων:
Καὶ μετὰ ἀσεβῶν οὐ μὴ καθίσω:
Νίψομαι ἐν ἀθῴοις τὰς χεῖράς μου:
Καὶ κυκλώσω τὸ θυσιαστήριόν σου Κε:

Τοῦ ἀκοῦσαι με φωνὴν αἰνέσεώς σου :·
Καὶ διηγήσασθαι πάντα τὰ θαυμά-
σιά σου :·
Κύριε ἠγάπησα εὐπρέπειαν οἴκου σου :·
Καὶ τόπον σκηνώματος δόξης σου :·
Μὴ συναπολέσῃς μετὰ ἀσεβῶν τὴν
ψυχήν μου :·
Καὶ μετὰ ἀνδρῶν αἱμάτων τὴν
ζωήν μου :·
Ὧν ἐν χερσὶν ἀνομίαι ἡ δεξιὰ αὐτῶν
ἐπλήσθη δώρων :·
Ἐγὼ δὲ ἐν ἀκακίᾳ μου ἐπορεύθην :·
Λύτρωσαί με Κύριε καὶ ἐλέησόν με :·
Ὁ πούς μου ἔστη ἐν εὐθύτητι :·
ΚΣ Ἐν ἐκκλησίαις εὐλογήσω σε Κύριε :·

ΨΑΛΜΟΣ ΤΩ ΔΑΔ

Κύριος φωτισμός μου καὶ σωτήρ μου τίνα
φοβηθήσομαι :·
Κύριος ὑπερασπιστὴς τῆς ζωῆς μου

(Protopresbyter) des Klosters von Studios und Schreiber *(bibliographos)*, der ursprünglich aus Caesarea in Kappadokien kam. Nach Ansicht vieler heutiger Autoren war Theodor auch der Illuminator des Psalters.

Vom Gesamtaufbau her ist der Codex ein etwas späterer (und größerer) Vertreter der Psalter mit Randillustrationen, die Mitte des 9. Jhs. in Konstantinopel aufkamen. Sie waren mit ihren reich geschmückten Rändern bewusst so angelegt, um in der byzantinischen Kirche Bilder als wertvolle Hilfsmittel für die Andacht und spirituelle Auslegung wieder zur Geltung zu bringen. Dabei setzten die Buchmaler darauf, dass im Bilderstreit jene triumphieren würden, die wie Abt Theodor Bilder als symbolische, nichtreale Wiedergabe einer Person aus der Vorlage verteidigten und behaupteten, deren Schaffung und Verehrung sei kein Götzendienst und somit auch kein Verstoß gegen das Zweite Gebot. Der vorliegende Psalter, der anhand seines großen Bestands an Miniaturen erkennen lässt, welch tragende Rolle Studios im Kampf gegen das Bilderverbot spielte, enthält auch mehrere ikonophile (wörtlich „Ikonen liebende") Glossen im biblischen Text. Bei Psalm 26 (ehemals 25) gibt der Buchmaler die alte Charakterisierung der Ikonoklasten als Heuchler, Frevler und Übeltäter wieder, mit denen der Psalmist keinen Umgang haben will (Psalm 26,4–5, Bild 14.2). Er verteilte auch nach Belieben Ikonen über die Seiten, vor allem Medaillonporträts von Christus, die nicht

DIESE SEITE

14.4 | König David betet mit erhobenen Händen vor dem Kreuz, das eine Porträtikone Christi trägt, bei Psalm 4,7; fol. 3v (Detail).

GEGENÜBER OBEN

14.5 | König David (links) und Gideon (rechts) empfangen Gottes Segen und deuten auf ein Medaillonporträt der Jungfrau mit Kind; rechts Mariä Verkündigung, bei Psalm 71,6; fol. 91v (Detail).

GEGENÜBER UNTEN

14.6 | Die Israeliten verehren das goldene Kalb; als Moses vom Berg Sinai herabsteigt und ihren Götzendienst sieht, zerbricht er die Tafeln mit den Zehn Geboten; bei Psalm 106,16–22, fol. 143v (Detail).

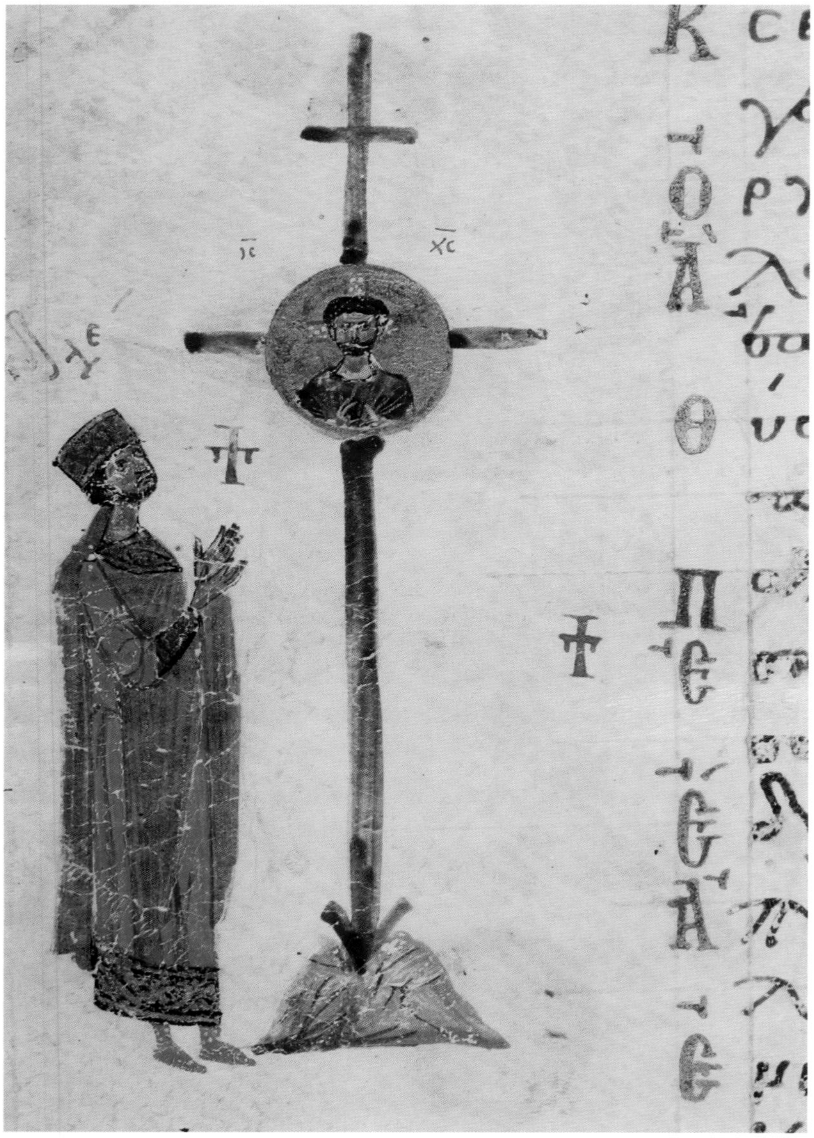

συμπαραμενεῖ τῷ ἡλίῳ

Καὶ πρὸ τῆς σελήνης γενεὰς γενεῶν :·

Καταβήσεται ὡς ὑετὸς ἐπὶ πόκον :·

Καὶ ὡσεὶ σταγὼν ἡ στάζουσα ἐπὶ τὴν γῆν :·

Ἀνατελεῖ ἐν ταῖς ἡμέραις αὐτοῦ δι

ὁ Δαβίδ λέγει

μήτηρ θεοῦ

Γεδεὼν εἰς τὸ πόκον

ὁ χαιρετισμός

ἀαρών :·

Καὶ ἐξεκαύθη πῦρ ἐν τῇ συναγωγῇ αὐτῶν :·

Φλὸξ κατέφλεξεν ἁμαρτωλούς :·

Καὶ ἐποίησαν μόσχον ἐν Χωρὴβ καὶ προσεκύνησαν τῷ γλυπτῷ :·

Καὶ ἠλλάξαντο τὴν δόξαν αὐτῶν ἐν ὁμοιώματι μόσχου ἔσθοντος χόρτον :·

Καὶ ἐπελάθοντο τοῦ θεοῦ τοῦ σώζοντος αὐτούς :·

Τοῦ ποιήσαντος μεγάλα ἐν Αἰγύπτῳ :·

ἡ μοσχοποιία

ὁ Ἀαρὼν λέγει πρὸς τὸν Μωϋσῆν ἰδοὺ τί ἐποίησα

αἱ πλάκες

nur von Heiligen, Frommen und Gerechten, sondern auch vom Psalmisten selbst verehrt wurden. In Bildern wie jenem, das Davids Gebet „Herr, lass dein Angesicht über uns leuchten“ (Psalm 4,7) mit diesem vor dem Kreuz glossiert, das eine *imago clipeata*[2] Christi trägt (Bild 14.4), werden die engen Verbindungen der Geschichte des Christentums mit seinem jüdischen Vorläufer dargelegt. Dasselbe gilt für das Bild der Verkündigung, das Psalm 71,6 deutet, mit der Begleitdarstellung von David und Gideon vor einem Medaillon der Jungfrau mit Kind (Bild 14.5). Andernorts, wo der Illuminator die Ablehnung des Psalmisten einer Verehrung anderer Götter erläutert, unterscheidet er die falschen Anbetungsobjekte von den Ikonen, indem er sie als Säulenstatuen darstellt, insbesondere bei Psalm 106, als die Israeliten am Horeb das goldene Kalb anbeten (Bild 14.6).

In diesem Psalter erweiterte der Illuminator auch merklich die visuelle Kommentierung des Bibeltextes. Am Ende von Psalm 76, ungefähr in der Mitte der Psalmentexte, gestaltete er eine herrliche Seite, auf der Bilder und Worte zur Lobpreisung von Gottes gewaltiger „Macht ... unter den Völkern“ eine enge Verbindung eingehen (Bild 14.7). Zwei Wasserwände des Roten Meeres, durch das die Israeliten „durch die Hand von Mose und Aaron“ geführt wurden, rahmen die Illustration. Die Schafe beziehen sich auf den Vergleich des Psalmisten „du führest dein Volk wie eine Herde“ und erinnern an David als Hirte (siehe Bild 14.3). Die Unterweisung und Führung der Israeliten durch Moses und Aaron, über die Gott wacht, hat zweifelsohne ihre Wirkung bei Abt Michael nicht verfehlt, dessen Amtseinsetzung auch die Zusage an Christus bedeutete, „der stärkste Hirte der Herde“ zu sein (fol. 191v). Am Ende der Psalmen und kurz vor der Darstellung von Michaels Investitur wird dieses Thema noch einmal in den Versen über Davids Betreuung seiner Tier- und Menschenherde aufgegriffen, die Michael (wie David die Psalmen) womöglich selbst komponiert hat.

14.7 | Der thronende Christus überwacht, wie Moses und Aaron die Israeliten führen; bei Psalm 77,20–21, fol. 99v.

LITERATUR

I. Hutter, „Theodoros βιβλιογράφος und die Buchmalerei in Studiu“, Οπώρα, Studi in onore di Mgr. Paul Canart per il LXX compleanno, hrsg. von Santo Lucà und Lidia Perria, *Bollettino badia Greca di Grottaferrata*, n.s. 51 (1997), S. 177-208.

Sirarpie Der Nersessian, *L'Illustration des psautiers grecs du moyen âge*, II: *Londres*, Add. 19.352 (Paris, 1970).

Byzantium: Treasures of Byzantine Art and Culture from British Collections, hrsg. von David Buckton (London, 1994), Nr. 168.

The Glory of Byzantium: Art and Culture of the Middle Byzantine Era, a.d. 843-1261, hrsg. von Helen C. Evans und William D. Wixom (New York, 1997), Nr. 53.

Theodore Psalter: Electronic Facsimile (CD ROM), hrsg. von Charles Barber (Champaign, IL, 2000).

ANMERKUNGEN

1 Zu Chrysographie siehe „Tausend Jahre Kunst und Schönheit“, S. 21.

2 Zur *imago clipeata* siehe die Goldenen Kanontafeln, Nr. 1.

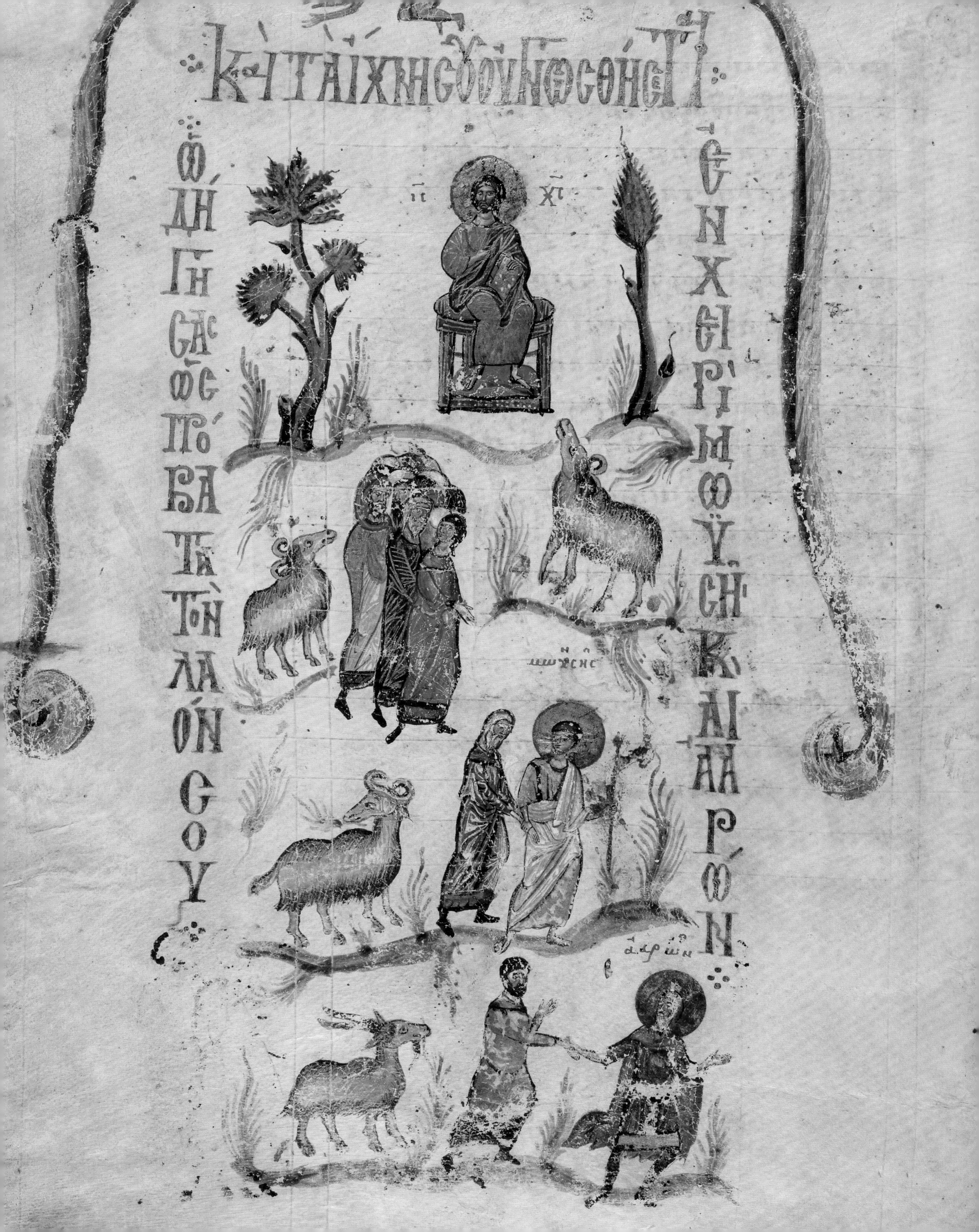
ὡδήγησας ὡς πρόβατα τὸν λαόν σου
ἐν χειρὶ Μωϋσῆ καὶ Ἀαρών
Μωϋσῆς
Ἀαρών

15

DIE SILOS-APOKALYPSE

Eine spanische Vision der Apokalypse

Offenbarung des Johannes mit den Apokalypse-Kommentaren des Beatus von Liébana und Kommentaren von Hieronymus zu Daniel in Latein.
Silos, 1091 (Text) und 1109 (Buchmalerei).

- 380 × 240 mm
- 279 Blatt
- Additional 11695

Dank mehrerer Kolophone und anderer Inschriften im Codex der Silos-Apokalypse besitzen wir präzise, wenn auch etwas widersprüchliche Informationen über die Schreiber und Buchmaler sowie Zeit und Ort seiner Entstehung. In einem aufwendigen, über zwei Seiten laufenden und gerahmten Kolophon erklärt Dominicus, Mönch in der Abtei Santo Domingo de Silos in Nordspanien, dass er und sein Verwandter Munnius (oder Munnio) im Auftrag von Abt Fortunius (reg. um 1073–1100) den Text geschrieben und das Buch der Apokalypse *(perfectus est igitur hic liver [liber])* im April 1091 vollendet haben. Ein späterer Eintrag besagt jedoch, dass „nur ein sehr kleiner Teil" *(minima pars ex eo facta fuit)* unter Abt Fortunius fertiggestellt worden war, während Prior Petrus, der Illuminator, seine Miniaturen erst im Jahr 1109 *(complevit et conplendo ab integro illuminabit)* abgeschlossen hatte. Es steht inzwischen außer Frage, dass die umfangreichen und ausdrucksstarken Miniaturen nicht parallel zum Schreiben des Textes gemalt, sondern der Handschrift erst etwa zwanzig Jahre später hinzugefügt wurden.

Die Silos-Apokalypse enthält als sogenannter „Beatus" neben der Offenbarung des Johannes einen umfangreichen Kommentar, den Beatus von Liébana um 780 kompilierte. Beatus unterteilte die Offenbarung in 68 Abschnitte, *storiae* genannt, mit meist zehn bis zwölf Versen. Der biblische Text ist nicht die Übersetzung der Vulgata des heiligen Hieronymus, sondern die einer Vor-Vulgata in Altlatein, die mit Nordafrika in Verbindung gebracht wird. Ans Ende jeder *storia* stellte Beatus einen aus den Schriften der Kirchenväter kompilierten Kommentar. Von seinem Werk sind noch 35 Abschriften, darunter 26 illuminierte erhalten.[1] Zur Ausstattung der Beatushandschriften gehört ein mehr oder weniger standardisiertes Bildprogramm, das die entsprechenden *storiae* illustriert. Die Szenen erscheinen in der Regel, wie in der Silos-Apokalypse, zwischen biblischem Text und Kommentar. Sie zählen aufgrund ihres Stils und ihrer Behandlung zu den bedeutendsten Meisterwerken der spanischen Buchmalerei und der Malerei des Mittelalters allgemein.

Die Bilder veranschaulichen zwar in erster Linie die Verse, dienen aber auch als visuelle Ergänzung zum Kommentar. So sieht man in einer

15.1 | Johannes kniet vor Christus, dem das doppelschneidige Schwert zu beiden Seiten aus seinem Mund kommt, mit den sieben als Arkadenbögen dargestellten Gemeinden (unten), Offb 1,10–20, fol. 24v (Detail).

UMSEITIG
15.2–15.3 | Die mit der Sonne bekleidete Frau und der Drache, Offb 12,1–18, fol. 147v–148 (Detail).

angelus

pugnuna
mulier
subpedibus
duo decim
serpens
aquum
suo

saeculorum

cherubin
serufin

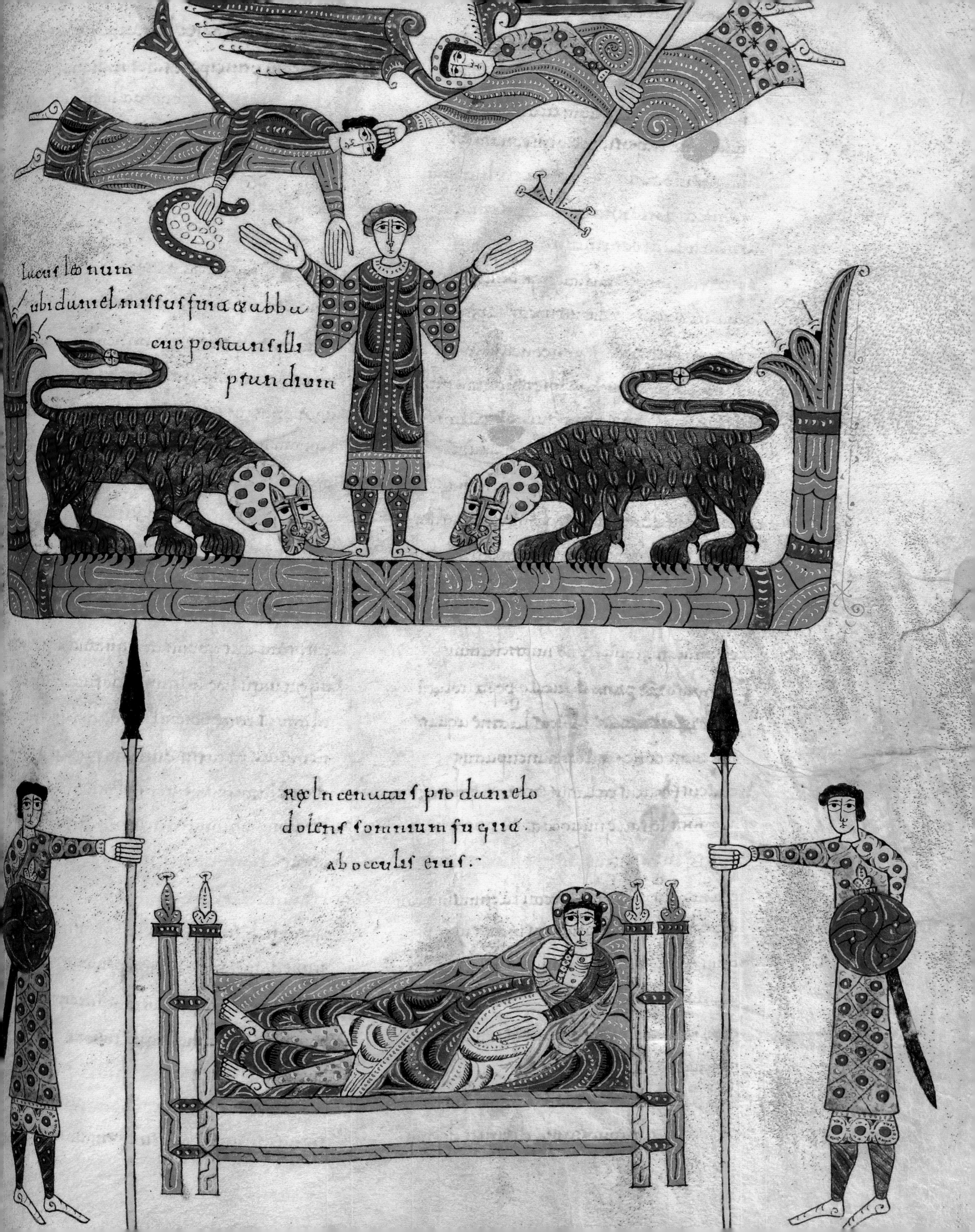
lacus leonum
ubi daniel missus fuit et ubi abba
cuc portavit illi
prandium
Rex incenatus pro danielo
dolens somnium fugit
ab occulis eius.

der größten Szenen, die sich über zwei Seiten erstreckt, den im Text erwähnten großen, roten Drachen mit seinen sieben Köpfen und zehn Hörnern (*draco magnus rufus habens capita septem et cornua decem*; Offb 12,3) als riesiges Schlangenmonster in Rot und Grau dargestellt (Bild 15.2–15.3), mit Sternen unter dem Schwanzende („und sein Schwanz fegte den dritten Teil der Sterne des Himmels hinweg", Offb 12,4). Dem Drachen vis-à-vis befindet sich in der oberen Bildecke „eine Frau, mit der Sonne bekleidet, und der Mond unter ihren Füßen" *(mulier amicta sole et luna sub pedibus ei[u]s)* mit dem entsprechenden danebengesetzten Vers (Offb 12,1). Auf der nächsten Seite wird in der gegenüberliegenden Ecke das Kind der Frau „zu Gott und zu seinem Thron entrückt" (Offb 12,5). In der Mitte kämpfen der Erzengel Michael und andere Engel gegen den Drachen (*Michael et angeli eius cum draco[ne] pugnant*; Offb 12,7).

Die Bilder sind farbenfroh und intensiv. Aus diesem Grund wird ihr Stil manchmal als mozarabisch (abgeleitet von *musta'rib*, „arabisiert") bezeichnet, womit die Kunst der im muslimischen Spanien (oder *al-Andalus*) lebenden Christen, aber auch die im christlichen Nordspanien vom 8. bis 11. Jh. beschrieben wird. Wie ein Kunsthistoriker sagte: „Die mozarabische Malerei ist eine Kunst der Farbe",[2] und dies zeigt sich deutlich in den lebhaften und farbenprächtigen Kompositionen der Silos-Apokalypse. Zum Beispiel bilden in der Illustration zur dritten *storia* (Offb 1,10–20) Streifen aus Blau, Rot, Orange und Grün den Hintergrund für die Vision des Johannes von dem Einen auf dem Thron mit einem „scharfen zweischneidigen Schwert", hier als *gladius ex utraque parte* bezeichnet, das aus seinem Mund kommt (Offb 1,17; Bild 15.1). Oben im Bild sieht man die sieben goldenen Leuchter, die den „sieben Geistern vor dem Thron" Gottes entsprechen, und unten die sieben Gemeinden, die das geschriebene Buch empfangen sollen, als Hufeisenformen dargestellt, die an die gestreiften Arkadenbögen in der großen Moschee von Córdoba erinnern.

Wie in vielen Beatushandschriften sind in der Silos-Apokalypse neben den Offenbarungstexten auch prophetische aus dem Buch Daniel vertreten. Die Illustrationen zu Daniel unterscheiden sich schematisch und farblich nicht von denen der Johannes-Apokalypse, erscheinen aber ohne Rahmen. Das trifft beispielsweise auf die Szene von Daniel in der Löwengrube zu; darunter liegt König Darius im Bett, der in Sorge um Daniels Schicksal keinen Schlaf finden kann, mit der Beschriftung *somnium fugiit* [*sic*] *ab occulis eius* (Dan 6,18; Bild 15.5).[3]

VORHERIGE SEITE (LINKS)

15.4 | Die Majestas Domini oben im Himmel, die Evangelistensymbole und die Ältesten, die Instrumente spielen, mit dem Lamm in der Mitte, Offb 4–5, fol. 86v (Detail).

VORHERIGE SEITE (RECHTS)

15.5 | Daniel in der Löwengrube und (unten) König Darius, schlaflos vor Sorge, Dan 6,12–18, fol. 239 (Detail).

GEGENÜBER

15.6 | Die vier Reiter der Apokalypse, die der Menschheit die Besiegung durch den Teufel, Krieg, Hungersnot, Pest sowie den Tod bringen, Offb 6,1–8, fol. 102v (Detail).

LITERATUR

Meyer Shapiro, „From Mozarabic to Romanesque in Silos", *Art Bulletin*, 21 (1939), 313–74.
John Williams, *The Illustrated Beatus: A Corpus of the Illustrations of the Commentary on the Apocalypse*, 5 Bde. (London, 1994–2003).
Beatus of Liébana: Codex of Santo Domingo de Silos Monastery, Faksimile-Ausgabe mit Kommentar (Barcelona, 2001–2003).
Ann Boylan, „The Silos Beatus and the Silos Scriptorium", in: *Church, State, Vellum, and Stone: Essays on Medieval Spain in Honor of John Williams*, hrsg. von Therese Martin und Julie A. Harris, The Medieval and Early Modern Iberian World, 26 (Leiden, 2005), S. 173–233

ANMERKUNGEN

1 Williams, Illustrated *Beatus* (1994), I, S. 20 und 10 f.

2 Shapiro, „Mozarabic to Romanesque" (1939), S. 324.

3 In der Vulgata: *somnus recessit ab eo.*

equum album
et qui sedebat
super eum habe
bat arcum
equum roseum
et qui sedebat
super eum abebat
gladium.
equus niger
et qui sedebat
super eum
abebat
equus pallidus
et qui sedebat
super eum abebat gladium

16

DIE BIBEL VON STAVELOT

Monumentale Kunst

Bibel in Latein.
Stavelot, bei Lüttich, 1093–1097.

- 580 × 390 mm
- 232 Blatt (Band 1), 241 Blatt (Band 2)
- Additional 28106, 28107

Etwa zur selben Zeit als Dominicus und Munnio sich mit ihrer großen Silos-Apokalypse (Nr. 15) abmühten, hielt der Mönch Goderannus schriftlich fest, dass er und Bruder Ernesto in der Abtei St. Remaclus in Stavelot, nahe Lüttich im heutigen Belgien, vier Jahre lang an einer Bibel gearbeitet haben. Goderannus beschrieb detailliert, wie dieses zweibändige Werk geschaffen wurde. Er gab an, dass das Schreiben, Illuminieren und Binden *(scriptura, illuminatione, ligatura)* der Handschriften im Jahr 1097 abgeschlossen werden konnte. Doch scheinbar war er nicht genau genug, denn die Fachleute sind sich bis heute nicht einig, ob beide Mönche (oder zumindest Ernesto) Buchmaler wie auch Schreiber dieser beeindruckenden Codices waren. Es wird vermutet, dass die Künstler im Kolophon keine Erwähnung fanden, weil es sich nicht um Mönche, sondern um bezahlte Laien handelte. Zudem deuten die stilistischen Unterschiede zwischen den Initialen und anderen Malereien darauf hin, dass mehr als nur zwei Künstler – fünf verschiedene wurden identifiziert – beteiligt waren.[1]

Unbestritten hingegen sind die Qualität und die schiere Monumentalität der Malereien in der Bibel von Stavelot. Am bekanntesten ist das ganzseitige Bild der Majestas Domini, umgeben von den vier Evangelistensymbolen, das als Einleitung zum Neuen Testament dient (Bild 16.1). Es präsentiert den erhöht thronenden Christus in einer ikonenartigen Endzeit-Darstellung von vorne mit einem goldenen Kreuz in der linken Hand. Seine Füße ruhen auf einer farblich dreigeteilten Scheibe, die eine stilisierte „TO-Karte" des *orbis terrarum* („Erdkreis"-Karte, aus einem T, das von einem O umschlossen wird) verkörpert. Das Motiv selbst dürfte dem damaligen Betrachter bereits von den Endzeit-Bildern in den Apsiden der Kirchen her bekannt gewesen sein.[2] Ebenso ausdrucksstark und einnehmend sind die jeweils am Anfang ihrer Bücher im Sitzen oder Stehen abgebildeten Propheten und Evangelisten, von denen ein paar auch Schriftrollen halten.

Die Bibel ist außerdem mit wesentlich kleineren Illustrationen in den historisierten Initialen versehen. Die ikonographisch komplexeste Initiale ist das lange „I"*(n)* am Beginn der Genesis (Bild 16.2–16.3). Die Bilder, die um die Initiale arrangiert sind und diese füllen, stellen nicht, wie zumeist

16.1 | Die Majestas Domini, Christi Füße ruhen auf einem stilisierten Globus oder einer runden „TO-Karte", mit den vier Evangelistensymbolen in den Ecken, am Anfang des Neuen Testaments, Additional 28107, fol. 136r.

16.2 | Die Initiale „I“(*n*) der Genesis, mit der Kreuzigung, Grablegung und Auferstehung Jesu und der Majestas Domini (in den mittleren Medaillons von unten nach oben), Additional 28106, fol. 6 (Detail des oberen Bildteils).

GEGENÜBER
16.3 | Die Initiale „I“(*n*) der Genesis, mit Mariä Verkündigung sowie der Geburt, Taufe und Kreuzigung Jesu (in den mittleren Medaillons von unten nach oben), Additional 28106, fol. 6 (Detail des unteren Bildteils).

C
I
P
I

VIT
VIR
UNUS
de rama
thaim
sophim
de monte
effraim.
& nomen
eius el
chana
filius hiero
boam. filii
helu. filii thau.
filii suph ephratte
us. & habuit duas
uxores. Nomen uni
anna. & nomen secundę
fenenna. Fueruntq: fenen
nę filii. annę autem non erant
liberi. Et ascendebat vir ille de
ciuitate sua statutis diebus ut ad

16.4 | Hannas Gelübde und die Opfergabe, 1. Samuel, Additional 28106, fol. 97r (Detail).

üblich, die Schöpfungstage dar, sondern beinhalten eine mehrschichtige Exegese der Heilsgeschichte. Die in den Buchstaben eingeschriebenen Worte *In principio* werden von oben nach unten gelesen, doch die Bilderfolge beginnt in den Rundungen am unteren Ende der Seite mit der Verkündigung und setzt sich nach oben hin bis zum Gipfelbild der Majestas Domini fort (Bild 16.2). Den Mittelteil der Komposition bildet die Kreuzigung, und die umliegende Fläche ist mit Miniaturen gefüllt, die Szenen aus dem Alten und Neuen Testament zeigen. So sieht man auf der linken Seite der Initiale die Vertreibung aus dem Paradies, die Arche Noah, die Opferung Isaaks (Bild 16.3) sowie Moses zerbricht die Gesetzestafeln, darüber die Predigt Jesu und Engel (Bild 16.2). Zwischen den Rundbildern sind weitere zu den Szenen passende Geschehnisse dargestellt, wie etwa die Verehrung des goldenen Kalbs unterhalb von Moses. Rechts der Mittelachse findet sich eine seltene mehrteilige Illustration zum Gleichnis von den Arbeitern im Weinberg (Mt 20,1–16), in dem Jesus das Himmelreich mit einem Gutsbesitzer vergleicht, der zu verschiedenen Tageszeiten Arbeiter für seinen Weinberg anwirbt. Rund um diese Medaillons herum sind die Räume mit Weinbergsarbeitern gefüllt, die Reben pflegen und beschneiden.

Andere historisierte Initiale im Alten Testament sind zwar mit nicht ganz so vielen Figuren ausgestattet, doch immer noch genug, um die abgebildete Geschichte zu erzählen. Zum Beispiel sind in der Bildinitiale „F"[*uit*] („Es war") zu Beginn von 1. Samuel (früher: 1. Könige/Regum 1) die Episoden des ersten Kapitels in zarten Zeichnungen auf farbigem Grund dargelegt (Bild 16.4). Im unteren Teil geht Elkana mit seinen beiden Frauen nach Schilo, um ein Opfer darzubringen, und bietet er beiden Frauen Essen an. Hanna aber wendet sich ab und isst nicht, weil der „Herr ihren Leib verschlossen" hat (1 Sam 1,1–5). Im Abschnitt darüber steht sie neben dem Priester Eli, der ihr sagt, dass Gott ihre Bitte um ein Kind erfüllen wird. Ganz oben in der Initiale erscheinen Hanna und Elkana mit dem lang ersehnten Sohn (Samuel) und opfern aus Dankbarkeit „einen dreijährigen Stier, ein Efa Mehl und einen Schlauch Wein" (1 Sam 1,24–28). Komplexe Illustrationen wie diese, die mehrere Verse in einem Bild kombinieren, zeigen auch, dass der Maler über ein hohes Maß an fundierten Bibelkenntnissen verfügt haben muss. Dies wiederum heißt, falls die Mönche Goderannus und Ernesto die Bibel nicht selbst illuminiert haben, müssen sie zumindest die Arbeit der Illuminatoren entworfen und betreut haben.

LITERATUR

François Masai, „Les Manuscrits à peintures de Sambre et Meuse aux XIe et XIIe siècles: pour une critique d'origine plus méthodique", *Cahiers de Civilisation Médiévale*, 10 (1960), S. 169–189.

Wayne Dynes, *The Illuminations of the Stavelot Bible* (New York, 1978).

Walter Cahn, *Romanesque Bible Illumination* (Ithaca, NY, 1982), S. 130–136.

John Lowden, „Illustration in Biblical Manuscripts", in: *The New Cambridge History of the Bible*, 4 Bde. (Cambridge, 2012–15), II: *From 600 to 1450*, hrsg. von Richard Marsden und E. Ann Matter (2012), S. 446–481.

ANMERKUNGEN

1 Dynes, *Stavelot Bible* (1978), bes. S. 70–93.

2 Vgl. Lowden, „Illustration" (2012), S. 454.

17

DAS EGERTON-EVANGELISTAR

Illuminierte Liturgie

Evangelistar in Latein.
Deutschland, um 1100.

- 260 × 185 mm
- 50 Blatt
- Egerton 809

Einer der Gründe dafür, dass so viele schöne Abschriften der vier Evangelien bis heute erhalten blieben, ist sicherlich ihre Verwendung für Lesungen, die in der West- wie der Ostkirche schon früh ein fester Bestandteil des Gottesdienstes waren. Viele wurden dazu als Evangeliare in der Reihenfolge der Evangelien, jeweils beginnend mit dem entsprechenden Bild des Evangelisten, der gerade seinen Text schreibt, präsentiert. Andere dagegen erschienen entsprechend dem Kirchenjahr als Evangelienperikopen angeordnet in einem Lektionar („Lesungsbuch"). Die Reihenfolge der Lesungen (Perikopen) wurde mit der Zeit vereinheitlicht. Wie wichtig sie waren, bestätigen die vielen hundert liturgischen Bücher, die bis heute in Form von Evangelistaren und Lektionaren erhalten geblieben sind.[1] Ein besonders schönes Beispiel ist das Egerton-Evangelistar mit seinen vier ganzseitigen Illustrationen wichtiger Feste, die zu den für die Lesung vorgesehenen Abschnitten gehören: Weihnachten, Ostern, Himmelfahrt und Pfingsten (Bild 17.1–17.2, 17.4 und Abb. auf S. 5).

Stilistisch erinnern die Bilder mit ihren leuchtenden Farben und Goldrahmen an die ottonische Malerei aus dem 10. und 11. Jh. Zum Beispiel sieht man in der golden gerahmten Darstellung zu Pfingsten die Apostel mit kleinen Flammen auf ihren Köpfen, über ihnen die Taube für den Heiligen Geist und zu ihren Füßen im abgesetzten Bildteil eine Festung (Bild 17.2). Auch beim Verzieren der Handschrift selbst wurde nicht an Gold gespart, wie die Hervorhebungen im Text und das Rankenwerk der Initialen beweisen. Dem Bild gegenüber steht der zugehörige, für die Lesung vorgesehene Textabschnitt *Si quis diligit me, sermonem meum servabit* („Wer mich nicht liebt, hält an meinen Worten nicht fest"; Joh 14,23), der zum Teil in Gold geschrieben und somit ein gutes Beispiel für die erwähnte Ornamentik ist. Der Text geht weiter mit „Der Beistand aber, der Heilige Geist, den der Vater in meinem Namen senden wird, der wird euch alles lehren" (Joh 14,26) und verweist auf das Bild. Jede Perikope wird durch den Verfassernamen dem entsprechenden Evangelium zugeordnet, wie hier im ersten Satz der Textseite: *S. Ioh[anne]m*. Nicht weniger prachtvoll ist der zentrale Goldgrund der halben, von zwei Engeln

17.1 | Die drei Frauen am offenen Grab neben einem Engel, mit schlafenden Soldaten auf dem Dach, bei der Lesung für Ostern, Markus 16,1, fol. 27v.

UMSEITIG
17.2–17.3 | Pfingsten, mit den Aposteln, auf denen die Flammenzungen sitzen, und dem Heiligen Geist in Form einer Taube (oben), bei der Lesung für Pfingsten; Johannes 14,23 (gegenüber), zum Teil in Gold geschriebener Text, fol. 35v–36r.

IN DIE SCO PENTECOST. S. IOHAN.

IN illo t. Dixit dns ihc discipulis suis.

SI QUIS DILIGIT ME SERMONEM MEUM SERUABIT.

ET PATER MEUS DILIGET EUM.

ET AD EUM UENIEMUS. ET MANSIONEM
apud eum faciemus. Qui non diligit me.
sermones meos non seruat. Et sermonem
quē audistis. non ē meus. sed eius qui misit
me patris. Hęc locutus sum uobis. apud uos
manens. Paraclytus autē sps scs quē mittet
pater in nomine meo. ille uos docebit om
nia. & suggeret uobis omia quęcumq. dixe

gehaltenen Mandorla, in der Christus auf einer rosafarbenen Wolke stehend bei der Himmelfahrt gezeigt wird (Bild 17.4). Die Apostel mit der Jungfrau Maria schauen von unten zu ihm auf, viele sind mit erhobenen Armen und nach oben gewendeten Handflächen in Orantenhaltung, das heißt in einer aus der antiken Kunst bekannten Gebetshaltung dargestellt.[2] So wirkt auch der Engel, der die drei Frauen am offenen Grab erwartet, einerseits zwar wie ein Mensch, scheint aber in dem prunkvoll ausgearbeiteten Bauwerk zu schweben, während die Soldaten in ihren Kettenhemden auf dem Dach tief und fest schlafen (Bild 17.1). Auch wenn die Bilder hier im Vergleich zum flüssigeren Malstil aus anderen Epochen, wie wir ihn aus dem Harley-Psalter oder dem altenglischen Hexateuch (Nr. 10 und 11) kennen, eher statisch erscheinen. Allerdings würden sie heute nur von wenigen als „hart, flach und unattraktiv“ abgetan, wie dies jemand Anfang des 20. Jhs. behauptete.[3]

Das Egerton-Evangelistar hatte früher je 1,6 bis 1 cm starke Buchdeckel aus Holz, die inzwischen andernorts aufbewahrt werden. Im 15. Jh. wurden sie mit blauem Samt überzogen und mit einem im Vorderdeckel eingelegten Heiligengemälde verziert. Die Holzdeckel selbst könnten aber aus dem 12. Jh. stammen und der Originaleinband des Buches gewesen sein. Die Tatsache, dass solche Bücher noch immer existieren und sogar umgestaltet wurden, ist ein Zeichen für ihren langen Gebrauch, der sich in der Liturgie nicht auf Lesungen beschränkte, sondern auch ihre Zurschaustellung und Mitnahme bei Prozessionen umfasste, wie es in vielen christlichen Traditionen auch heute noch üblich ist. Eine solche von Egbert, dem Erzbischof von Trier (reg. 977–993) geplante feierliche Prozession „mit Vortragekreuzen, Kerzen und Rauchgefäßen sowie edelsteinverzierten Evangelien“ *(Crucibus, & cereis, thuribulis quoque textibusque Evangelii gemmatis)* ist zeitgenössisch dokumentiert.[4] Das Egerton-Evangelistar war mit Trier, speziell der Abtei St. Maximin, verbunden: In Sotheby´s Auktionskatalog vom Mai 1840 steht, dass „das Manuskript lange Zeit unter den Bibliotheksbesuchern der einst berühmten Abtei von St. Maximin allgemeine Bewunderung oder Neid hervorrief“. Die Handschrift wurde für die englische Krone mittels eines von Francis Henry Egerton, dem 8. Earl of Bridgewater (1756–1829), im Jahr 1829 vermachten Fonds für einen Kaufpreis von £ 23.2s erworben.

17.4 | Christi Himmelfahrt, mit Christus, der von zwei Engeln begleitet zum Himmel auffährt, und darunter die Jungfrau Maria mit den Aposteln, bei der Lesung zum Himmelfahrtstag, Markus 16,12, fol. 33v.

LITERATUR

Die ottonische Kölner Malerschule, hrsg. von Peter Bloch und Hermann Schnitzler, 2 Bde. (Düsseldorf, 1967), II: *Textband*, S. 100.

Canossa 1077: Erschütterung der Welt, hrsg. von Christoph Stiegemann und Matthias Wemhoff, 2 Bde. (München, 2006), II, Nr. 399 [Ausstellungskatalog].

Wilhelm Koehler, „Die Karolingischen Miniaturen“, in: *Zweiter Bericht über die Denkmäler Deutscher Kunst* (Berlin, 1912), S. 51–77 (S. 62).

D. H. Turner, *Romanesque Illuminated Manuscripts in the British Museum* (London, 1966), S. 19 f., Taf. 11.

Janet Backhouse, *The Illuminated Page: Ten Centuries of Manuscript Painting in the British Library* (Toronto, 1997), Nr. 23.

ANMERKUNGEN

1 Siehe das syrische Evangelistar, Nr. 25 und das Evangelistar der Sainte-Chapelle, Nr. 29.

2 Vgl. Winchester-Psalter, Bild 20.4–20.5, und Bologneser Bibel, Bild 28.4.

3 J.A. Herbert, *Illuminated Manuscripts* (London, 1911), S. 153.

4 *Historia inventionis* S. Celsi, hrsg. von Jean Bolland, *Acta Sanctorum*, Februar 3 [1658], S. 396–404 (*Bibliotheca Hagiographa Latina*, 1720–21).

18

DAS BURNEY-EVANGELIAR

Das Tetraevangelion eines Kaisers

Vier Evangelien in Griechisch. Konstantinopel, 10. Jahrhundert (Handschrift) und 2. Viertel des 12. Jahrhunderts (Porträts).

- 220 × 170 mm
- 214 Blatt
- Burney 19

Das gebräuchlichste byzantinische Liturgie-Buch ist das Tetraevangelion, in dem die vier Evangelien nacheinander als getrennte Texte enthalten, aber dennoch als eine Einheit in einem Buchblock mit Deckel gebunden sind. Wie die anderen etwa 2000 erhaltenen Handschriften dieser Art, zeigt auch das vorliegende Werk, dass der kaiserlichen Hauptstadt Konstantinopel bei der Herstellung von Büchern höchster künstlerischer Qualität dauerhaft große Bedeutung zukam.

Zur Ausstattung der luxuriösesten Tetraevangelien gehören fein gemalte Evangelistenporträts. In diesem Exemplar steht vor jeder Incipitseite ein ganzseitiges Porträt, dessen Bildelemente mit dicken Farben modelliert wurden, sodass sie nicht nur die physische Gestalt, sondern auch die Emotionalität der Figur betonen. Jedes dieser Bilder ist mit einem Goldgrund sowie dem Namen des Evangelisten versehen. Matthäus, Lukas und Markus (Bild 18.1–18.2, 18.4) sind als Verfasser dargestellt, halten Feder und Pergament in den Händen und sitzen vor einem niedrigen Schränkchen, auf dem sich Schreibutensilien wie Tintenfässer und Messer befinden. Auf jedem Schränkchen steht ein erhöhtes Lesepult mit dem Buch, von dem der Evangelist – mehr wie ein Schreiber als ein inspirierter Autor – seinen Text kopiert. Hinter jedem Evangelisten und zur Betonung der Figur ragt ein turmartiges Gebäude auf. Während Matthäus und Lukas aktiv mit Schreiben beschäftigt sind, nimmt Markus eine Denkerpose ein, wie man sie von Philosophenstatuen her kennt. Das Porträt von Johannes (Bild 18.3) unterscheidet sich von den drei vorherigen in diesem Codex und in früheren byzantinischen Handschriften und zeigt ihn nicht sitzend und alleine,[1] sondern – wie in vielen späteren Evangeliaren im Osten[2] – stehend und in Begleitung eines Gehilfen. Inspiriert durch die Hand Gottes diktiert Johannes seinen Text Prochorus, einem der sieben in der Apostelgeschichte (Apg 6,5) genannten Diakone. Die bergige Landschaft kontrastiert mit der städtischen Umgebung der anderen drei Porträts und ist ein Hinweis auf die Insel Patmos und den Ort in den Bergen, wo das Johannesevangelium, das nach den apokryphen Johannesakten dem Prochorus zugeschrieben wird, verfasst wurde. Dass sich Johannes auf

18.1 | Matthäus steht im Begriff, seine Feder ins Tintenfass zu tauchen, um dann weiterzuschreiben, am Anfang seines Evangeliums, fol. 1v.

UMSEITIG (LINKS)
18.2 | Lukas beim Schreiben, am Anfang seines Evangeliums, fol. 101v.

UMSEITIG (RECHTS)
18.3 | Johannes diktiert Prochorus im Stehen seinen Text, am Anfang seines Evangeliums, fol. 165.

ΜΑΤΘΑΙΟΣ

Ἰω
ὁ θεολόγος

18.4 | Markus macht eine Denkpause beim Schreiben, am Anfang seines Evangeliums, fol. 63v).

dieser Insel aufgehalten hat, bestätigt auch die namentliche Erwähnung von Patmos in der Offenbarung (Offb 1,9), er lebte dort wohl 15 Jahre lang in der Verbannung. Der betagte Johannes in diesem und vielen anderen Werken in orthodoxer Tradition[3] steht im Gegensatz zu seiner zumeist jugendlichen Erscheinung in der westlichen Kunst.[4]

Die feine Minuskel des Textes und die illuminierten Balkenrahmen der Überschriften am Anfang der Evangelien wurden im 10. Jh., die Evangelistenporträts hingegen erst ein paar Jahrhunderte später vollendet. Vom Stil her sind sie eng verwandt mit einer Gruppe von illuminierten Tetraevangelien, die zum Privatgebrauch für einige Adelige angefertigt und meist mit Rahmen und Bildern verziert wurden, die nahezu dasselbe Muster aufweisen. Diese Illuminationen, obwohl vom künstlerischen Niveau und ihrer Machart verschieden, wurden dem Kokkinobaphos-Meister zugesprochen, der nach seiner Ausschmückung der Homilien des Mönchs Jakobos aus dem Kloster Kokkinobaphos in Konstantinopel so genannt wurde.[5] Zwei seiner Tetraevangelien datieren aus dem zweiten Viertel des 12. Jhs. und sind historisch mit der Kaiserdynastie der Komnenen (reg. 1081–1185) verknüpft.[6] Der vorliegende Codex unterscheidet sich von den anderen, da er in zwei Etappen gefertigt wurde und somit nicht komplett im 12. Jh. entstand. Sehr ungewöhnlich ist auch, dass der Handschrift nie Orientierungshilfen für den Leser in Form von Kapitel- oder Ammonischen Abschnittsnummern[7] hinzugefügt wurden.

Wie neuere Erkenntnisse im Hinblick auf seine spätere Geschichte ergaben, kann auch dieser Codex mit den Komnenen in Verbindung gebracht werden. Obwohl es zu Beginn des 19. Jhs. Bemühungen gab, eine fiktive Provenienz im spanischen Palast El Escorial von Philipp II. († 1598) nachzuweisen, wissen wir heute, dass dieses Tetraevangelion um die Mitte des 18. Jhs. zum Bestand der Biblioteca Vallicelliana in Rom zählte.[8] Zu diesem Zeitpunkt enthielt es eine heute verlorene Inschrift aus dem Jahr 1550, aus der hervorging, dass der Nachfahre von Konstantin Komnenus († 1531),[9] der von den Türken aus Griechenland verbannt worden war, seine letzten Tage in Italien verbrachte und in Santi Apostoli in Rom begraben wurde. Anhand dieser Inschrift, die kurz vor dem Tod von Konstantins Erben Arianita in Rom im Jahr 1551 gemacht wurde, kann angenommen werden, dass sich der Codex zu dieser Zeit noch immer in Händen der Komnenen befand. Etwas später, um 1600, wurde die Handschrift in einer der Stiftungssammlungen der Vallicelliana, der Bibliothek des portugiesischen Humanisten Aquiles Estaço (1524–1581), verzeichnet. Estaço ließ sich Ende der 1550er-Jahre in Rom nieder und sammelte Bücher, also kurz nachdem der Codex nicht mehr im Besitz der Komnenen war. Ihren Namen hat die Handschrift von ihrem späteren Besitzer, dem Wissenschaftler und Sammler Charles Burney (1757–1817).[10]

ANMERKUNGEN

1 Siehe Guest-Coutts-Handschrift, Nr. 9.

2 Siehe das armenische Evangeliar, Nr. 44.

3 Siehe auch das griechische Harley-Evangeliar, Bild 24.2.

4 Westliche Beispiele für den jungen Johannes: Harley Evangeliar (Nr. 4), die Silos-Apokalypse, die Arnsteinbibel, die Welles-Apokalypse, die Holkham-Bilderbibel, die Bibel von Clemens VII. und das Evangeliar von Kardinal Francesco Gonzaga, Bild 4.1, 15.1, 23.1, 31.4, 32.3, 34.6, 43.2.

5 Vatikanstadt, BAV, ms Vat. gr. 1162, und Paris, BnF, ms grec 1208.

6 Vatikanstadt, BAV, ms Urb. gr. 2, und Oxford, Christ Church, ms gr. 32.

7 Zu den Ammonischen Abschnitten siehe die Goldenen Kanontafeln, Nr. 1 und „Tausend Jahre Kunst und Schönheit", S. 18.

8 Moretti, „La miniatura medievale" (2008).

9 Zu dieser Inschrift siehe Giuseppe Maria Bianchini, *Evangeliarium Quadruplex latinae versionis antiquae seu veteris italicae*, 2 Bde. (Rom, 1749), I, S. DXXIX.

10 Zu Burneys Sammlung siehe „Die Ursprünge der Handschriftensammlungen der British Library", S. 329.

LITERATUR

Byzantium: Treasures of Byzantine Art and Culture from British Collections, hrsg. von David Buckton (London, 1994), Nr. 176.

Simona Moretti, „La miniatura medievale nel Seicento e nel Settecento: fra erudizione, filologia e storia dell'arte", *Rivista di Storia della Miniatura*, 12 (2008), 137–148 (S. 142 f.).

19

DER MELISENDE-PSALTER

Psalter für eine Kreuzritter-Königin

Knapp ein Jahrhundert lang, zwischen 1099 und 1187, hatte das Königreich von Jerusalem Bestand. Damit war die Stadt, die im Jahr 638 vom byzantinischen Kaiser an den Kalifen Umar überging, nach dem Erfolg des ersten Kreuzzugs erstmals wieder unter christlicher Herrschaft. Im Jahr 1187 jedoch fiel Jerusalem in die Hände von Sultan Salah ad-Din Yusuf ibn Ayub († 1193), im Westen auch als Saladin bekannt. Als einer der kostbarsten erhaltenen Schätze aus dem Jerusalem der Kreuzfahrerzeit gilt der Melisende-Psalter, benannt nach Königin Melisende († 1161), die nach dem Tod ihres Vaters Balduin II. 1131 zuerst gemeinsam mit ihrem Mann Fulko V. von Anjou und nach dessen Tod 1143 mit ihrem Sohn Balduin III. bis 1152 regierte.

Der Psalter spiegelt die komplexe Mischung der in den Kreuzfahrerstaaten vorherrschenden Kultur des Ostens und des Westens wider, indem er die christlichen, orthodoxen und islamischen Kunststile in sich vereint. Die Handschrift entspricht in ihrer Aufmachung den damaligen Erwartungen an ein westliches Gebetbuch für den Hochadel und war eindeutig für ein Mitglied der Kreuzfahrerelite gedacht. Die in Latein verfassten Texte, die den Konventionen der römischen Kirche folgen, werden in einer schönen Schrift, in blauer und roter Tinte geschrieben und mit Goldinitialen geschmückt, präsentiert. Wie in Westeuropa üblich und erstmals im Tiberius-Psalter (Nr. 13) verwirklicht, enthält der Codex einen Präfationszyklus mit illuminierten Szenen aus dem Leben Christi, die einen Bezug zu den Psalmen haben (Bild 19.4–19.6). Auch der anschließende Kalender ist typisch westlich mit den hervorgehobenen Heiligentagen der römischen Kirche und seiner Ausschmückung in Form von Tierkreiszeichen. Die Psalmen sind in Achtergruppen[1] unterteilt und die Einschnitte jeweils durch Incipitseiten in glänzendem Gold gekennzeichnet. Die Anfangszeilen jedes Psalms erscheinen in Gold auf Purpurgrund und die Initialen der Haupteinschnitte enthalten teilweise menschliche und tierische Gestalten im verschlungenen Rankenwerk mit Pflanzen (Bild 19.2).[2] Die Hersteller des aufwendigen, dem damaligen Zeitgeist entsprechenden Einbands griffen für das Motiv auf dem oberen Deckel auf die *Psychomachia* des lateinischen Dichters Prudentius (* 348, † nach 405) mit dem allegorischen Kampf zwischen personifizierten Tugenden und Lastern und beim unteren auf die Lehre der römischen Kirche von den Werken der Barmherzigkeit zurück.[3]

Psalter in Latein.
Jerusalem, zwischen 1131 und 1143.

- 215 × 145 mm
- 218 Blatt
- Egerton 1139

19.1 | David verteidigt seine Schafe (1 Sam 17,34–36), wird von Samuel gesalbt (1 Sam 16,13), kämpft mit Goliath (1 Sam 17,41–49), erhält Brot und das Schwert des Philisters Goliath vom Priester Ahimelech (1 Sam 21,1–9), kniet voller Reue nieder und errichtet dem Herrn einen Altar (2 Sam 24,10–25; 1 Chr 21,8–30) und spielt mit den Musikern (1 Chr 15,16–22); zwischen diesen Szenen sind Darstellungen der Tugenden und Laster; oberer Deckel des Einbands (Detail).

UMSEITIG
19.2–19.3 | König David sitzend und Harfe spielend im unteren Teil der Anfangsinitiale „B"(*eat[us]*) („Wohl") von Psalm 1, und der Text geht auf der gegenüberliegenden Seite weiter, in Gold auf Purpurstreifen geschrieben, fol. 23v–24r.

FI DES
DA VID
LEO
VRSVS
SA MV EL
VNGI TVR DAVI D
BE TH LE EM
PV DICI TIA
LIBIDO
DAVID
GO LIAS
ABIMELEC
DAVID
DO EC
AVARITIA
EGO PECCAVI
DAVID
AL TA RE
LARG ITAS

E
A
T

VIR QVI
NON ABIIT
IN CONSI
LIO IMPIO-
RVM· ET IN VIA
PECCATORVM NŌ
STETIT· ET IN
CATHEDRA P-
ESTILENTIE
NON SEDIT·

ΤΥΤΟ
ΤΒΡΕΦ
ΟΥΡΝΟΝ
ΕΡΕΟΣ

Dennoch mangelt es dem Psalter nicht an Chrarakteristika der indigenen Kulturen des Kreuzfahrerreiches, in dem orthodoxe, wie auch monophysitische Christen sowie Muslime lebten. So hat der Künstler namens Basilius die letzte Miniatur des Präfationszyklus signiert, bei der es sich eindeutig um das byzantinische Motiv der *Deësis* handelt, einer Dreierfigurengruppe mit Christus in der Mitte (hier auf dem Thron und mit einem Buch) sowie der Jungfrau Maria und Johannes dem Täufer an seinen Seiten. Auch für die anderen 23 Bilder des Vorspanns bezog dieser Illuminator seine Inspiration aus dem byzantinischen Bilderzyklus, der die Hauptfeste des Kirchenjahres darstellt und in griechischen Evangelien-Handschriften Verwendung fand.[4] Während Bilder wie die Anbetung der Könige, die Darstellung Jesu im Tempel und Christi Himmelfahrt (Bild 19.4-19.6) in den Erzählungen der vier Evangelisten gründen, gehen andere wie Mariä Entschlafung (Himmelfahrt) auf die Lehre der Ostkirche zurück.[5] In den Bildern finden sich auch griechische Begleittexte, so steht auf der Schriftrolle der Prophetin Hanna in der Tempelszene „dieses Kind hat Himmel und Erde erschaffen", was später in der orthodoxen Kunst kodifiziert wurde. Den Psalmen und Cantica folgt ein Teil mit Gebeten an Maria und weitere acht Heilige, begleitet von neun Bildern, die den jeweiligen Adressaten darstellen, und von einem anderen Künstler stammen, der sie in romanisch-byzantinischem Stil gemalt hat. Dazu passt auch das byzantinische Gewand des Königs auf dem hinteren Deckel des Einbands mit den Werken der Barmherzigkeit. Allerdings finden sich in den mit Türkisen und anderen Steinen besetzten Elfenbeinschnitzereien auch islamische Einflüsse, und auch die geometrischen Muster im Flechtornament zweier Initiale deuten auf orientalische Vorbilder hin.

Kürzlich warfen einige Forscher die Frage auf, ob Königin Melisende die erste Besitzerin des Psalters war.[6] Obwohl es keinen endgültigen Beweis gibt, deutet aber alles darauf hin, dass der Codex für sie angefertigt wurde. Zum Beispiel hob der Schreiber des Kalenders nur drei Tage besonders hervor, die für Melisende große Bedeutung hatten: die Eroberung Jerusalems am 15. Juli (1099), der Tod ihrer Mutter am 1. Oktober (1126/27) und der Tod ihres Vaters am 21. August (1131). Außerdem sind die lateinischen Gebete in der weiblichen Form gehalten, die Ikonographie des seltenen Elfenbeineinbands bringt König David explizit mit seinen christlichen Nachfolgern in Jerusalem in Verbindung und der noch seltenere Buchrücken aus byzantinischer Seide wurde mit Kreuzfahrerkreuzen bestickt. Insgesamt ist der Psalter in seiner Pracht einer Königin würdig.

LITERATUR

F. Steenbock, *Der kirchliche Prachteinband im frühen Mittelalter* (Berlin: Deutscher Verlag für Kunstwissenschaft, 1965), Nr. 90.

F. Steenbock, „Psalterien mit kostbaren Einbänden", in: *The Illuminated Psalter: Studies in the Content…*, hrsg. von F. O. Büttner (Turnhout: Brepols, 2004), S. 435-440.

Saladin und die Kreuzfahrer, hrsg. von A. Wieczorek, M. Fansa, und H. Meller, Publikationen der Reiss-Engelhorn-Museen, 17 (Mainz, Philipp von Zabern, 2005), S. 179, Tf. 101, Nr. C. 39.

Hugo Buchthal, *Miniature Painting in the Latin Kingdom of Jerusalem* (Oxford, 1957).

The Glory of Byzantium: Art and Culture of the Middle Byzantine Era, a.d. 843-1261, hrsg. von Helen C. Evans und William D. Wixom (New York, 1997), Nr. 259.

Barbara Zeitler, „The Distorting Mirror: Reflections on the Queen Melisende Psalter (London, B.L., Egerton 1139)", in: *Through the Looking Glass*, Hg: R. Cormack, E. Jeffreys (Aldershot, 2000), S. 69-83.

Jaroslav Folda, *Crusader Art in the Holy Land: From the Third Crusade to the Fall of Acre, 1187-1291* (Cambridge, 2005).

VORHERIGE DOPPELSEITE

19.4–19.5 | Von einem Engel geführt kommen die drei Weisen nach Bethlehem und bringen ihre Gaben dem Christuskind und seiner Mutter Maria (Matthäus 2,9–11); und (gegenüber) hebt Simeon im Tempel von Jerusalem das Kind vor Maria und Josef, und Hanna lobt Gott und dankt ihm (Lukas 2,25–38); fol. 2v–3r.

GEGENÜBER

19.6 | Christus fährt zum Himmel auf, begleitet von Engeln, und lässt darunter Maria mit je einem Engel zu ihren beiden Seiten und die Apostel zurück, fol. 11.

ANMERKUNGEN

1 Zur Gruppierung der Psalme siehe Vespasian-Psalter, Nr. 3.

2 Zum Gebrauch von Purpur siehe die Canterbury Royal Bible, Nr. 5.

3 Zu den Werken der Barmherzigkeit siehe die Bibel von Floreffe, Nr. 22.

4 Zu Festtagen siehe das griechische Harley-Evangeliar, Nr. 24.

5 Zu Mariä Entschlafung siehe den Winchester-Psalter, Nr. 20 und das griechische Harley-Evangeliar, Nr. 24.

6 Vgl. z.B. Zeitler, „The Distorting Mirror" (2000).

20

DER WINCHESTER-PSALTER

Eine zweisprachige Bilderhandschrift

Psalter in Latein und Französisch; das Apostolische Glaubensbekenntnis und Gebete in Französisch.
Winchester, Mitte des 12. Jahrhunderts.

- 320 × 230 mm
- 142 Blatt
- Cotton Nero C. iv

Nach der normannischen Eroberung war die Hauptsprache der Aristokratie in England Französisch, nicht Englisch oder Latein. Von daher verwundert es also nicht, dass die Bibel sehr früh ins Französische übersetzt wurde. Das trifft besonders auf die in den Kirchen des Mittelalters so bedeutenden Psalmen zu, von denen mehrere französische Versionen, darunter drei oder vier in der *Gallicanum*-Fassung[1] des Hieronymus, angefertigt wurden. Vom sogenannten Oxford-Psalter, einer in England auf Basis des *Psalterium Gallicanum* kompilierten Übersetzung, sind zwölf Handschriften aus dem 12. und 13. Jh. bekannt.[2] Die prächtigste Kopie dieser englischen Manuskripte ist der Winchester-Psalter mit seinem umfangreichen Bilderzyklus.

Die Psalmentexte des Psalters sind in zwei parallele Spalten geschrieben, wobei die lateinischen in der rechten und die französischen als die umgangssprachlichen in der linken, also der ersten Spalte erscheinen (Bild 20.2). Beide Spalten wurden sorgfältig aufeinander abgestimmt, sodass Kapitel und Verse in beiden Sprachen stets auf derselben Seite stehen. Allerdings ist die französische Version eher interpretierend denn wörtlich abgefasst, so wird zum Beispiel im ersten Vers der glückliche Mensch *(Beatus vir)* zu einem glücklichen Baron *(Beonuret barun)*, der nicht dem Rat der Frevler *(des feluns)* folgt.

Wie viele andere Prachtpsalterien aus Winchester, zu denen auch der etwa ein Jahrhundert früher entstandene Vespasian-Psalter (Nr. 13) zählt, beginnt der Codex mit einer umfangreichen Reihe von Ganzseitenbildern, von denen noch 38 erhalten sind. Es deutet alles darauf hin, dass sie ursprünglich auf gegenüberliegenden Seiten chronologisch angeordnet waren, beginnend mit den Schöpfungsbildern und Szenen aus der Genesis über jene aus dem Leben Davids sowie Christi bis zu denen des Jüngsten Gerichts. Ein wundervoller Jessebaum mit dem für den Winchester-Stil typischen Akanthus an den Zweigen (Bild 20.1) ist repräsentativ für die feine Zeichnung und die aquarellierende Tönung, die wir in diesen Kompositionen sehen.[3] Die meisten Szenen sind in zwei oder drei Register unterteilt und von ihrer Wirkung her oftmals dramatisch, vor allem die mit den gehörnten, schuppigen Teufeln wie die erste und zweite Versuchung Christi (Bild 20.3) und das berühmte Endbild mit den Verdammten, die in den offenen Höllenschlund eingeschlossen werden (Bild 20.6).[4]

20.1 | Der Jessebaum oder die Wurzel Jesse, mit König David, Maria mit Krone und Christus im Mittelteil sowie zwei stehende Propheten an den Seiten, fol. 9 (Detail).

UMSEITIG (LINKS)
20.2 | Ornamentierte und historisierte Initialen „B"(eonuret) („Glücklich") und „B"(*eat[us]*) („Glücklich"), Letztere mit König David, der schreibt und Fidel spielt, am Anfang von Psalm 1, fol. 46 (Detail).

UMSEITIG (RECHTS)
20.3 | Die erste und zweite Versuchung Jesu, fol.18 (Detail).

chi ne alat el cunseil des feluns.
et en la ueie des pecheurs ne stout.
et en la chaere de pestilence ne sist.
Mais en la lei de nostre seignor la
uolunted. e en la sue lei purpen
serat par iurn e par nuit.
E iert ensement cume le fust qued
est plantet de iuste les decurs des
ewes. ki duntat sun fruit en son tens.
E sa fuille ne decurrat: e tute les coses
q il unqs ferad: serunt fait pspres.
Nient eissi li felun nient eissi: mais
ensement cume la puldre que li
uenz getet de la face de terre.
E npurico ne surdent li felun en iuise
ne li pecheor el conseil des dreituriers.
ar nostre sire cunuist la ueie des ius

Qñ abiit in consilio impiorum.
Et in uia peccatorũ non stetit. et in
cathedra pestilentię non sedit.
Sed in lege domini uoluntas eius:
et in lege eius meditabitur
die ac nocte.
Et erit tanquã lignũ qđ plantatũ
est secus decursus aquarũ: quod
fructũ suũ dabit in tempore suo
Et folium eius non defluet: et omnia
quecũq; faciet prosperabuntur
Non sic impii non sic: sed tanquam
puluis quem proicit uentus a
facie terre
Ideo non resurgunt impii in iudicio
neq; peccatores in consilio iustorum.

ICI LO RUVAT DEIABLES KE IL FE SIST DE PIERES PAIN AL DESERT: | ICI LO RUVAT DES CENDRE DEL PINNACLE DEL TEMPLE:

179

deus

Im Winchester-Psalter finden sich aber auch zwei Bilder, die vom Stil und Sujet her völlig anders geartet sind: Marias Tod und Maria auf dem Thron (Bild 20.4–20.5). Sie werden manchmal als „byzantinisches Diptychon" bezeichnet, vor allem aufgrund des Stils und der vielen östlichen Elemente, wie etwa die Juwelenstreifen oder *Loroi* auf den Gewändern der Engel, die mit ihren Standarten oder *Labara* zu beiden Seiten von Marias Thron stehen.[5] Das mit der Überschrift *Ici est la sumption de nostre Dame* versehene Bild der *Dormitio Mariae*, lateinisch für Marientod, stellt das byzantinische Motiv der *Koimesis*, wörtlich „Entschlafen der Jungfrau" dar, enthält aber auch westliche Elemente wie den offenen Sarg vor dem Bett.[6]

Wie sein Inhalt an vielen Stellen zeigt, stammt der Psalter eindeutig aus Winchester, daher auch sein Name. So sind die Heiligentage im Kalender für die Stadt von besonderer Bedeutung, wie jene der Bischöfe Æthelwold († 984) und Brinstan († 934), der Heiligen, die dort in Gräbern oder Schreinen ruhen, wie Eadburh († um 951), die Benediktinernonne und Tochter von Edward dem Älteren, oder Grimbald († 901?), der als Mitbegründer der Abtei New Minster (später Hyde Abbey) gilt. Unter den Gebeten befindet sich ein lateinisches, das sich an den hl. Swithun († 863) richtet, einen anderen Bischof von Winchester und einen der Schutzpatrone der Kathedrale von Winchester. Das Gebet ist in der männlichen Form geschrieben (*ego miser peccator*, „Ich, ein reumütiger Sünder") und nennt speziell das Haus *(in domo tua)* und die Kirche *(hac eccl[es]ia)* des Heiligen. Im Kalender sind auch zwei Äbte von Cluny in Burgund aufgeführt, St. Hugo († 1109) und Mailous († 994).

Bischof von Winchester war von 1129 bis 1171 der jüngere Bruder des englischen Königs Stephan, Heinrich von Blois, der in Cluny erzogen worden war. Er war einer der reichsten Männer Europas und ein bekannter Kunst- und Reliquiensammler. (Als er nach Winchester berufen wurde, weigerte sich Heinrich von Blois, die gewinnbringende Abtei Glastonbury aufzugeben, der er parallel zu Winchester bis zu seinem Tod als Abt vorstand.) Es kann durchaus sein, dass byzantinische Ikonen oder andere Bilder aus seiner wertvollen Sammlung als Vorlage oder Inspiration für das Diptychon gedient haben. Die vielen Bezüge zu Cluny, das spezielle Gebet und sein großer Reichtum machen Heinrich von Blois zu einem plausiblen Auftraggeber für diese prachtvolle Handschrift, die auch als Psalter des Heinrich von Blois bekannt ist.[7]

LITERATUR

Francis Wormald, *The Winchester Psalter* (London, 1973).

Kristine Haney, *The Winchester Psalter: An Iconographic Study* (Leicester, 1986).

Holger Klein, „The So-Called Byzantine Diptych in the Winchester Psalter, British Library, ms Cotton Nero C. IV", Gesta, 37 (1998), S. 26–43.

Ruth J. Dean und Maureen B. M. Boulton, *Anglo-Norman Literature: A Guide to Texts and Manuscripts*, Anglo-Norman Text Society, Occasional Publication Series, 3 (London, 1999), Nr. 445–56.

Geoff Rector, „An Illustrious Vernacular: The Psalter *en romanz* in Twelfth-Century England", in: *Language and Culture in Medieval Britain: The French of England, c. 1110–1500*, hrsg. von Jocelyn Wogan-Browne (York, 2009), S. 198–206.

VORHERIGE DOPPELSEITE

20.4–20.5 | Der Tod der Jungfrau Maria, mit Christus in der Mitte über ihr, der ihre Seele in Form einer gewickelten nimbierten menschlichen Gestalt in Empfang nimmt; gegenüber Maria auf dem Thron, flankiert von Engeln, fol. 29 und 30 (Detail).

GEGENÜBER

20.6 | Ein Engel verschließt das Tor zur Hölle, fol. 39 (Detail).

ANMERKUNGEN

1 Zum *Psalterium Gallicanum* siehe die Moutier-Grandval-Bibel, Nr. 6.

2 Dean and Boulton, *Anglo-Norman Literature* (1999).

3 Als Beispiel zum Winchester-Akanthus siehe das Bild aus dem Tiberius-Psalter auf S. 329.

4 Vgl. den Höllenschlund im Tiberius-Psalter, Bild 13.1; zur Entstehung des Jessebaums siehe St-Omer-Psalter, Nr. 33.

5 Vgl. Das Evangeliar von Kardinal Francesco Gonzaga, Nr. 43.

6 Als anderes Beispiel zu Marias Tod (bzw. Entschlafung) siehe das griechische Harley-Evangeliar, Bild 24.3.

7 Wormald, *Winchester Psalter* (1973), S. 107.

21

DIE FRANKENTHALER BIBEL

Eine romanische Riesenbibel

Bibel in Latein.
Frankenthal, bei Worms, um 1148.

- 535 × 355 mm
- 301 Blatt (Bd. 1), 274 Blatt (Bd. 2)
- Harley 2803, 2804

Im späten 11. und im 12. Jh. arbeiteten die Skriptorien in ganz Westeuropa an dem ehrgeizigen Projekt einer großformatigen, gut lesbaren, oft auch mehrbändigen Vollbibel. Es entstand eine neue Art von illuminierten Bibeln, die sogenannten romanischen Riesenbibeln mit überaus reichem Bilderschmuck. Erst kürzlich wurden diese Handschriften im Großfolioformat in der Fachliteratur als „die wohl aufwendigsten, teuersten und schönsten Bibeln, die je gemacht wurden" beschrieben.[1] Allein aufgrund des riesengroßen Formats und der in großen Lettern geschriebenen Texte waren diese Codices weniger für den Privatgebrauch, sondern eher für gemeinschaftliche Lesungen gedacht[2], die vor den versammelten Mitgliedern einer religiösen Gemeinschaft in der Kirche, im Refektorium oder Kapitelsaal eines Klosters oder Kollegialstifts abgehalten wurden. Nach den Regeln des hl. Benedikts, die im Mittelalter in den meisten Orden, wie den Benediktinern galten, waren tägliche Lesungen vorgeschrieben, und es kann gut sein, dass diese schönen Bibeln im *opus Dei*, dem jeden Tag zu erfüllenden Gottesdienst, bei Lesungen in Gebrauch waren.

In den Sammlungen der British Library finden sich einige Paradebeispiele dieser monumentalen Codices, die mit ihren mittelalterlichen Einbänden bis zu 18 Kilogramm wiegen können. Zu diesen zählt auch die als „Worms Bible" verwahrte Frankenthaler Bibel, die laut einem Kolophon aus dem 17. Jh. ursprünglich aus dem Kloster der Augustinerchorherren von Sankt Maria Magdalena in Frankenthal, zehn Kilometer südlich von Worms, stammt. Das Frankenthaler Skriptorium, in dem auch diese Bibelhandschrift geschaffen wurde, war eine bedeutende Schreibschule des Mittelalters.[3] Auf Folio 1, noch bevor der Text richtig beginnt, befindet sich in der rechten Ecke des unteren Rands ein sehr kleiner Eintrag, der das Jahr 1148 *(anno MCXLVIII)* nennt, in dem vermutlich die Arbeit begonnen oder abgeschlossen wurde.

Wie die meisten Vulgata-Ausgaben enthält die Frankenthaler Bibel in den Einleitungstexten[4] beider Bände auch mehrere Briefe des hl. Hieronymus. Danach beginnt jeder Band mit einer großen Darstellung dieses Heiligen, der schreibend an einem Pult sitzt (Bild 21.1). Der erste Text ist sein Brief an Bischof Paulinus von Nola († 431), in dem er ihn dringend bittet, die Heilige

21.1 | Hl. Hieronymus, schreibend an einem Pult, und eine kleine Mönchsfigur, die ihm das Tintenfass reicht, Harley 2803, fol. 1v (Detail).

INCIPIT·EPLA·SCI·
HIERONIMI·PBRI·
AD PAVLINUM·
PBRM·DE·OMNI
BVS·DIUINE·HIST
ORIE·LIBRIS:

FRATER
AMBROSIVS.
tua mihi mu
nuscula pferens
detulit. et suauis
simas litteras que a
principio amicicia
rum fidem pbate iam
fidei et ueteris amici
cie pferebant. Vera enim
illa necessitudo est. et xpi
glutino copulata. quia non
utilitas rei familiaris. non psentia tantum

21.2 | Die Erschaffung des Lichts (oben) und die Erschaffung von Eva (unten) in der Initiale „I“*(n)*, am Anfang der Genesis, Harley 2803, fol. 6v (Detail).

GEGENÜBER

21.3 | Hiob, mit Wunden übersät und von einem Teufel gequält, in der Initiale „V“*(ir)*, am Anfang des Buches Hiob, Harley 2803, fol. 288v (Detail).

INCIP. LIBER IOB:
ERAT· IN
TERRA. HVS. HOMINE. IOB. ET erat

Schrift sorgfältig zu studieren, zu leben und zu verinnerlichen *(inter haec vivere, ista meditari)*.[5] Hier im Bild hält Hieronymus einen Federkiel sowie ein Messer zum Korrigieren; eine kleine Mönchsfigur (vielleicht der Abt, der den Auftrag zu dem Werk erteilte) reicht ihm von unten das Tintenfass zum Eintauchen. Die ersten Worte seines Briefes sind gut lesbar: *Frater ambrosius tua m[ih]i munuscula* („Bruder Ambrosius [hat] mir deine kleinen Geschenke [überreicht]"). Direkt neben dem Bild beginnt der Text selbst mit der großen Initiale „F"*(rater)*, deren Füllornamentik aus hell stilisierten, um Ranken gewundenen Akanthusblättern sowie imitierten Riemen- und Metallschließen besteht.

Ein paar Seiten weiter zeigt der gerahmte Stamm der Initiale „I"(n) vom Buchanfang der Genesis als Füllung ein enges, von Blättern umranktes Flechtwerk mit Illustrationen im Mittelteil sowie das zweite Wort des Textes *principio* („Im Anfang"), (Bild 21.2).[6] Illustriert sind zwei Szenen aus der Genesis, der lateinische Text steht jeweils auf der Banderole, oben: Gott sprach *Fiat lux* („Es werde Licht"), und unten stellt Gott fest: *Non est bonu[m] homine[m] esse solum. facimus ei adiutoriu[m] simile sui* („Es ist nicht gut, dass der Mensch allein bleibt. Ich will ihm eine Hilfe machen, die ihm entspricht", Gen 2,18). Die Hautfarbe wurde mit Rosa- und Grüntönen schattiert und das Bild ist mit feinen Details gemalt, man sieht selbst den Schnitt in der Seite des schlafenden Adam, aus dem die hinter ihm stehende Eva gerade hervorkam.

Dieselben Merkmale der Ornamentik mit stilisierten Akanthusblättern, Ranken, Farben und Modellierung der Töne finden sich auch bei den anderen großen Initialen, die jeweils am Anfang eines biblischen Buches stehen. Die meisten zeigen den jeweiligen Verfasser, wie er gerade schreibt oder eine Schriftrolle mit einem Zitat aus seinem Text hält. Zum Beispiel liegt Hiob mit Wunden übersät und einem Teufel, der ihn quält, in der Initiale seines Buches (Bild 21.3). Er klagt: *pereat dies in qua nat[us] su[m et] nox in q[ua] dictu[m] e[st] c[on]cept[us] e[st] homo* („Ausgelöscht sei der Tag, an dem ich geboren bin, die Nacht, die sprach: Ein Mann ist empfangen", Hiob 3,3). Im Neuen Testament sieht man die Evangelisten mit ihren Symbolen, die ihnen beim Schreiben zur Hand gehen, die Bücher oder das Tintenfass halten und damit betonen, dass die Evangelien von Gott inspiriert sind.

LITERATUR

Edgar J. Hürkey, *Schätze aus Pergament: mittelalterliche Handschriften aus Frankenthal* (Frankenthal: Erkenbert-Museum, 2007), Nr. 3 [Ausstellungskatalog].

Aliza Cohen-Mushlin, *A Medieval Scriptorium: Sancta Maria Magdalena de Frankendal*, Wolfenbütteler Mittelalter-Studien, 3, 2 Bde (Wiesbaden, 1990), bes. I, 154 f.; II, Abb. 4 ff., 20, 340, 342 ff., 345, 349, 350-354, 357, 364, 366 ff.

Alfried Wieczorek u. a., Die Wittelsbacher am Rhein: *Die Kurpfalz und Europa. Begleitband zur 2. Ausstellung der Länder Baden-Württemberg, Rheinland-Pfalz und Hessen*, 2 Bde. (Regensburg, 2013), I, S. 69 f. [Ausstellungskatalog].

Walter Cahn, *Romanesque Bible Illumination* (Ithaca, NY, 1982), Nr. 9, S. 238, Taf. 146, 149, 201.

C. R. Dodwell, *The Pictorial Arts of the West, 800–1200* (New Haven, 1993), S. 282 f.

Aliza Cohen-Mushlin, *The Making of a Manuscript: The Worms Bible of 1148 (British Library, Harley 2803-2804)*, Wolfenbütteler Forschungen, 25 (Wiesbaden, 1983).

Christopher de Hamel, *The Book: A History of the Bible* (London, 2001), S. 83 f.

21.4 | Lukas, schreibend mit seinem Symbol, dem geflügelten Stier, der ihm das Buch hält, am Anfang seines Evangeliums, Harley 2804, fol. 199r (Detail).

ANMERKUNGEN

1 Dorothy Shepard, „Romanesque Display Bibles", in: *The New Cambridge History of the Bible*, 4 Bde. (Cambridge, 2012–2015), II: *From 600 to 1450*, hrsg. von Richard Marsden und E. Ann Matter (2012), S. 392–403 (S. 392).

2 Vgl. Canterbury Royal Bible, Nr. 5, und Moutier-Grandval-Bibel, Nr. 6.

3 Siehe Cohen-Mushlin, *Medieval Scriptorium* (1990).

4 Zu Einleitungstexten (im einleitenden Teil oder Vorspann) siehe das Evangeliar von Lindisfarne, Nr. 2.

5 Brief 53, *PL* 22, 547.

6 Vgl. die Initiale der Genesis in der Bibel von Stavelot, Bild 16.2–16.3.

teplo oran lix
gno sicut puer.
foram acu lx
in regnu dei.
us dicit. lxi
nat.
o. lxii
lxiii
ait sitacu lxiiii
unt. et fleuit sup
rus electus. lxv
aptismo iohis.
nin uinee. lxvi
lxvii
core habu lxviii
auid introgat.
ulatio. lxix
cad lxx
ione. lxxi
ici.
incoruide. lxxii
lxxiii
lxxiiii
gladio. lxxv
e oliue lxxvi
n confortat.
idit. lxxvii Lucas. I.

NIAM QVIDEM:

22

DIE BIBEL VON FLOREFFE

Bildliche Bibelexegese

Bibel in Latein.
Maastal, 2. oder 3. Viertel des 12. Jahrhunderts.

- 475 × 330 mm
- 273 Blatt (Bd. 1), 256 Blatt (Bd. 2)
- Additional 17737, 17738

Im gesamten Mittelalter wurde die Bibel von den Lesern in den kirchlichen Gemeinschaften auf mehr als nur einer Sinnebene verstanden. Darin folgten sie dem Rat der Kirchenväter, die Bibel nicht nur nach ihrem Wortsinn auszulegen, sondern auch moralisch und allegorisch zu deuten. So erklärt Gregor der Große in seiner *Moralia in Job*, in der er die Verse im Buch Hiob interpretiert:

> *[...] primum quidem fundamenta historica pronimus, deinde per significationem typicam in arcem fidei fabricam mentis erigimus; ad extremum quoque per moralitatis quasi superducto aedificum colore vestimus.*[1]

> [...] zuerst legen wir das geschichtliche Fundament, dann errichten wir durch typologische Deutung darauf eine Zitadelle des Glaubens; zum Schluss geben wir dem Gebäude durch die moralische Auslegung einen farbigen Anstrich.

Besonders exquisite Illustrationen sind so konzipiert, dass sie eine Auslegung auf einer oder mehreren dieser Sinnebenen ermöglichen. Im späten 11. und im 12. Jh. war diese komplexe exegetische Komposition vor allem im Maasgebiet, dem heutigen Belgien sehr beliebt. Die Bilder, in die oft zahlreiche Inschriften und Bibelzitate eingebettet wurden, dienten nicht nur als Buchschmuck, sondern auch zum Verzieren von Metallschatullen, Kreuzen und Reliquien.

Das aufwendigste und vielschichtigste Beispiel für eine derartige künstlerischer Ausgestaltung findet sich in der großen zweibändigen Bibel aus der Prämonstratenser-Abtei in Floreffe, am Fluss Sambre bei Namur. Der zweite Band beginnt mit dem Buch Hiob, das von einer prächtigen doppelseitigen Miniatur eingeleitet wird (Bild 22.2–22.3). Teile des Bildes sind einfach wortwörtliche Darstellungen der Verse aus dem ersten Kapitel Hiob. So sitzen beispielsweise auf der linken Seite unter dem Bogen sieben Männer und drei Frauen an einem langen gedeckten Tisch,

22.1 | Die Kreuzigung Christi in Verbindung mit einem Tieropfer (unten), am Anfang des Lukasevangeliums, Additional 17738, fol. 187 (Detail).

UMSEITIG
22.2–22.3 | Allegorie der Tugenden und der sieben Werke der Barmherzigkeit; gegenüber die Verklärung Jesu und das letzte Abendmahl, Additional 17738, fol. 3v–4r (Detail).

er p[ro]prium sanguinem in
troiuit semel in sancta...
es sacerdos in eternu
cundū ordinē melchis
Placebit do sup vitulū: cornua
producentem & ungulas.
Dix pat ad servos suos. Adducite
vitulum saginatum & occidite.

SIGNUM VITARUM SUNT HEC DELICTA DUARUM... QUARUM PRACTICA PRIMA. SECUNDA THEORICA VITA. PRIMA GEMIT. PLORAT. DOLET. ET PATIENDO LABORAT. ALTERA TURBATUR. DUOS ARCA...

QUEM MOYSES VELAT. VOX ECCE PATERNA REVELAT: QUEMQ(UE) PROPHETIA TEGIT. EST [illegible] MARIA .:.

Hic est fil(ius) m(eu)s dilectus .:. in quo michi complacui .:.

Nolite timere .:.

Bonu(m) e(st) nos hic e(ss)e

LEX VETUS IMPLETUR. UT VERUM PASCHA PARETUR: VINUM FIT SANGUIS. CARO [illegible] SUBIT AGNUS .:.

...QUE TRANSFORMAT, ET FORMAM CORDA REFORMAT. UT BONA MANSURA CERNANT, SPERNANT PERITURA. PARTEM DE CELIS HANC SPERET QUISQ(UE) FIDELIS. SI SUA SIT VITA FACTIS FIDEI REDIMITA

Omnia fac cum consilio
Spes non confundit
Estote prudentes sicut serpentes
SPES

22.4 | Glaube, Liebe und Hoffnung umschlossen von den sieben Geistgaben, Additional 17738, fol. 3v (Detail).

auf dem verschiedene Gerichte stehen (Bild 22.2, 22.5). Es handelt sich um Hiobs Kinder: Seine sieben Söhne „hielten reihum ein Gastmahl, ein jeder an seinem Tag in seinem Haus. Dann schickten sie hin und luden auch ihre Schwestern ein, mit ihnen zu essen und zu trinken“ (Hiob 1,4). Wenn die Feste vorüber waren, brachte Hiob „so viele Brandopfer dar, wie er Kinder hatte“ (Hiob 1,5), und so steht es auch auf der Schriftrolle, die er im Bild direkt über der Tafelszene in der linken Hand hält (Bild 22.2, 22.5).

Darunter werden die Bilder in ihrer Bedeutung zunehmend vielschichtiger. Die drei theologischen Tugenden (Bild 22.2, Mitte) Glaube, Liebe und Hoffnung, umgeben von den Personifikationen der sieben Gaben des Heiligen Geistes, entsprechen der moralischen Auslegung Hiobs, die Papst Gregor in seiner *Moralia in Job* gab (Bild 22.2, 22.4). Darin legt er dar, dass Hiobs Töchter für die drei theologischen Tugenden und seine Söhne für die sieben Gaben des Heiligen Geistes stehen, die in Jesaja 11,2 erwähnt werden. Das achte Rundbild enthält die rechte Hand des Herrn, die laut Psalm 117,16 *Dextera Domini fecit virtutem* („Die Rechte des Herrn wirkt mit Macht“, Ps 118,16) verkündet und direkt nach unten auf eine Christusfigur zeigt, während sich die vom Rundbild ausgehenden Strahlen diagonal bis hin zu zwölf sitzenden Männern mit Nimbus ausbreiten (Bild 22.2, 22.4). Dieses Bild, das die sieben Söhne Hiobs mit den Aposteln verbindet, die zu Pfingsten mit den sieben Geistgaben erfüllt werden, versieht den Bibeltext mit einer weiteren Ebene der allegorischen Auslegung.[2] Darunter wird die Ausübung der mit den sieben Geistgaben verbundenen Tugenden mit den sieben Werken der Barmherzigkeit, abgeleitet von Matthäus 25,35–36 und Tobit 1,17, in Zusammenhang gebracht, hier illustriert in Szenen mit Hungrige speisen, Nackte kleiden, Obdachlose beherbergen und Gefangene besuchen (Bild 22.6).

Auf dem rechten Bild ist die Verklärung Jesu, in der er flankiert von Moses und Elija vor den Augen von Johannes, Petrus und Jakobus „strahlend“ erscheint (Mt 17,1–9, Mk 9,2–8 und Lk 9,28–36), direkt über dem letzten Abendmahl und inhaltlich verschmolzen mit „Jesus wäscht Petrus die Füße“ platziert (Bild 22.3). Wie im vorherigen Ganzseitenbild verweisen zahlreiche Spruchbänder auf die Bedeutungsebene der typologischen Auslegung der Bilder und ihre Beziehung zum nachstehenden Text. Ein *Titulus* („Aufschrift“) über beiden Szenen erklärt: „Was Moses verschleiert hat, siehe, es wird von

der Stimme des Vaters enthüllt, und das, was der Weissagung verborgen blieb, hat Maria hervorgebracht“ *(Quem Moyses velat vox ecce paterna revelat. Quemq[ue] prophetia tegit est enixa Maria)*. Dieser Grad der Komplexität findet sich auch in den wenigen Bildinitialen, die vorwiegend die Evangelien illustrieren. Jedes dieser allegorischen Bilder besteht aus zwei oder drei Registern und einem Spruchband, das die Symbolik erklärt. Zum Beispiel zeigt die Miniatur am Anfang des Lukasevangeliums den gekreuzigten Christus über einem Tieropfer des Alten Testaments (Bild 22.1). Links neben dem Opfer steht David mit der Krone auf dem Haupt und hält ein Spruchband mit dem Vers von Psalm 68,32: „Das gefällt dem Herrn mehr als ein Opferstier, mehr als Rinder mit Hörnern und Klauen.“

LITERATUR

Herbert Köllner, „Ein Annalenfragment und die Datierung der Arnsteiner Bibel in London“, *Scriptorium*, 26 (1972), S. 34-50 (S. 49 f.).

Rhein und Maas: Kunst und Kultur 800-1400 (Köln, 1972), Nr. J27 [Ausstellungskatalog].

Herbert Köllner, „Zur Datierung der Bibel von Floreffe. Bibelhandschriften als Geschichtsbücher?“, *Rhein und Maas*, 2 Bde. (Köln, 1973), II2, S. 361-376.

Ulrich Kuder, „Die dem Hiobbuch vorausgestellten Bildseiten des 2. Bandes der Bibel von Floreffe“, in: *„Per assiduam stadium scientiae adipisci margaritam“: Festgabe für Ursula Nilgen zum 65. Geburtstag*, hrsg. von Annelies Amberger (St. Ottilien, 1997), S. 109-136.

Anne-Marie Bouché, „The Spirit in the World: The Virtues of the Floreffe Bible Frontispiece: British Library, Add. Ms. 17738, ff. 3v–4r“, in: *Virtue & Vice: The Personifications in the Index of Christian Art*, hrsg. von Colum Hourihane (Princeton, 2000), S. 42–65.

GEGENÜBER OBEN

22.5 | Hiob bringt ein Opfer dar; unten haben sich seine sieben Söhne und drei Töchter zu einem Festmahl versammelt (Hiob 1,4), Additional 17738, fol. 3v (Detail).

UNTEN

22.6 | Hungrige speisen, Nackte kleiden, Obdachlose beherbergen und Gefangene besuchen, Additional 17738, fol. 3v (Detail).

ANMERKUNGEN

1 *PL* 75, 713.

2 Bouché, „Virtues of the Floreffe Bible“ (2000).

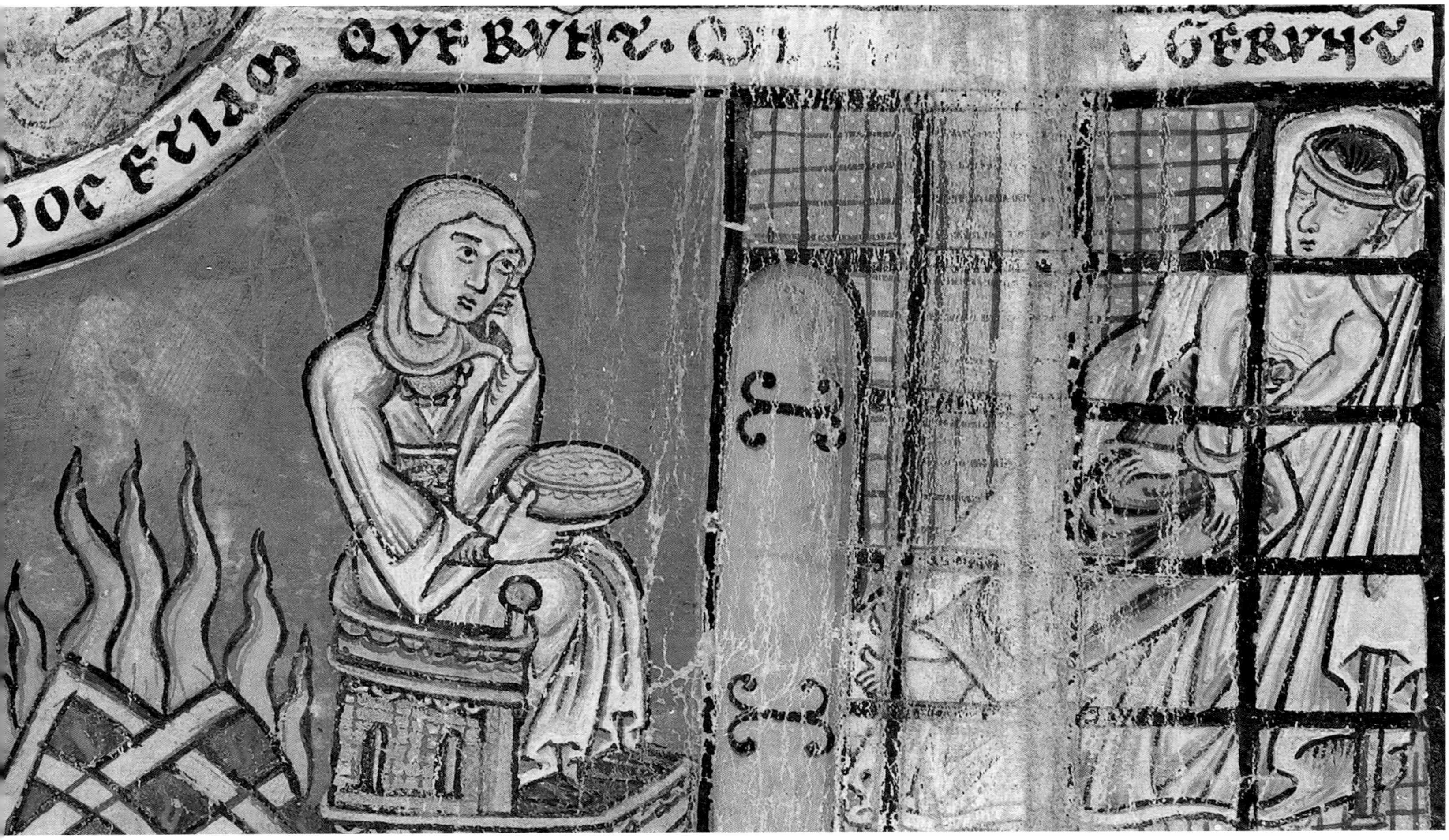

23

DIE ARNSTEINBIBEL

Eine großformatige Klosterbibel

Bibel in Latein.
Arnstein, um 1172.

- 540 × 355 mm
- 235 Blatt (Bd. 1), 243 Blatt (Bd. 2)
- Harley 2798, 2799

Neben ihrer Größe und guten Lesbarkeit zählt meist noch die Schönheit ihres Buchschmucks zu den ganz besonderen Merkmalen einer romanischen Riesenbibel. Einige dieser Bibeln beinhalten alle drei Fassungen der Psalmen-Übersetzungen des Hieronymus in parallelen Spalten[1], das heißt ein *Psalterium triplex*: *Gallicanum*, *Romanum* und *Hebraicum* (eine Vulgata-Übersetzung aus dem hebräischen Text, die nicht im Gottesdienst verwendet wurde, Bild 23.4). Diese virtuose Zurschaustellung von Gelehrsamkeit findet sich vorwiegend in den Riesenbibeln aus dem Rhein-Moselgebiet und verweist darauf, dass es sich um großartige Klosterhandschriften handelt, die ein „Statussymbol" für den Reichtum und Einfluss der monastischen Gemeinschaften waren,[2] die sie in Auftrag gaben oder anfertigten.[3]

Die zweibändige Arnsteinbibel, die mit einem seltenen *Psalterium triplex* ausgestattet ist, wurde in der Prämonstratenser-Abtei St. Maria und Nikolaus in Arnstein an der Lahn hergestellt. Gründer der Abtei im Jahr 1139 war der letzte Graf von Arnstein, Ludwig III. (1109–1185), der sein Schloss dem Kloster stiftete und als Laienbruder in den 1120 im nordfranzösischen Prémontré gegründeten Prämonstratenserorden eintrat. (Seine Frau Guda lebte dann als Klausnerin im Inklusorium des Klosters.) Die Bibel ist eng verwandt mit jener von Floreffe (Nr. 22) und umfasste wie diese ursprünglich auch Annalen, in denen für die Abtei bedeutsame Ereignisse festgehalten waren.[4] Der Eintrag für 1172 besagt, dass das Buch *(iste liber)* in diesem Jahr von einem Bruder namens Lunandus geschrieben wurde, und bittet jeden, der dies lese, für ihn zu beten, damit seine Seele in Frieden ruhen kann: *Qui ergo legit, dicat: Anima eius requiescat in pace*.

Wie für diese prachtvollen Bibeln typisch, fängt jedes Buch mit einer großen ornamentierten oder historisierten Initiale an. Die beiden Bände unterscheiden sich im Stil. Die Evangelistenporträts und die Initiale für das Buch der Sprichwörter im zweiten Band sind besonders aufwendig gestaltet, denn sie sind vollständig gefüllt und mit Gold illuminiert (Bild 23.1–24.3). Allerdings bleiben die Illustrationen an den

23.1 | Evangelistenporträt des Johannes mit den ersten Worten seines Texts, seinem Symbol, dem Adler, und oben dem segnenden Christus mit einem goldenen Buch in der Hand, am Anfang des Johannesevangeliums, Harley 2799, fol. 185v (Detail).

In pr
cipio era
uerbum
& uerbū

23.2 | Evangelistenporträt des Markus, der gerade die ersten Worte seines Texts schreibt, am Anfang seines Evangeliums, Harley 2799, fol. 166 (Detail).

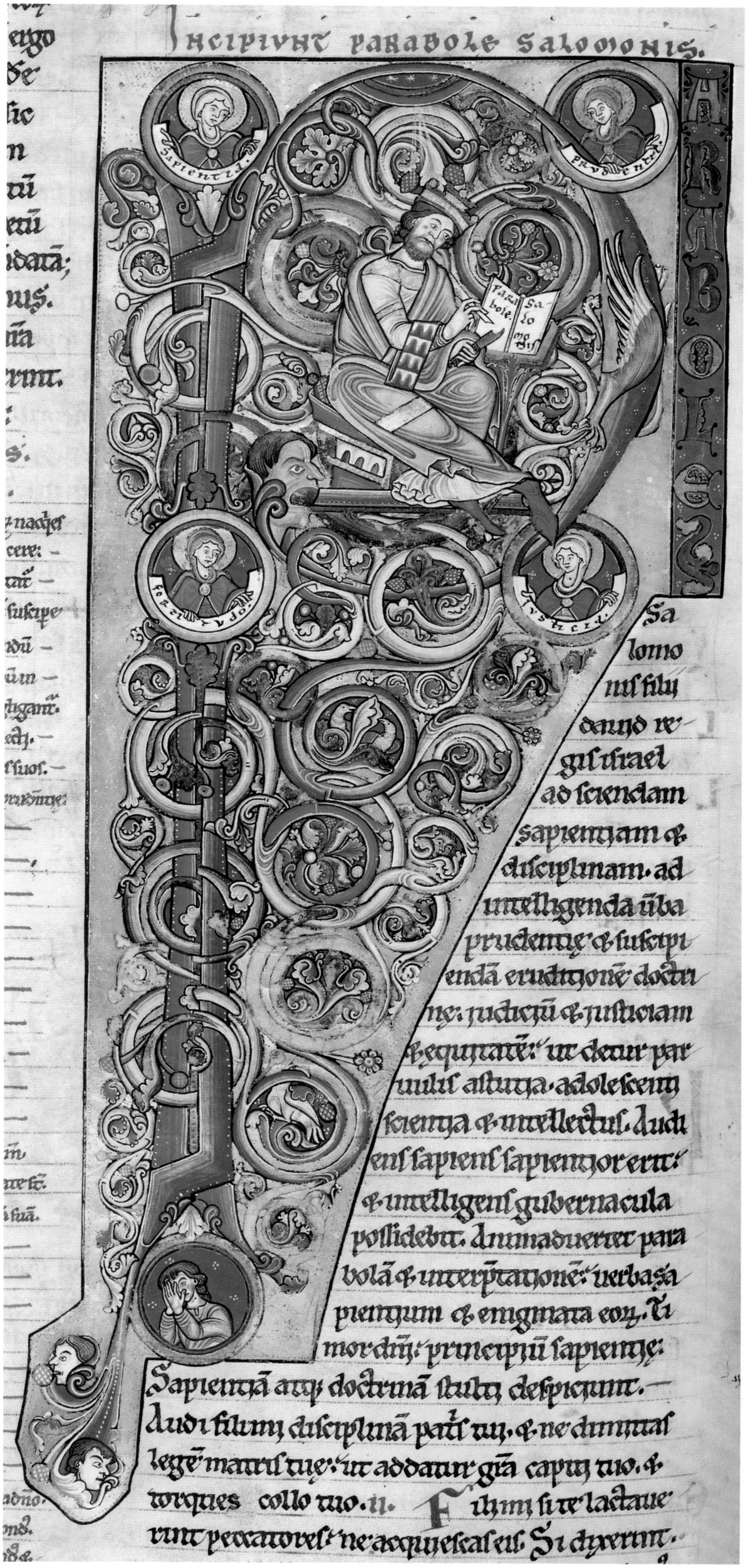

23.3 | Salomo, der gerade *Parabolæ Salomonis* schreibt, mit Rundbildern der Tugenden Weisheit, Klugheit, Gerechtigkeit und Tapferkeit (von oben links im Uhrzeigersinn), am Anfang der Sprichwörter, Harley 2799, fol. 57v (Detail).

24

DAS GRIECHISCHE HARLEY-EVANGELIAR

Evangelien als Gebetshilfe

Vier Evangelien in Griechisch.
Zypern oder Palästina,
Ende 12. Jahrhundert.

- 225 × 165 mm
- 269 Blatt
- Harley 1810

In der Regel sind die illuminierten Handschriften der Evangelien nur mit den vier Evangelistenporträts illustriert. Einige enthalten allerdings auch umfangreichere szenische Illustrationen.[1] In der byzantinischen Tradition gibt es verschiedene Arten, wie diese Bilder den Text begleiten: Sie können als Vorbild auf separaten Seiten, als Randillustration auf den sonst freien Texträndern, in Kopfstücken über dem Textbeginn oder seltener im Textblock selbst platziert sein. Ob gerahmte Miniatur oder Flächenmalerei, das Integrieren von Bildern erforderte vom Buchgestalter eine sorgfältige Planung und Sujetauswahl. Und in Anbetracht der vielen Erzählungen, die in den vier Evangelien gleich lauten, enthalten größere Bilderfolgen oft mehrere Versionen derselben Episode.[2] Bei anderen, eher kleineren Sequenzen, liegt der Fokus nicht nur auf den Hauptereignissen der Geschichte, sondern auf Bildern, die von größter Bedeutung für den christlichen Glauben und den Gottesdienst sind.

Neben den vier Evangelistenporträts enthält das Tetraevangelion gegenwärtig noch 17 gerahmte Miniaturen, von denen 16 im Textblock und eine, die Christi Geburt darstellt, als einleitendes Ornament direkt über dem Anfang des Matthäusevangeliums stehen. Mit Ausnahme der Kreuzabnahme und Beweinung Christi im Lukasevangelium, die als zusammenhängendes Motiv auf zwei parallelen Streifen im selben Rahmen erscheinen, beschränkt sich jede Miniatur auf eine Szene. Obwohl sich die Erzählung der Bilder insgesamt in der Zeit nach vorne und nach hinten bewegt, gemäß der Reihenfolge in den vier Evangelistenberichten, wird kein Sujet wiederholt. Die Wahl des Motivs richtet sich fast ausnahmslos nicht nach der Evangelienerzählung, sondern dem liturgischen Kontext, in dem die Textstelle verwendet wird. Die für die Kirchenfeste jeweils vorgeschriebenen Lesungen der entsprechenden Abschnitte in den Evangelien bestimmten die Auswahl der Bilder, sodass sie weniger als Illustrationen des Textes denn als Andachtsbilder für den Gottesdienst dienten. Besonders deutlich zeigt sich das im Fall des Marientod-Bildes (Bild 24.3), das eher vom Motiv und nicht so sehr vom Narrativ her

24.1 | Lukas schreibt in Sitzposition, am Anfang seines Evangeliums, fol. 139v (Detail).

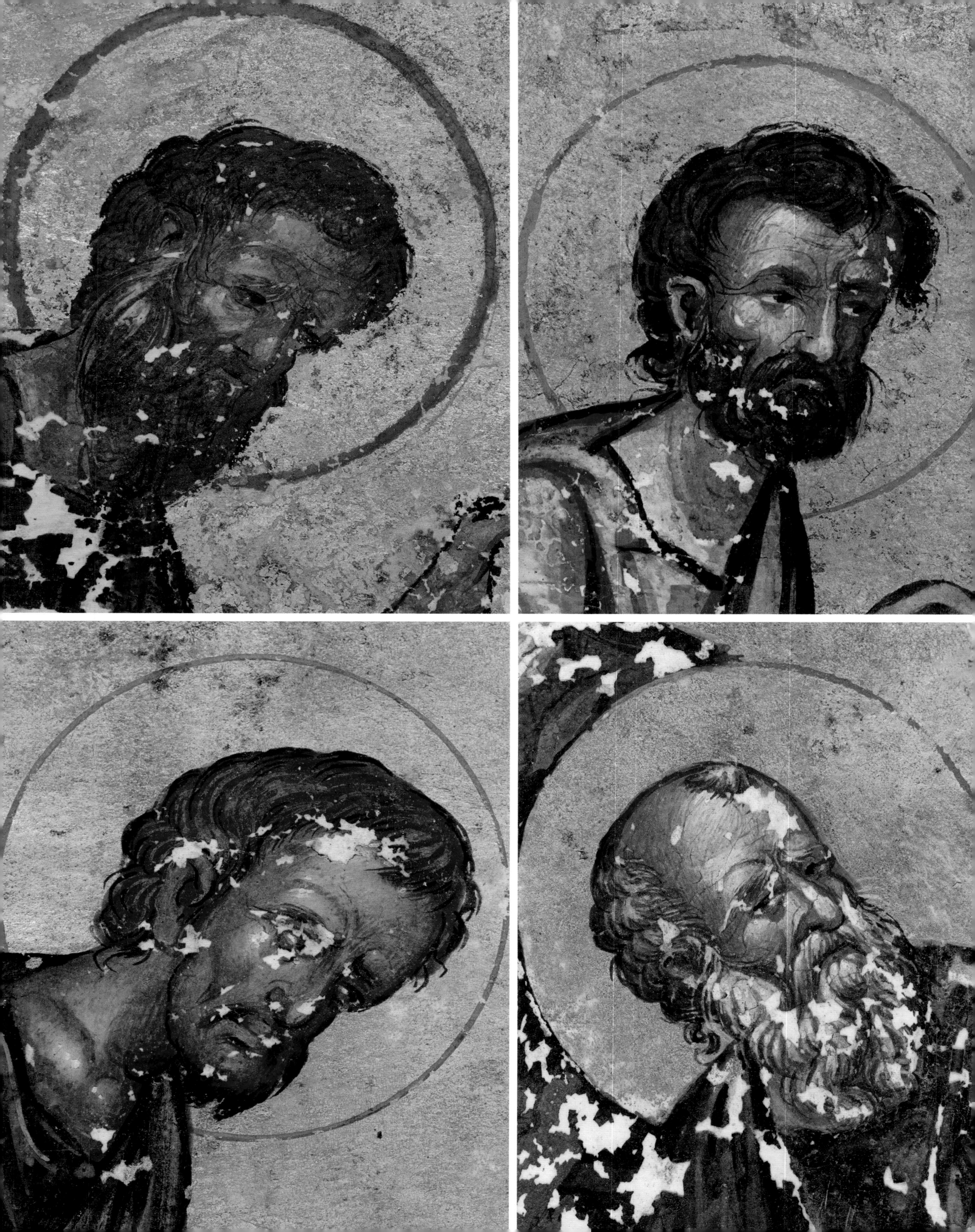

GEGENÜBER

24.2 | Die Köpfe der vier Evangelisten, aus ihren Porträts an den Anfängen ihrer Evangelien, fol. 25v, 93v, 139v und 211v (Details).

auf die Textstelle in Lukas (11,27) zurückgeht, wo eine Frau zu Jesus sagt: „Selig die Frau, deren Leib dich getragen und deren Brust dich genährt hat.“[3] Dieser Abschnitt ist Teil der für den orthodoxen Festtag Mariä Entschlafung vorgesehenen Lesung. Das Begleitbild beruht auf nichtbiblischen Berichten über die letzten Tage der Heiligen Jungfrau (Bild 24.3). Obwohl das Sujet in anderen Kunstgenren verbreitet ist, tritt es anscheinend nur noch in einem weiteren *Tetraevangelion* auf.[4] Ähnlich greift die Pfingstszene im Johannesevangelium auf die in der Apostelgeschichte beschriebene Niederkunft des Heiligen Geistes auf die Jünger Jesu zurück (Apg 2,1–4), und nicht auf die Worte des Evangelisten, die zur Lesung im Gottesdienst für den siebten Sonntag nach Ostern, dem Pfingstfest, vorgesehen sind. Darüber hinaus soll die Himmelfahrt-Miniatur am Ende des Markusevangeliums (Bild 24.4), indem sie den Begleittext

RECHTS

24.3 | Maria entschläft im Beisein der Apostel und ihre Seele wird von Christus in den Himmel geholt, im Lukasevangelium, fol. 174.

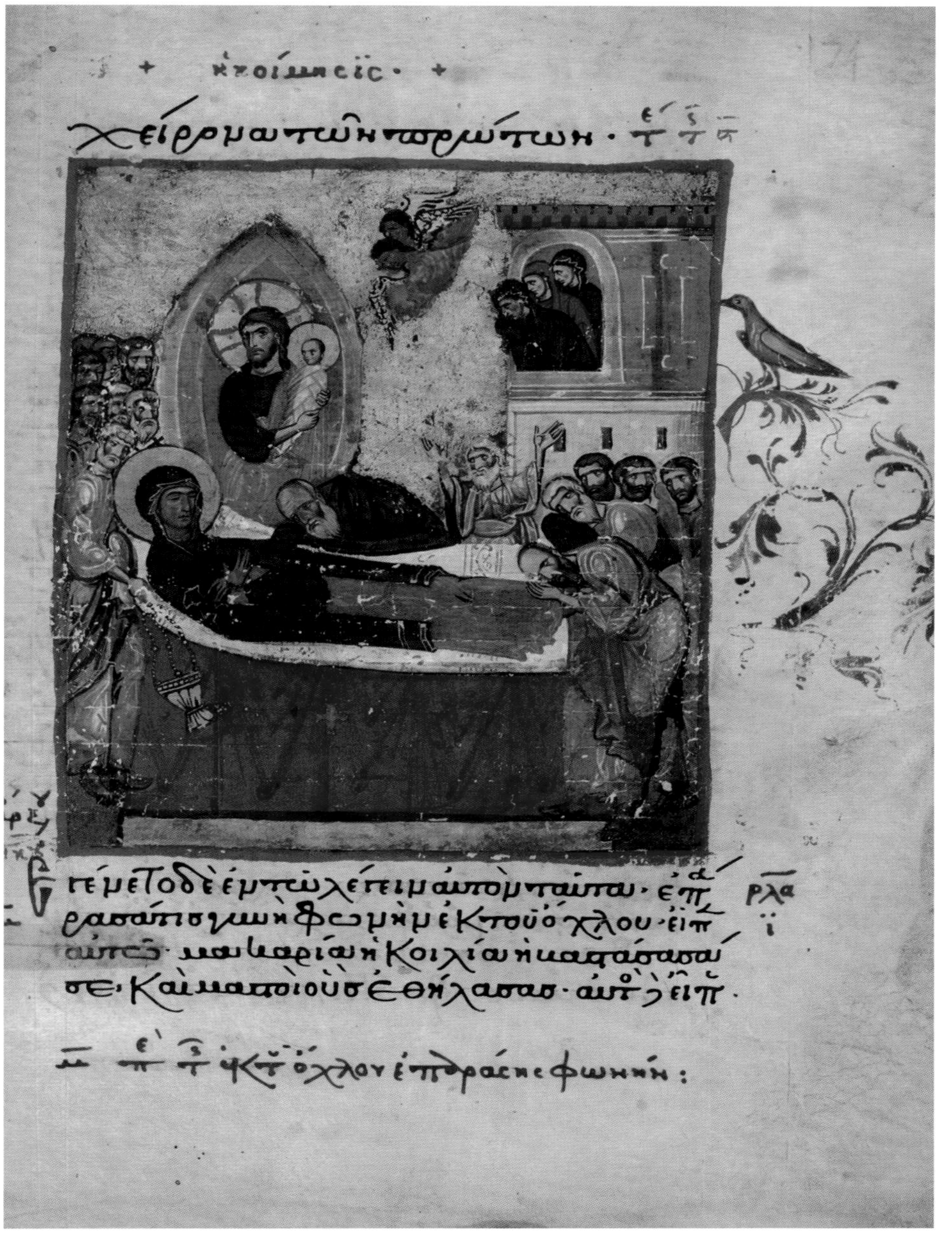

Ὁ μὲν οὖν κ̅ς̅ μετὰ τὸ λαλῆσαι αὐτοῖς
ἀνελήφθη εἰς τὸν οὐρανὸν καὶ ἐκάθι-
σεν ἐν δεξιᾷ τοῦ θ̅υ̅· ἐκεῖνοι δὲ ἐξελ

24.4 | Christus fährt vor den Augen der Apostel und Mariens in den Himmel auf, am Ende des Markusevangeliums, fol. 135v (Detail).

widerspiegelt, dem Leser ein für die andächtige Betrachtung geeignetes Bild am christlichen Festtag der Himmelfahrt bieten.

Dank neuerer Forschungen konnte eindeutig geklärt werden, in welchem Kontext die Handschrift samt Illumination erstellt worden ist. Der Codex gehört zu einer eng verwandten Gruppe von Manuskripten, in erster Linie Tetraevangelien, die wohl alle am Rand des byzantinischen Reiches, entweder in Palästina oder in Zypern erstellt wurden. Wie im vorliegenden Exemplar wird den spärlich enthaltenen Bildern eine enorme Bedeutung zugewiesen, weshalb sie im Verhältnis zum Text besonders groß sind. Im Fall des Harley-Tetraevangelions fand man heraus, dass die figürlichen Illuminationen das Werk von zwei oder drei Künstlern sind, die eng zusammenarbeiteten. Den mit den wichtigsten Festtagen verbundenen Bildern wurde nicht nur besonders viel Platz eingeräumt, sie wurden auch vom besten Künstler gemalt. Miniaturen wie die Entschlafung Mariä und die Christi Himmelfahrt zeigen deutlich, wie meisterhaft dieser Illuminator seinem Sujet eine viel tiefere Emotionalität zu verleihen wusste, als seine Kollegen es vermochten, die weitgehend auf anekdotische Details verzichteten und treu den traditionellen Vorbildern folgten.

Ausgestattet mit allen notwendigen Hilfsmitteln für den Leser, etwa Kanontafeln, Kapitellisten *(capitula)*, Abschnittsnummern und Vorreden[5] wie auch den figürlichen Miniaturen, scheint die Handschrift ihren Zweck bei orthodoxen Messen jahrhundertelang erfüllt zu haben. Um ihren weiteren Gebrauch sicherzustellen und sie für den zeitgenössischen Geschmack attraktiver zu machen, wurde sie vermutlich im 13. oder 14. Jh. von Künstlern mit zusätzlichen Randminiaturen, die Tier- und Pflanzenmotive zeigen, versehen. Deutlich wird dies zum Beispiel am Beginn des Lukasevangeliums und rechts vom Bild der Entschlafung (Bild 24.1 und 24.3). Auch noch später, wohl im 16. Jh., rettete ein Künstler die Handschrift durch Retuschieren und in manchen Fällen durch Übermalen großer Teile der figürlichen Miniaturen, in denen die ursprünglichen Pigmente abgeblättert oder schwer beschädigt waren, vor dem sicheren Verfall.

ANMERKUNGEN

1 Siehe z.B. das Harley-Echternach-Evangeliar, Nr. 12.

2 Siehe die vier Evangelien des Zaren Iwan Alexander, Nr. 35.

3 Zur Darstellung dieser Episode siehe das Evangelistar der Sainte-Chapelle, Bild 29.4. Zu Mariä Entschlafung siehe Winchester-Psalter, Bild 20.4.

4 Yota, „Le Tétraévangile“ (2001), S. 126.

5 Zu Kanontafeln und Abschnittsnummern siehe die Goldenen Kanontafeln, Nr. 1; zu *capitula* siehe die Guest-Coutts-Handschrift des Neuen Testaments, Nr. 9.

LITERATUR

Annmarie W. Carr, *Byzantine Illumination, 1150–1250: The Study of a Provincial Tradition* (Chicago, 1987), S. 50–69, 251 f.

Byzantium: Treasures of Byzantine Art and Culture from British Collections, hrsg. von David Buckton (London, 1994), Nr. 194.

Elisabeth Yota, „Le Tétraévangile Harley 1810 de la British Library: contribution à l'étude de l'illustration des tétraévangiles du Xe au XIIIe siècles“, unveröffentlichte Dissertation, Universität Freiburg, 2001, <http://doc.rero.ch/record/7810/>, zuletzt geöffnet 1. März 2017.

25

EIN SYRISCHES LEKTIONAR

Eine syrische Ausgestaltung der Evangelien

Evangelien als Lektionar in Syrisch. Mossul, zwischen 1216 und 1220.

- 470 × 395 mm
- 264 Blatt
- Additional 7170

Bereits in den ersten Jahrhunderten konnte sich das Christentum in Nordsyrien und im Irak etablieren. Die dortigen Gläubigen kompilierten dann eine der ersten volkssprachlichen Ausgaben überhaupt, eine Übersetzung der Bibel ins Syrische, das zu den aramäischen Sprachen zählt, die in dieser Region gesprochen wurden. Während man in den frühen syrischen Bibelhandschriften zumeist keine nennenswerte Ausschmückung findet, sieht man in einigen späteren Codices, dass sich die Schreiber und Buchmaler an byzantinischen und arabischen Traditionen orientierten, um ihre biblischen Texte zu verschönern. Dabei spiegeln ihre Arbeiten nicht nur die Dominanz der byzantinischen Ikonographie in der Ostkirche wider, sondern auch den Synkretismus der ostchristlichen Kunst, die mit der islamischen Kunst viele Gemeinsamkeiten hatte, vor allem nach der arabischen Eroberung Syriens im 7. Jh.

Die vorliegende Handschrift ist eines der eindruckvollsten Zeugnisse der syrisch-christlichen Buchmalerei. Dank eines kurzen Eintrags vom Schreiber lässt sich die Erstellung des Lektionars, das die zur Lesung im Gottesdienst vorgesehenen Evangelien für das gesamte syrisch-orthodoxe Kirchenjahr enthält, auf einen Zeitraum zwischen 1216 und 1220 datieren. Das großes Format und die besonders gut leserliche Schrift bestätigen, dass der Codex für die Verwendung am Pult[1] gedacht war, und seine schönen Illuminationen deuten darauf hin, dass er für ein wohlhabendes Ordenshaus oder für eine Kirche mit begüterten Förderern bestimmt war, um sich eine derartige Ausschmückung leisten zu können. Eine Zweitausführung der Handschrift, die heute im Vatikan[2] aufbewahrt wird, war zweifellos ein Geschenk des Dorfvorstehers an das Mor-Mattai-Kloster bei Mossul.[3] Obwohl das Lektionar im Vatikan von einem Mönch des Mor-Mattai-Klosters geschrieben wurde, haben vor kurzem Forscher die Illumination beider Manuskripte kommerziellen Künstlern in Mossul zugeschrieben. Dort wurde 1820 auch die Londoner Handschrift erworben.

Von den 49 noch erhaltenen und für diesen Codex erstellten Bildern[4] illustrieren die größten die Hauptfeste des Kirchenjahrs. Jede dieser etwa

25.1 | Jesus Christus zieht auf einem Esel reitend in Jerusalem ein, begleitet von seinen Jüngern; einige aus der Menge begrüßen ihn, breiten ihre Kleidungsstücke vor ihm auf dem Weg aus und andere klettern auf einen Baum, damit sie ihn besser sehen; fol. 115 (Detail).

halbseitigen Miniaturen erinnert an wichtige Ereignisse aus dem Leben Christi, wie sie von den Evangelisten erzählt werden. Zum Beispiel ist die Lesung für den Palmsonntag mit einer farbenfrohen Darstellung des Einzugs Jesu in Jerusalem geschmückt, die ein starkes Gefühl von emsiger Lebhaftigkeit erweckt. Dies ist dem großem Geschick des Illuminators zu verdanken, der das Auge des Betrachters von einem Punkt zum anderen über die Seite lenkt (Bild 25.1). Im Vordergrund rechts legen zwei eilfertige Figuren in Unterhosen ihre Kleidungsstücke unter die Hufe von Christi Esel und in der Mitte klettern zwei ähnliche Figuren in riskanter Weise auf einen Baum. Links im Bild sieht man einen mit geometrischen Mustern verzierten turmähnlichen Bau und verschiedene Figuren, die in oder auf diesem sitzen und in ihn hinein- oder aus ihm herausschauen. Im mittleren Teil ziehen von rechts Jesus und seine Jünger auf einem gelb

25.2 | Die drei Frauen bringen Öl, um den Leichnam Jesu zu salben, und begegnen einem Engel, der auf dem Stein vor dessen leerem Grab sitzt; rechts im Bild erscheint der auferstandene Christus Maria Magdalena; fol. 160 (Detail).

25.3 | Während Christus im Haus des Pharisäers Simon speist, salbt eine Frau seine Füße mit kostbaren Ölen ein und trocknet sie mit ihren Haaren; fol. 106 (Detail).

gekräuselten Weg in Jerusalem ein. Oben kreisen Vögel, unten werden Hände zur Begrüßung ausgestreckt. Farbe, Form und Komposition ergeben ein optisch komplexes Bild. Für Ostern schuf der Buchmaler durch das Verschachteln zweier Episoden ein Bild, in dem die Stille einen Kontrast zum Geheimnisvollen bildet. In ein und demselben Bild treffen die drei Frauen den in Weiß gekleideten Engel vor dem leeren Grab und dreht sich eine von ihnen um, um den auferstandenen Christus zu begrüßen (Bild 25.2). Im Gegensatz zum Einzug in Jerusalem sind hier alle Figuren, die Vegetation und die Architektur fest verankert und auf derselben Bildebene. In beiden Illustrationen erinnern die figuralen Elemente und die Goldgründe an die christliche Kunsttradition, die Schmuckelemente wie die obere Bordüre und die stilisierten Bäume hingegen an islamische Kunstgenres.

25.4 | Von Gottes Hand geführt, schreiben Johannes (oben) und Lukas (unten) die ersten Worte ihrer Evangelien; fol. 6 (Detail).

Neben den großen Festtagsbildern illustrieren kleinere, nur spaltenbreite Miniaturen etliche Wunder Christi und weniger bedeutende Festtage. Für den sechsten Sonntag in der Fastenzeit verbildlichte der Künstler „Unser Heiland Jesus im Haus des Pharisäers Simon, als er der gefallenen Frau ihre Sünden vergab", wie die syrische Inschrift besagt (Bild 25.3). Hier scheint das Augenmerk auf dem kunstvoll gestalteten Tischtuch und den Gästen zu liegen. Folgt das Auge des Betrachters jedoch den Blicken der sitzenden Figuren, so stößt es zuerst auf Christus und über seine rechte Hand auf die Frau, die seine Füße mit ihren Haaren trocknet, wie von Lukas (7,36–50) beschrieben. Rechts von ihr, fast im Muster des Tischtuchs verschwunden, steht das Fläschchen mit Myrrhenöl, mit dem sie Christi Füße gesalbt hat. Auch sie hat einen Nimbus als Zeichen dafür, dass ihre Sünden von Christus vergeben wurden, und als eine Glosse zu Lukas, die dessen namenlose Frau als Maria Magdalena identifiziert.

Am eindrucksvollsten jedoch sind vielleicht die beiden illuminierten Seiten ziemlich am Anfang des Codex, die jeweils zwei Evangelisten darstellen (eine ist als Bild 25.4 zu sehen). Obwohl die Motive der Miniaturen den Hauptströmungen der westlichen und östlichen Evangeliumsillustrierung folgen, einschließlich der westlichen Lilienblüten *(fleur-de-lys)*, ist die Aufmachung ausgesprochen arabisch. Neben den sich wiederholenden Ornamentformen, die an islamische Kunst erinnern, bildet der Illuminator die schreibenden Evangelisten vor einer eindeutig arabischen Kulisse ab. Nur die Hand Gottes, die Heiligenscheine und die syrischen Bildinschriften weisen sie als Verfasser der Evangelien aus.

LITERATUR

Jules Leroy, *Les Manuscrits syriaques à peintures conservés dans les bibliothèques d'Europe et d'Orient: contribution à l'étude de l'iconographie des églises de langue syriaque*, 2 Bde. (Paris, 1964), I, S. 302–313.

The Glory of Byzantium: Art and Culture of the Middle Byzantine Era, a.d. *843–1261*, hrsg. von Helen C. Evans and William D. Wixom (New York, 1997), Nr. 254.

Bas Snelders, *Identity and Christian-Muslim Interaction: Medieval Art of the Syrian Orthodox from the Mosul Area* (Leuven, 2010), S. 151–213.

Rima Smine, „Reconciling Ornament: Codicology and Colophon in Syriac Lectionaries British Library Add. 7170 and Vatican Syr. 559", *Journal of the Canadian Society for Syriac Studies*, 13 (2013), S. 77–87.

Rima Smine, *The Illuminations of Syriac Lectionaries* (erscheint in Kürze).

ANMERKUNGEN

1 Vgl. die romanischen Pultbibeln: Stavelot, Frankenthaler, Floreffe und Arnsteinbibel, Nr. 16, 21, 22 und 23.

2 Vatikanstadt, BAV, ms Vat. syr. 559. Die beiden Handschriften haben nahezu dasselbe Bildprogramm.

3 Smine, „Reconciling Ornament" (2013).

4 Es sind nur 48 Bilder in Additional 7170; das andere ist University of Birmingham, Cadbury Research Library, Mingana ms Syr. 590.

26

DIE HARLEY *BIBLE MORALISÉE*

Weisung für Könige

Bible moralisée (Makkabäer und Neues Testament) in Latein. Paris, zweites Viertel des 13. Jahrhunderts.

- 400 × 275 mm
- 31 Blatt (Harley 1526), 153 Blatt (Harley 1527)
- Harley 1526, 1527

In der Regierungszeit von Ludwig VIII. (reg. 1223–1226), seiner beeindruckenden Frau Blanka von Kastilien († 1252) und beider Sohn Ludwig IX., später der Heilige (reg. 1226–1270), war Paris das Kunstzentrum Europas. Zu den prachtvollsten künstlerischen Schöpfungen, die in dieser Zeit am französischen Hof entstanden sind, zählt auch der reich illustrierte Buchtyp der *Bible moralisée*, der vorwiegend als Auftragsarbeit für die Königsfamilie oder ihre nächsten Verwandten erstellt wurde. Jede dieser Bibeln enthält buchstäblich Tausende von kunstvoll gemalten und üppig vergoldeten Bildern, „die nur dazu geschaffen wurden, den Eindruck von unübertroffener Pracht zu vermitteln".[1] In diesen Handschriften werden biblische Szenen in Text und Bild „moralisiert". Die biblischen Szenen sind zusammen mit ihrer symbolischen oder theologischen Auslegung in jeweils paarweise übereinander angeordneten Bildmedaillons illustriert. Rechts neben jedem Bild steht ein kurzer Bibelauszug oder moralisierter Begleittext.

Zwei der Codices enthalten ein Bild vom Königspaar oder vom König sowie vom Künstler, der gerade an einem Buch mit Bildmedaillons arbeitet. Man nimmt an, dass die ersten beiden Codices, die heute in Wien aufbewahrt werden, für Blanka und Ludwig zum persönlichen Gebrauch angefertigt wurden (einer in Französisch und der andere aus dem Französischen ins Lateinische übersetzt).[2] Die beiden früheren Versionen, von denen die eine jetzt zwischen Oxford, Paris und der Harley-Sammlung in der British Library aufgeteilt ist, und ihre Schwesterhandschrift in Toledo (mit einem kleinen Teil in New York), sind sogar noch anspruchvollere Werke.[3] Sie wurden vielleicht von Blanka als Hochzeitsgabe für ihren Sohn Ludwig IX. und seine Braut Margarete von der Provence (1221–1295) zu deren Eheschließung im Jahr 1234 in Auftrag gegeben. Die Harley-Handschrift umfasst das Buch der Makkabäer und das Neue Testament, das alleine schon über 1600 Bilder zeigt, heute in zwei Bänden.

Diese moralisierten Bibeln sind in jeder Hinsicht außergewöhnliche Werke. Ihre Herstellung in einer Pariser Werkstatt muss ein gewaltiges und äußerst teures Unterfangen gewesen sein, da alle Bücher offensichtlich rasch hintereinander in einem Zeitraum von nur etwa zehn Jahren, zwischen 1225 und 1235, entstanden. Jede illustrierte Seite hat acht Bildmedaillons

26.1 | Majestas Domini, umgeben von den vier Lebewesen (Offenbarung 4,6–7), mit dem moralisierten Deutungsbild der Evangelisten und ihren Symbolen (unten), Harley 1527, fol. 120v (Detail).

UMSEITIG
26.2–26.3 | Aufgeschlagene Doppelseite mit acht Bildmedaillons, die paarweise angeordnet (abwechselnd in jeder Spalte nach unten) Bibelszenen und moralisierte Deutungsszenen enthalten, die im Begleittext (rechts) kommentiert werden (Offenbarung 4,6–5,8), Harley 1527, fol. 120v–121r.

quatuor ani
malia plena
oculis ante et
retro. Et aial
primum simile
leoni. et secundum
animal simile
vitulo. et tertium
aial hñs faciē
quasi hominis.
Et quartum aial
simile aquile
volanti.
Per quatuor
anima
lia signi
ficantur quatuor
evangeliste.
Per leonem mar
cus qui loquitur
de resurrectione
christi. Per vitulum
lucas qui loquitur
de passione. Per
hominem matheus
qui loquitur de

Et in circuitu sedis quatuor animalia plena oculis ante τ retro. Et aīal primū simile leoni. τ secūdū animal simile uitulo. τ tertium aīal hn̄s faciē quasi hominis. Et quartum aīal simile aquile uolanti.

Per quatuor animalia significantur quatuor euangeliste. P leonē marcus qui loquitur de resurrectiōe xp̄i. P uitulum lucas qui loquitur de passione. P hoīem matheus qui loquitur de humanitate. Per aquilā iohs qui loquitur de diuinitate.

Et cum darent illa quatuor animalia gloriam τ honorem τ bn̄dictionem sedenti sup thronum uiuenti in secula seculorū procidebant .xxiiii. seniores ante sedentē in throno. τ adorabant mittentes coronas ante thronū dei.

Hoc qd̄ procidebant ante thronū: significat sc̄os homines se hūiliantes et de die iudicii cogitantes τ uittoriam quā habent de diablo

Et requiē nō habebāt die ac nocte dicentia. sc̄s. sc̄s sc̄s. dn̄s deus omp̄s. qui erat τ qui est τ qui uenturus est.

Hoc qd̄ non cessabant clamare sc̄s. s. s. significat qd̄ illi qui docent fidem euangelii τ tenent debent in omnibȝ opibȝ suis trinitatem amendare. τ a sacrificiis legis mosaice abstinere.

Et uidit iohannes in dextera sedentis sup thronū librū scriptū intus τ foris signatum .vii. sigillis τ uidit angelum fortem predicantē uoce magna. Quis est dignus aperire librum τ soluere signacula eius. Et nemo poterat in celo neqȝ in terra neqȝ subtus terram aperire librum.

Per angelū fortē significantur antiqui patres qui maximū desiderium habebant de aduentu saluatoris. Nemo enī po

n sibi sȝ dn̄o attribuentes.

terat aperire librum. neqȝ in celo .i. angeli. neqȝ in terra .i. homines. neqȝ subtus terram .i. anime a corporibȝ separate.

Et Iohannes flebat quia nemo dignus inventus est aperire librum neque videre eum. Et unus de senioribus dixit ei: Ne fleveris, ecce vicit leo de tribu Iuda, radix David, aperire librum et solvere signacula eius.

Fletus Iohannis significat idem quod clamor potentius angeli: desiderium quod antiqui sancti habebant de Christo, scientes ipsum venturum et passione sua genus humanum de manu diaboli redempturum.

Et vidit Iohannes in medio throni et quatuor animalium et in medio seniorum agnum stantem quasi occisum, habentem cornua septem et oculos septem qui sunt septem spiritus dei.

Hoc quod agnus stetit tanquam occisus significat quod Christus passus est in humanitate, deitate integra remanente. Septem cornua et septem oculi qui sunt septem spiritus significant septem gratias quas habebat Christus et quas dat suis contra temptationes que veniunt ab alto per tribulationes tyrannorum et contra inferiores que ab hereticis inferuntur.

Et venit agnus et accepit de dextera sedentis in throno librum.

Hoc quod agnus accepit librum de dextera domini sedentis in throno significat quod filius dei qui est significatus per dexteram angelo nuntiante carnem de virgine assumpsit et quia diabolum superavit.

Et aperuit agnus librum quod acceperat de manu sedentis in throno et solvit signacula eius.

Apertio libri significat apertionem et declarationem scripturarum quas predicatores intendunt Christi fidelibus declarare.

co deceptus

Et uidit
iohs in
medio
throni 7 .iiii. a
nimaliu 7 in
medio senio2
agnu stante
quasi occisu
habentem cor
nua .vii. 7 ocu
los .vii. q sut

H sps dei.
oc qd
agn9
stetit
tanqua occi
sus sigfcat q
xpc passus e
in humanita
te deitate in
tegra remane
te. Septem cor
nua 7 .vii. ocli
qui sut septe
sps sigfcat .vii.
gras quas ha
bebat xpc et
quas dat suis
contra temptacio
tiones queue
niunt ab alto
per tribulones

E
accep
nu
thro
sign

7 d
so
pro
ten
dei

26.4 | „Der Eine" sitzt auf dem Thron und hält das Buch der Sieben Siegel (Offenbarung 5,1–6) und als moralisierte Deutung das Kreuzigungsbild (unten), Harley 1527, fol. 121r (Detail).

und steht einer ebenso gestalteten Seite gegenüber, sodass den Betrachter der Illustrationsseiten im geöffneten Buch 16 Bilder erwarten (Bild 26.2–26.3). Zudem wurden in Umkehrung des üblichen Arbeitsablaufs zuerst die Bilder gezeichnet und dann erst die Bibelauszüge und erläuternden Bildtexte hinzugefügt. In den vier frühen Pariser Kopien sind die Rückseiten der Illustrationsseiten leer. Wie die durchgedrückten Linien zeigen, die im Harley-Abschnitt der *Bible moralisée* sichtbar sind, müssen diese Handschrift und ihr Toledo-„Zwilling" von derselben Vorlage abgepaust und somit auch gleichzeitig erstellt worden sein.[4]

Die erstaunliche Komplexität der Bilder, ihre moralische Auslegung und die Begleittexte deuten darauf hin, dass die königlichen Empfänger der *Bibles moralisées* sie zusammen mit ihren persönlichen Priestern oder Kaplänen gelesen haben. Einige Paare der Bibel- und Deutungsbilder sind recht leicht verständlich. Zum Beispiel sitzt die Majestas Domini, der thronende Christus, mit einem geschlossenen Buch in der Hand und umgeben von den vier Lebewesen, die den Text aus Offenbarung 4,6–7 illustrieren, über dem Bild der vier Evangelisten, die mit Schriftrollen an Pulten sitzen und begleitet von ihren Symbolen schreiben (Bild 26.1); die moralische Auslegung hierzu lautet schlicht: „Die vier Lebewesen bedeuten die vier Evangelisten" *(Per q[ua]tuor animalia signicantur q[ua]tuor evangeliste)*. Allerdings erfordern die meisten moralisierten Illustrationen samt Text eine weitere Interpretation ihres symbolischen oder typologischen Kommentars, entweder vom Bild oder vom Text her. So steht zum Beispiel auf der nächsten Seite die Darstellung von dem „Einen auf dem Thron" in Weiß, der das Buch der Sieben Siegel hält und von den Ältesten sowie den vier Lebewesen umgeben ist, nicht im Einklang mit der Bibelstelle, in der Johannes beschreibt: „Und ich sah: Zwischen dem Thron und den vier Lebewesen und mitten unter den Ältesten stand ein Lamm; es sah aus wie geschlachtet und hatte sieben Hörner und sieben Augen" (Offb 5,6; Bild 26.4). Das Rundbild darunter deutet den gekreuzigten Christus als Lamm: *Hoc q[uo]d agn[us] stetit tamqua[m]occisus sig[ni]cat q[uod] Xρc [Christus] passus e[st] in huma[n]itate* („Das Lamm, das wie geschlachtet dastand, bedeutet, dass Christus in Menschengestalt dasselbe erlitten hat"). Angesichts der immensen Anzahl dieser komplexen Allegorien wäre es wohl eine viel zu langwierige Aufgabe gewesen, sie alle zu betrachten und zu deuten, was zum Teil die begrenzte Produktion dieser äußerst aufwendigen Bilderbibeln erklären könnte.

ANMERKUNGEN

1 Lowden, *Bibles moralisées* (2000), I, S. 140.

2 Wien, ÖNB, Cod. 1179 und 2554.

3 Oxford, Bodleian Library, ms Bodley 270b; Paris, BnF, ms lat. 11560; Toledo, Tesoro del Catedral; New York, Morgan Library, ms M.240.

4 Lowden, *Bibles moralisées* (2000), I, bes. 119 f., 167–180.

LITERATUR

Georg Graf Vitzthum, Die Pariser Miniaturmalerei: von der Zeit des hl. Ludwig bis zu Philipp von Valois und ihr Verhältnis zur Malerei in Nordwesteuropa (Leipzig: Quelle & Meyer, 1907), S. 4, 9 f.

R. Haussherr, „Eine Warnung vor dem Studium von zivilem und kanonischem Recht in der Bible moralisée, Frühmittelalterliche Studien 9 (1975), S. 390-404.

Nigel Morgan, *Early Gothic Manuscripts*, 2 Bde., A Survey of Manuscripts Illuminated in the British Isles, 4 (London, 1982–1988), II: *1250–1285* (1988), S. 138.

John Lowden, *The Making of the Bibles moralisées*, 2 Bde. (University Park, PA, 2000), I: *The Manuscripts*, bes. S. 139–187.

John Lowden, „The Apocalypse in the Early-Thirteenth-Century Bibles moralisées: A Re-Assessment", in: *Prophecy, Apocalypse and the Day of Doom. Proceedings of the 2000 Harlaxton Symposium*, hrsg. von Nigel Morgan, Harlaxton Medieval Studies, 12 (Donington, 2004), S. 195–217 (S. 198, 207–212, 216, Taf. 20, 26–28, 31).

27

EINE APOKALYPSE

Eine illustrierte Apokalypse aus England

Offenbarung (unvollständig), mit Auszügen aus dem Kommentar von Berengaudus, in Latein.
London oder Westminster,
um 1260.

- 290 × 220 mm
- 38 Blatt
- Additional 35166

Das letzte Buch der Bibel, die Offenbarung, war auch eines der letzten, die in den Bibelkanon der westlichen Kirchen aufgenommen wurden. Doch auch in den Ostkirchen war sein Status lange unklar. Die Offenbarung ist ein prophetisches Buch, das die Visionen eschatologischer Ereignisse des Johannes, die ihm von einem Engel „gesandt und gezeigt“ (Offb 1,1) wurden, darlegt. Im lateinischen Westen war sie, nach dem Buch der Psalmen, das am häufigsten als illustrierter Einzelband verbreitete Buch.[1] Eine bedeutende Gruppe von 25 dieser bebilderten Handschriften, den sogenannten Apokalypsen (abgeleitet vom griechischen Verb ἀποκαλύπτω, „offenbaren“), entstand in Spanien zwischen dem 9. und 11. Jh.[2] Noch mehr Manuskripte wurden in England und Frankreich produziert – über 80 Exemplare, davon gut 22 allein in der zweiten Hälfte des 13. Jhs., diese hier mit eingeschlossen.[3] Die beeindruckenden Bilder der Endzeitvisionen in diese Apokalypsen zählen zu den evokativsten Beispielen der erzählenden Malerei im Mittelalter und die in England hergestellten „zu den prächtigsten aller englischen Bibelillustrationen“.[4]

Die Handschrift in der British Library ist eine von vieren aus dem 13. Jh., die als „Westminster-Gruppe“ der Apokalypsen bezeichnet werden, da sie sich stilistisch den unter Heinrich (Henry) III. (reg. 1216–1272) in der „Hofschule“, das heißt im Palast und der Abtei von Westminster geschaffenen Kunstwerken zuordnen lassen. Der erste Besitzer der hier vorliegenden Handschrift ist nicht bekannt, aber die hochwertigen Gemälde, Zeichnungen und die zarten Farblavierungen lassen kaum Zweifel daran, dass ein Adliger sie in Auftrag gab. Dem Künstler gelang es, den Figuren einen Hauch von Bewegung, etwas Unmittelbares zu verleihen. Zum Beispiel stellt er den ersten Reiter der Apokalypse als eleganten königlichen Eroberer auf einem galoppierenden Pferd dar, der im Begriff steht, einen Pfeil in Richtung Bildrahmen abzuschießen (Offb 6,2; Bild 27.3). So lässt die Illustration den biblischen Text, der darunter steht, mitreißend und lebendig wirken: „Und siehe, ein weißes Pferd, und der darauf saß, hatte einen Bogen; und es wurde ihm eine Krone gegeben, und er zog aus als ein Sieger und um zu siegen“ *(et ecce equus albus et qui sedebat sup[er] eum habebat arcum et data est ei corona et exivit vincens ut vinceret)*.

27.1 | Die große Hure Babylon auf dem Tier mit sieben Köpfen und zehn Hörnern sitzend (Offenbarung 17,1–7), fol. 20r (Detail).

UMSEITIG
27.2–27.3 | Engel und die Ältesten beten das Lamm an, das gerade das Buch der Sieben Siegel von der Majestas Domini entgegennimmt, umgeben von den vier Symbolen der Evangelisten (Offenbarung 5,5–14); gegenüber das erste geöffnete Siegel mit dem Reiter auf dem weißen Pferd (Offenbarung 6,2); fol. 6v–7r.

Et abstulit in desertum in spiritu & uidi mulierem sedentem super bestiam coccineam plenam nominibus blasphemie. habentem capita vii. & cornua decem. Et mulier erat circumdata purpura et cocco. & inaurata auro & lapide precioso & margaritis habens poculum aureum in manu sua plenum abhominatione. & inmunditia fornicationis eius. nomen scriptum misterium. Babilon magna mater fornicationum. & abhominationum terre.

Per desertum omnis impiorum multitudo designatur. eo quod ipsi deseruerunt deum & ideo derelicti sunt ab eo. In desertum quoque mulier meretrix inuenta est quia multitudine impiorum ciuitas

Diabolus itaque sanguineus est quia auctor est mortis omnibusque perditionis. Que bestia plena nominibus blasphemie esse dicitur eo quod ipse diabolus auctor sit omnium blasphemiarum. Quid sint autem capita vii. & cornua x. angelus in sequentibus exponit. Et mulier erat circumdata purpura & cetera. Purpura sanguine tingitur. Coccus uero sanguinis habet colorem. Suntque uestimenta regalia. per que potestas secularis designatur. Purpura quoque & coccus sanguinis speciem habent quia potestas secularis mortifera est & periculum sempiternum affert hiis qui eam amplius quam celestem gloriam amplectuntur. Possumus & per uestimenta sanguinea opera impiorum intelligere per quibus morte perpetua dampnabuntur. Quodque sequitur. Et inaurata auro. Per aurum sepe sapientia designatur. Mulier quoque inaurata erat

Et uenit et accepit librum de dextera sedentis super thronum. Et cum aperuisset librum: quatuor animalia et uiginti quatuor seniores ceciderunt coram agno. habentes singuli cytharas et phialas aureas plenas odoramentorum que sunt orationes sanctorum. Et cantabant canticum nouum: dicentes. Dignus es domine deus accipe librum et aperire signacula eius. Quoniam occisus es: et redemisti nos deo in sanguine tuo. ex omni tribu et populo et natione. Et fecisti nos deo nostro regnum et sacerdotes. et regnabunt super terram. Et uidi: et audiui uocem angelorum multorum in circuitu throni et seniorum et quatuor animalium: et erat numerus eorum milia milium dicentium uoce magna. Dignus est agnus qui occisus est accipe uirtutem et diuinitatem et sapientiam et fortitudinem et honorem et gloriam et benedictionem.

Per thronum et quatuor animalia et seniores: uniuersa ecclesia cum suis doctoribus designantur. Angeli uero circa thronum. scilicet ecclesiam cingere missi sunt: angeli sunt qui ad custodiam ecclesie a deo destinati sunt: sicut paulus apostolus loquitur dicens. Nonne omnes administratorii sunt spiritus in ministerium missi. propter eos qui hereditatem capiunt salutis. Per maximum autem numerum: eorum multitudo innumerabilis designatur.

Et vidi quod aperuisset
agnus unum de septem
signaculis. Audivi unum
ex quatuor animalibus
dicentem. Veni et vide. Et ecce equus
albus et qui sedebat super eum ha
bebat arcum. et data est ei corona.
et exivit vincens ut vinceret.
Equus albus: iustos qui ante diluvi
um fuerunt designat. qui propter inno
cenciam albi dicuntur. Sessor vero equi
dominus est: qui suis sanctis eternaliter
presidet. Per arcum autem qui per se sa
gittas a se mittit et vulnerat: vindic
ta domini potest designari. quia et pri
mos homines propter inobediencie culpam
dampnavit. et Caym propter fratricidii
reatum septuplum punivit. Per coro
nam nichilominus sicut et per equum
album: iusti qui ante diluvium fue
runt designantur. Exivit vero vin
cens ut vinceret: quando statuit ut 13
per aquas diluvii omnis multi
tudo reproborum deleretur. Fac tibi ar
cham de lignis levigatis. mansi
unculas in archa facies. et bitumine
lenies intrinsecus et extrinsecus. et
sic facies eam. Trecentorum cubito
rum erit longitudo arche. Quinqua
ginta cubitorum: latitudo. et trigin
ta cubitorum altitudo illius. Ar
cha ecclesiam. Noe vero fabricator ar
che: Christum fabricatorem ecclesie
figurabat.

Et septimus angelus effudit phialam suam in aerem et exivit
vox magna de templo a throno
dicens: Factum est. Et facta sunt fulgura
et voces et tonitrua et terre motus factus est
magnus qualis numquam fuit ex quo homines
fuerunt super terram, talis terre motus sic
magnus. Et facta est civitas magna in tres
partes et civitates gentium ceciderunt. Et Baby-
lon magna venit in memoriam ante deum dare
ei calicem vini indignationis ire eius. Et omnis insula fugit et montes non sunt inventi. Et
grando magna sicut talentum descendit de celo in
homines et blasphemaverunt deum homines propter
plagam grandinis quoniam magna facta est ve-

Per septimum istum angelum predicatores
sancti qui temporibus antichristi fuerint designantur. Angelus qui phialam suam in aerem effudit.
quia predicatores sancti vanis et impiis hominibus quod
perpetua pena sint dampnandi denuntiabunt. Et exi-
it vox magna et cetera. Vox magna vox est predicato-
rum. Per templum ecclesia intelligitur. A templo ergo
vox exivit quia ab ecclesia vox sancte predicationis pro-
cedit. Que et a throno exisse dicitur quia ecclesia dei
thronus est dei et in illa sedens requiescit. Quid
autem hec vox dicat subdendo manifestat. Factum
est id est finis mundi instat in quo omnia que
predicta sunt a domino et a sanctis complebuntur.
Per fulgura vero miracula que per sanctos suos
facturus est deus designantur. Legimus namque
in superioribus Heliam et Enoch plurima signa esse
facturos. Per voces vero predicatio sanctorum. Per

27.4 | Als der siebte Engel seine Schale in die Luft goss, zerstörte ein großes Erdbeben die Städte auf Erden (Offenbarung 16,17–19), fol. 19 (Detail).

In der Regel sind bebilderte Apokalypsen mit einem Kommentar zum Text ausgestattet, wahrscheinlich weil die Interpretation der prophetisch-visionären Sprache der Offenbarung so komplex ist. Die in Spanien erstellten Apokalypsen enthalten den Kommentar des Beatus von Liébana, dagegen sind die England produzierten mit Auszügen aus dem *Expositio super septem visiones libri Apocalypsis*, einem anderen Apokalypsenkommentar versehen.[5] Dieser Text wurde von einem gewissen Berengaudus kompiliert, dessen Identität nicht geklärt ist, wahrscheinlich hat er im 11. oder frühen 12. Jh. gearbeitet.[6] In der vorgestellten Apokalypse lässt sich der mit roter anstatt schwarzer Tinte geschriebene Kommentar auf den ersten Blick vom Bibeltext unterscheiden (Bild 27.1–27.4).

Noch augenfälliger als die verschieden farbigen Texte sind die Größe und die Eindringlichkeit der halbseitigen Miniaturen, die sich auf jedem Blatt über den beiden Textspalten befinden. Sie illustrieren einige Textelemente nahezu wortgetreu, etwa das Bild mit dem Lamm, das „sieben Hörner und sieben Augen" hat und das Buch der Sieben Siegel entgegennimmt (Offb 5,6; Bild 27.2). Andere Details deuten oder kommentieren den Text visuell. Zum Beispiel ist „der auf dem Thron saß" (Offb 5,1) mit einem Kreuznimbus und einem stilisierten TO-Globus zu seinen Füßen dargestellt, was die Figur visuell als Majestas Domini kennzeichnet.[7] In einer Schwesterhandschrift dieser Apokalypse, die jetzt in Los Angeles ist, verdeutlicht der Auszug des Berengaudus-Kommentars für dieses Bild, dass „der auf dem Thron sitzt" Gottvater und das Lamm Jesus Christus darstellt, „weil das Lamm die Menschheit symbolisiert, deren Natur Christus angenommen hat" (Kommentar zur Offb 5,7–8).[8] Obwohl die Bilder ähnlich sind, enthält die Handschrift der British Library einen anderen Teil des Berengaudus-Kommentars (den zu Offb 5,11–12), der die Bedeutung anderer Figuren erklärt, speziell die der Engel als diejenigen, denen Gott die Sorge für die Kirche übertragen hat *(angeli sunt qui ab custodiam ecc[l]e[iam] a deo desinati sunt)*. So ergeben die Bild- und Textelemente dieser Apokalypsen zusammen eine komplexe, gesammelte und gezielte Exegese der Offenbarung des Johannes, des visionärsten neutestamentlichen Buches.

ANMERKUNGEN

1 Morgan, „Latin and Vernacular Apocalypses" (2012), S. 417.

2 Zu diesen Handschriften aus Spanien siehe die Silos-Apokalypse, Nr. 15.

3 Lewis, *Reading Images* (1995), S. 41.

4 C. M. Kauffmann, *Biblical Imagery in Medieval England, 700–1550* (London, 2003), S. 165.

5 Zu Beatus von Liébana siehe die Silos-Apokalypse, Nr. 15.

6 Morgan, Getty *Apocalypse* (2012), S. 10.

7 Vgl. Bibel von Stavelot, Bild 16.1 und Harley *Bible moralisée*, Nr. 26.

8 Los Angeles, J. Paul Getty Museum, ms Ludwig iii 1, *PL* 17, 809, englische Übersetzung in Morgan, *Getty Apocalypse* (2012), S. 41; und vgl. Harley *Bible moralisée*, Nr. 26, wo Gottvater in der Illustration zur selben Bibelstelle einen ähnlich stilisierten Globus hält und direkt über dem Kreuzigungsbild erscheint (Bild 26.4, unteres Medaillon).

LITERATUR

Peter Klein, *Endzeiterwartung und Ritterideologie. Die englischen Apokalypsen der Frühgotik und MS Douce 180* (Graz, 1983), S. 166–170.

Peter Klein, „Introduction: The Apocalypse in Medieval Art", in: *The Apocalypse in the Middle Ages*, hrsg. von Richard K. Emmerson and Bernard McGinn (Ithaca, NY, 1992), S. 159–99 (S. 189–92).

Suzanne Lewis, *Reading Images: Narrative Discourse and Reception in the Thirteenth-Century Illuminated Apocalypse* (Cambridge, 1995).

Nigel Morgan, *Illuminating the End of Time: The Getty Apocalypse Manuscript*, kommentierte Faksimile-Ausgabe (Los Angeles, 2012).

Nigel Morgan, „Latin and Vernacular Apocalypses", in: *The New Cambridge History of the Bible*, 4 Bde. (Cambridge, 2012–2015), II: *From 600 to 1450*, hrsg. von Richard Marsden und E. Ann Matter (2012), S. 404–426.

28

EINE BOLOGNESER BIBEL

Italienische Pracht

Bibel in Latein.
Bologna, um 1280–1300.

- 385 × 250 mm
- 546 Blatt
- Additional 18720

Im Laufe der zweiten Hälfte des 13. Jhs. wurde die norditalienische Stadt Bologna eines der produktivsten und einflussreichsten Zentren für die Herstellung von schönen Büchern. Hier haben unzählige Buchmaler an vielen Hunderten von Handschriften zum Kirchenrecht, zur Liturgie oder Bibel ihre Kunstfertigkeit unter Beweis gestellt. Während die Produktion der Rechtsbücher auf Bolognas Status als führende Universitätsstadt für Kirchenrecht in Europa zurückging, war die der Bibeln in erster Linie auf die Dominikaner zurückzuführen, die dort eines ihrer größten Ordenshäuser in Europa unterhielten. Der vom hl. Dominikus († 1221) gegründete Predigerorden spielte schnell eine Schlüsselrolle in der Kirche hinsichtlich der Förderung der Gelehrsamkeit und Bekämpfung der Häresie. Zusammen mit den Franziskanern (gegründet 1209) nutzten sie für diese Zwecke die sogenannte Pariser Bibel, eine einbändige Abschrift der lateinischen Vulgata von relativ kleinem Format. Diese Bibel enthielt eine neue Reihenfolge der biblischen Texte sowie Hilfen für den Leser, die im ersten Viertel des 13. Jhs. in den Unterrichtsräumen und Buchwerkstätten von Paris entwickelt wurden.[1] In den Bettelorden wurden die Taschenbibeln ein wirkungsvolles Werkzeug für die Wanderprediger. So wurden in Bologna, der letzten Ruhestätte des hl. Dominikus, nicht zuletzt durch den großen Einfluss seines Ordens mehr Bibeln produziert als irgendwo sonst in Italien.

An dem hier vorgestellten Exemplar, das trotz seines größeren Formats eng mit der Taschenbibel verwandt ist, zeigt sich, welch enorm wichtige Rolle Bologna beim Kopieren wie bei der Verbreitung der Pariser Vulgata-Version gespielt hat. Die Handschrift enthält wie die Taschenbibel alle Texte des Alten und Neuen Testaments in einem Band, und zwar in der überarbeiteten Pariser Reihenfolge, die durch abwechselnd mit roter und blauer Tinte geschriebene Kolumnentitel hervorgehoben wird. Jedes Buch wird mit einem Prolog eingeleitet und ist vor allem in genau dieselbe Kapitelzählung gegliedert wie die heutigen Bibeln. Dieses oft dem Kommentator Stephen Langton († 1228), Erzbischof von Canterbury, zugeschriebene Einteilungssystem sieht man in der Bologneser Handschrift voll ausgereift. Jedes Kapitel beginnt in einer neuen Zeile mit der entsprechenden Nummer in rot und blau geschriebenen

28.1 | Ein Dominikaner steht links neben einer sitzenden Figur, die in einer Schriftrolle liest, am Anfang des Briefes von Hieronymus an Paulinus, fol. 2r (Detail).

UMSEITIG (LINKS)
28.2 | Gott erschafft die Welt in sieben Tagen; Adam und Eva werden aus dem Paradies vertrieben; Kain und Abel bringen Gott ein Opfer; und Kain tötet Abel; am Anfang der Genesis, fol. 5r (Details).

UMSEITIG (RECHTS)
28.3 | Der Stammbaum Jesu, angefangen bei Jesse, und (unten) Verkündigung, Geburt und Darstellung (Beschneidung) Jesu; am Anfang des Matthäusevangeliums fol. 410r (Detail).

possum' laborarem. Illi in-
pretati sunt an adventu
xpi. et q nesciebant dubi-
is ptulere sniis: nos post
passionem et resurrectione
eius. non tam pphiam q
quam hystoriam scribi-
mus. Aliter enim audi-
ta: aliter visa narrantur.
Qd melius intelligim'
melius et proferimus.
Audi igitur emule: ob-
trectator ausculta. Non
dampno. non reprehen-
do. lxx: sz confidenter cunc-
tis illis apostolos prefe-
ro. Per istorum os michi
xps sonat. quos ante pro-
phetas inter spiritualia ka-
rismata positos lego:
in quib' ultimum pene
gradum interpretes te-
nent. Quid livore torq-
ris? Quid imperitorum
animos contra me con-
citas? Sicubi tibi in tra-
slatione videor errare:
interroga hebreos: diver-
sarum urbium magistros
consule. Quod illi habent
de xpo: tui codices non
habent. Aliud est si con-
tra se postea ab apostolis
usurpata testimonia p-
baverunt: et emendati-
ora sunt exemplaria la-
tina q greca. greca quam
hebrea. Verum hec cont-
ra invidos. Nunc te depre-
cor desideri karissime: ut
quia me tm opus subi-
re fecisti et a genesi exor-
dium capere. orationi-
bus iuves: quo possim
eodem spiritu quo scrip-
ti sunt libri. in latinum
eos transferre sermonem.
Explicit prologus. R.

Incipit liber genesis: qui
dicitur hebraice bresith.
rubrica. ave maria gratia
plena dominus tecum.

I N P R I N In-
cipio: creavit deus celu'
et terram. Terra autem erat i-
anis et vacua: et tenebre
erant sup faciem abyssi:
et sps dei ferebatur super
aquas. Dixitq deus. fi-
at lux. Et facta e lux. Et
vidit deus lucem quod
eet bona: et divisit luce
a tenebris. Appellavitq
lucem diem: et tenebras
noctem. Factumq e ve-
spe et mane: dies unus.
Dixit quoq deus. fiat firmamentum in medio aq-
rum: et dividat aquas
ab aquis. Et fecit deus f-
firmamentum: divisitq
aquas que erant sub fir-
mamento. ab hiis que
erant sup firmamentum.
Et factum e ita. Vocavit-
q deus firmamentum ce-
lum. Et factum e vespe
et mane: dies secds. Dix-
it vero deus. Congregentur a-
que que sub celo sunt i
locum unum: et appareat
arida. Factumq est ita.
Et vocavit deus aridam t-
ram: congregationesq aqr
appellavit maria. Et vi-
dit deus quod eet bonu:
et ait. Germinet terra herbam virentem et faciente
semen et lignum pomi-
ferum. faciens fructum
iuxta genus suum: cui'
sem in semetipo sit sup
terram. Et factum e ita. Et
protulit terra herbam vi-
rentem et afferentem se-
m iuxta genus suum:
lignumq faciens fruc-
tum. et hns unumqdq
sementem sm spem sua.
Et vidit deus q eet bonu:
factumq e vespe et mane:
dies tercius. Dixit aut ds:
fiant luminaria in fir-
mamento celi: et dividat
diem ac noctem: et sint
in signa et tempora et dies. et annos: et luceant
in firmamento celi. et illu

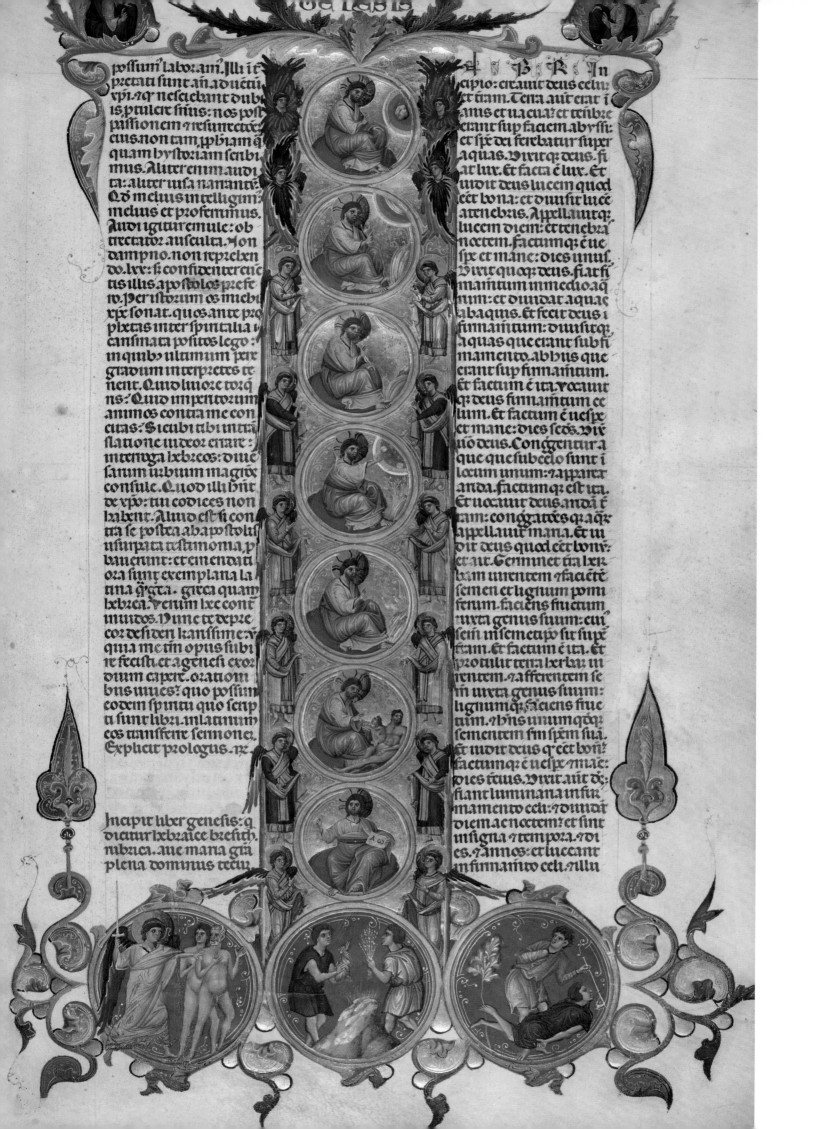

genuit ezechyam. Ezechya
autem: genuit manassen.
Manasses autem: genuit
amon. Amon aut: genuit
josiam. Josia aut: genuit
jecomam et fres eius. in tras
migrat. one babilonis. Et
pt transmigratoem babilo
nis: jeconias genuit sala
thiel. Salathiel autem: genu
it zorobabel. Zorobabel aut:
genuit abiud. Abiud aut:
genuit helyachim. Helya
chim autem: genuit azor.
Azor autem: genuit sadoc.
Sadoc autem: genuit achi.
Achim autem: genuit eli
ud. Eliud autem: gen elea
zar. E
leazar.
autem:
genuit
mathã.
Matha
autem:
gen ja
cob. Ja
cob a:

römischen Zahlen darüber. In den Miniaturen tauchen immer wieder Mönche auf. Zwei Dominikaner in ihrer unverwechselbaren weißen Tunika und schwarzen Kutte mit Kapuze stehen rechts und links des Bischofs Paulinus von Nola († 431) (einer ist in Bild 28.1 zu sehen). Diesem schrieb Hieronymus einen Brief mit der dringenden Bitte, gründlich die Bibel zu studieren, der zum allgemeinen Vorwort der Vulgata wurde.[2] Franziskanermönche in braunen Kutten erscheinen ebenfalls als Empfänger einiger katholischer und Paulus-Briefe (Bild 28.4).

Letztlich aber unterscheidet sich der Bologneser Codex sowohl vom größeren Format als auch von der aufwendigen Illumination her deutlich von einer Taschenbibel. Doch wie im Fall einiger ähnlicher, gegen Ende des 13. Jhs. in Bologna produzierter Bibeln, war die Handschrift für eine andere Zielgruppe gedacht und sollte potenzielle Käufer ansprechen, die in der Lage waren, den wesentlich höheren Aufwand an Arbeit und Können auch zu honorieren. So findet sich jeweils am Anfang des Alten und des Neuen Testaments eine Aufsehen erregende Seite mit der Initiale „I", deren lang ausgezogener Schaft die ganze Blatthöhe einnimmt und mit seinen gewundenen Rankenausläufern bis in den linken und rechten Textblock reicht (Bild 28.2–28.3). Hier wird eine Reihe reich in Farbe gestalteter Figuren auf poliertem Goldgrund präsentiert und durch bewohnte und historisierte Medaillons am oberen und unteren Seitenrand ergänzt. Die Einleitung des Hieronymus-Briefes an Paulinus ist gleichermaßen mit üppigem Pflanzendekor, mehreren bewohnten Medaillons und der riesigen Initiale „F", die den arbeitenden Übersetzer umschließt, ausgeschmückt.[3] Außerdem markieren 103 historisierte Initialen von stilistisch bemerkenswert einheitlicher und hochwertiger Ausführung in Kombination mit schönem Randschmuck die Anfänge der Vorworte und biblischen Bücher. Die Initialen der chronologisch angeordneten Bücher des Alten Testaments enthalten Erzählszenen, die der Propheten und Evangelien sind auf fiktive Porträts ihrer Autoren beschränkt und die der Briefe zeigen den Verfasser wie auch den Empfänger (Bild 28.4). Bei den im eklektischen Stil gemalten figurativen Miniaturen verschmelzen die Künstler italienische Elemente mit denen der byzantinischen Kunst. Zum Beispiel tragen die neben den Schöpfungstagen abgebildeten Erzengel byzantinische Hofgewänder (Bild 28.2). An noch ältere Traditionen denkt man beim Anblick der sitzenden Männer mit über den Knien drapierten Schriftrollen (Bild 28.1). Bei einigen dieser Attribute könnten die Illuminatoren ihre Inspiration von kurz zuvor geschaffenen Werken byzantinischer Künstler bezogen haben.

28.4 | Paulus vertraut einem Mönch eine beschriebene Schriftrolle an, in der Initiale zu seinem Brief an Philemon (oben links); und gibt, mit dem Schwert in der Hand, zwei Figuren Anweisungen, die in der Initiale zu seinem Brief an die Hebräer stehen (unten rechts); fol. 481r (Detail).

LITERATUR

K.-G. Pfändtner, *Die Psalterillustration des 13. und beginnenden 14. Jahrhunderts in Bologna, Deutsche Hochschuledition*, 52 (Starnberg: Ars Una, 1996), Nr. 26.
Alessandro Conti, *La miniatura Bolognese: scuole e botteghe, 1270–1340* (Bologna, 1981), S. 45 ff.
Larry Ayres, „Bibbie italiane e bibbie francesi: il XIII secolo", in: *Il Gotico europeo in Italia*, hrsg. von Valentino Pace und Martina Bagnoli (Naples, 1994), S. 361–374 (S. 370 f.).
Duecento: forme e colori del Medioevo a Bologna, ed. by Massimo Medica and Stefano Tumidei (Venice, 2000), Nr. 114.

ANMERKUNGEN

1 Die Anordnung und Einteilung der Texte in der Pariser Bibel unterschieden sich gravierend von denen in früheren Handschriften und in der Hebräischen Bibel, allerdings auf eine ähnliche Weise wie die in den modernen Bibeln von heute. Zur Anordnung der Texte in der Pariser Bibel siehe Christopher de Hamel *The Book: A History of the Bible* (London, 2001), S. 120 ff.

2 Zu diesem Brief siehe Frankenthaler Bibel, Nr. 21.

3 Vgl. Frankenthaler Bibel, Bild 21.1.

abiit: hec roma de carcere. p supra
scriptum onesimum. Explicit
argumentum. Incipit epistola ad file
monem.

Aulus vi
nctus ihu x
et timothe
us frater.
philemoni
dilecto et
adiutori
nro. et appi
e sorori ka
rissime. ar
chippo com
militoni
nro. et ecclesie que in domo tu
a e: gra uob et pax a deo pre
nro et domino ihu xpo. Gras
ago deo meo semp. memo
riam tui faciens in oronib
meis? audiens karitatem tu
am et fidem quam hes in do
mino ihu et in omis scos: ut
comunicatio fidei tue euidens
fiat in agnitone omis boni
in xpo ihu. Gaudium enim
magnum hui et consolatonem
in caritate tua: quia uiscera
scorum requieuerunt p te fra
ter. Ppt quod multam fiduci
am hns in xpo ihu impa
di tibi. quod ad rem ptinet: pp
karitatem magis obsecro.
cum sis talis ut paulus se
nex. nunc aut et vinctus x
ihu. Obsecro te p meo filio
quem genui in uinculis one
simo? qui tibi aliqn inuti
lis fuit nunc autem et tibi
et michi utilis: quem remi
si tibi. Tu autem illum ut
mea uiscera suscipe. Quem
ego uolueram mecum deti
nere: ut p te michi minist
raret in uinculis euangli. Si
ne consilio autem tuo nic
hil uolui facere: uti ne ue
lut ex necessitate bonum tu
autem aliquid nocuit tibi aut debet:
hoc michi imputa. Ego paulus scp
si mea manu. ego reddam: ut non di
cam tibi. quod et te ipm michi debes. I
ta fr: ego te fruar in domino: refice
uiscera mea in xpo. Confidens de obe
dientia tua scripsi tibi: sciens qm et
sup id quod dico facies. Simul aut: et
para michi hospitium. Nam spero p
orones uras donari me uob. Salu
tat te epaphras concaptiuus ms in x
ihu: marcus. aristarcus. demas. et lu
cas. adiutores mei. Gratia domini
nri ihu xpi. cum spu uro: amen. Ex
plicit epla ad filemonem.

Incipit prolog in eplam ad he
In primis dicendum e hre
cur apls paulus in hac os
epla scribendo non seruauerit
morem suum: ut ul uocabu
lum nominis sui. ul ordis
describeret dignitatem. Hec ci
e quod ad eos scribens qui ex ci
rcumcisione crediderant. qua
si gentium apls et non hebr
eorum? sciens quoque eorum
supbiam suamque humilitatem
ipse demonstrans: meritum
officii sui noluit anferre. Na
simili mo: et iohs apls ppt
humilitatem in epla sua n
nom suum eadem re non p
tulit. Hanc ergo eplam fert
apls ad hebreos conscriptam hebraica
lingua misisse: cuius sensum et ordi
nem retinens lucas euanglista. post
excessum bti apli pauli greco smone co
posuit. Explicit prologus. Incipit
epistola ad
hebreos.

Ultiphariam
multisque
modis olim
deus loquens
patribus in p
phis? noui
sime diebus
istis locuti

29

EIN EVANGELISTAR AUS DER SAINTE-CHAPELLE

Darstellung der Evangelien im mittelalterlichen Paris

Evangelistar in Latein.
Paris, letztes Viertel des 13. Jahrhunderts.

- 310 × 200 mm
- 173 Blatt
- Additional 17341

Im Laufe des 13. Jhs. entwickelte sich Paris zu einer der wichtigsten Metropolen in Europa. Unter Ludwig IX. (reg. 1226–1270) wuchs die Stadt deutlich in Bezug auf ihre Größe, ihren Reichtum und ihren Einfluss.[1] Da sich hier der königliche Hof mit seiner wachsenden Verwaltung, ein mächtiges Bistum und eine blühende Universität befanden, entwickelte sie sich schnell zu einem regen Wirtschaftszentrum, das für seine reichen *libraires* (Buchhändler) in der Rue Neuve Notre-Dame, die Schreiber und Pergamentmacher in der Rue des Ècrivains und die Illuminatoren in der Rue Erembourg de Brie bekannt war. Sie machten Paris zum Mittelpunkt der kommerziellen Buchproduktion und fertigten einige der schönsten illuminierten Handschriften Europas.

Gegen Ende des 13. Jhs. schufen die Pariser Illuminatoren eine bemerkenswerte Bilderserie für dieses prachtvolle Evangelistar. Die in 262 Initialen gemalten Miniaturen markieren die Anfänge der einzelnen Lesungen, die für die vielen Festtage in der Pariser Kirche vorgesehen waren. Einige stellen nur eine Szene dar und sind im Binnenfeld einer meist runden Buchstabenform enthalten, wie die Taufe durch Johannes den Täufer (Bild 29.1). Die meisten füllen jedoch in mehreren „leiterartig" übereinandergestellten Szenen eine große, oft ganzseitige Initiale wie das „I" von *In illo tempore* („Zu jener Zeit"), der traditionellen Eröffnung einer gesungenen oder gesprochenen Lesung in der Messe. Jedes Pergamentblatt des Codex ist mit mindestens einer Initiale geschmückt, manchmal auch mit zwei.

Neben der Geburt und Passion Jesu bieten die Initialen eine große Bandbreite an dargestellten Episoden und Geschichten aus den Evangelien, darunter viele Wunder und Gleichnisse Christi, die in früheren Handschriften nur selten abgebildet sind (Bild 29.2–29.4). Zwar zeigen die Initialminiaturen zumeist Episoden aus der Lesung, die sie einleiten, manche stehen aber auch in einer komplexeren Beziehung zu dieser. So behandelt die Lesung für den Vorabend zu Mariä Himmelfahrt zum Beispiel den Besuch Jesu im Haus von Martha und Maria (Lk 10,38–42). Während der obere Teil der Initiale diesen Text illustriert, führt uns der untere Teil an die Stelle der Evangelienerzählung, wo nach Matthäus dieselbe Maria eine der beiden Frauen war, die Jesus nach seiner Auferstehung begegneten (Mt 28,8–10, Bild 29.4). Die zweite Szene fungiert

29.1 | Johannes der Täufer in seinem Gewand aus Kamelhaaren spricht mit Jesus (Matthäus 3,13–15) und tauft die Menschen im Jordan (Markus 1, 6–8), fol. 3 (Detail).

am prope est regnum
dei. Amen dico uobis:
quia non preteribit ge
neratio hec. donec oi
a fiant. Celum et terra

transibut:
uba autem
mea: non
transient.
Fer. iiij. S.
Mathm.
In illo t.
Dixit
ihs turbis
et discipu
lis suis. A
men dico
uobis: n
surrexit i
ter natos

baptiste usqz nunc reg
num celor uim pati
tur. et uiolenti rapi
unt illud. Omnes e
nim pphe et lex: usqz
ad iohem pphauerunt.
Et si uultis recipere io
hannes ipse est hely
as qui uenturus est.
Qui ht aures audi
endi audiat. Fer. vj.
Initiu sci ewanglij s.
marci.

Rincipium
euuan
gelij
ihu xpisti fi
lij dei. sicut
scriptum est

de ihu. Dñica. xxvij.
S. iohem.
Illo tr:
Cum
sublevas
set oclos
ihc et vi
disset qa
multitu
do maxi
ma ve
nit ad
eum: di
cit ad phi
lippum.
Unde e
memus
panes ut
mandu
cent hy?
Hoc aũt
dicebat:

et philippus. Ducẽ
torum denariorum
panes ñ sufficiunt
eis: ut unusquisq3
modicum quid acci
piat. Dicit ei unus
ex discipulis eius. ã
dreas frater symõis
petri. Est puer unus
hic: qui habet qnq3
panes ordeaceos et
duos pisces. S3 hec
que sunt int̃ tãtos?
Dixit ergo ihc. Facite
homines discumbr̃.
Erat autem fenum
multum: i loco. Dis
cubuerunt ergo vi
ri. numero quasi qn
q3 milia. Accepit er
go ihc panes: et cũ
gratias egisset. dist̃

illo ꝛc.
Dixit
ihs dis
cipulis
suis: pa
rabolā
hanc.
Homo
quidā
erat di
ues. qui
īduieba
tur pur
pura ꝛ
byſſo: ꝛ
epula
bat coti

iuitis ꝛ ne
dabat. Sed
ueniebant: ꝛ
bant ulcera
ctum est aut
reretur menc
portaretur a
in sinum ab
tuus est aut
ꝛ sepultus ē
no. Eleuans
oclos suos cu
in tormentis
abraham a
lazarum in
Et ipse clama
Pater abrah

Cyria. Largi. et sma-
ragdi. Conuocatis
ihesus duodecim. In
vigl. sci laurentii. ew.
Si quis uult post me.
In die. Nisi granum.
Tyburtii et ualeriani.
Nichil opertum quod non.
Ypoliti sociorumque eius.
Attendite a fermento.
In vigl. assumptionis be
virg. marie. S. lucam.

In illo tempore. Factum
est dum
loqueretur
ihesus ad tur
bas: extol
lens uoce
quedam
mulier de
turba. di
xit illi. Be
atus uen

portauit: et ubera que
suxisti. At ille dixit.
Quinimmo: beati qui
audiunt uerbum dei:
et custodiunt illud.
In die assumptionis. Sec.
lucam.

In illo tempore.
Intrauit
ihesus in quod
dam cas
tellum: et
mulier que
dam mar
tha nomine.
excepit il
lum in
domum
suam. Et
huic erat.
soror no
mine ma
ria: que
etiam se

VORHERIGE SEITE (LINKS)

29.2 | Jesus fragt seinen Jünger Philippus, wo sie Brot kaufen können, damit die Leute, die zu ihm gekommen waren, zu essen haben (oben); Andreas findet den Jungen mit den fünf Broten und den zwei Fischen (Mitte); und unten werden die Stücke, die nach dem Essen übrig waren, gesammelt und in Körbe gefüllt (Johannes 6,5–13), fol. 136v (Detail).

VORHERIGE SEITE (RECHTS)

29.3 | Der reiche Mann schlemmt, während ein Hund die Füße von Lazarus leckt (oben); der Reiche stirbt und ein Teufel holt seine Seele (Mitte); und (unten) Lazarus stirbt und seine Seele wird von einem Engel geholt (Lukas 16,19–22), fol. 35 (Detail).

GEGENÜBER

29.4 | Eine Frau ruft Jesus aus der Menge etwas zu (Lukas 11,27–28); Martha nimmt Jesus freundlich auf (Lukas 10,38) und der auferstandene Jesus erscheint den beiden Marien (Matthäus 28,8–10); fol. 147v (Detail).

somit als visueller Kommentar zur anerkennenden Äußerung Jesu über Marias ruhige Ergebenheit im Vergleich zu Marthas Unrast: „Martha, Martha, du machst dir viele Sorgen und Mühen. Aber nur eines ist notwendig. Maria hat das Bessere gewählt, das soll ihr nicht genommen werden" (Lk 10,41–42). Bei diesen Worten sah Jesus voraus, dass Maria ihn als den auferstandenen Christus wiedererkennen wird.

Um die Ursprünge dieser Illustrationen zu verstehen, muss man ins letzte Jahrzehnt der Regierungszeit von Ludwig IX. (reg. 1226–1270) zurückgehen, als die Pariser Illuminatoren jene Handschrift schufen, die eindeutig als Modell für die vorliegende diente. Dieser ältere Codex, der sich heute in der französischen Nationalbibliothek[2] befindet, enthält nicht nur dieselbe Abfolge von 262 historisierten Initialen, auch der Text und die Illustrationen erscheinen an praktisch identischer Stelle auf jeder seiner Seiten. Die Londoner Handschrift ist eine erstaunlich getreue Kopie ihres Pariser Pendants, doch wie mehrere Abweichungen zeigen, bestechen die Bilder im Pariser Codex durch größere Präzision. In der Illustration vom reichen Mann und dem armen Lazarus zeigt die erste Szene oben in der Initiale des Londoner Manuskripts Lazarus, der im Kapuzenmantel vor der Tür des reichen Mannes steht, und einen kleinen Hund, der dessen Geschwüre an den Füßen leckt (Bild 29.3). Im Pariser Codex sieht man ihn sitzend, was dem Text von Lukas näherkommt. Auch stilistisch unterscheiden sich die Miniaturen. Besonders unverwechselbar ist die elegante Rankenborte, die alle Londoner Initialen begleitet und oft auch Figuren umschließt, wie dieses Bischofmischwesen am unteren Rand der Seite mit der Miniatur von Johannes dem Täufer (Bild 29.1). Eine noch größere Lebendigkeit zeigen die Figuren, die randvoll mit Broten und Fischen gefüllte Körbe aus der Initiale tragen, wodurch diese zudem eine recht überzeugende Raumillusion vermittelt (Bild 29.2). In diesem Sinne legten die Künstler der Londoner Handschrift den Grundstein für das 14. Jh. und die Innovationen der zukünftigen Pariser Illuminatoren wie Jean Pucelle (*fl.* 1319–1334).

Zusammen mit dem Pariser Manuskript und zwei noch älteren Evangelistaren war der Londoner Codex einst Teil des luxuriösen Inventars der Sainte-Chapelle auf der Île de la Cité. Die Kapelle wurde im Auftrag Ludwigs IX. des Heiligen für die kostbaren Reliquien aus dem ehemaligen Besitz byzantinischer Kaiser erbaut und 1248 der Jungfrau Maria geweiht. Außerdem gibt es Belege, dass das Pariser Evangelistar schon sehr früh bei königlichen Besuchen in der Sainte-Chapelle verwendet und die Londoner Abschrift für Philipp IV. den Schönen (reg. 1285–1314) als Ersatz für eine ältere Handschrift hergestellt wurde. Nachdem der Londoner Codex im Gegensatz zu den anderen drei noch erhaltenen Evangelistaren anscheinend nie einen Prachteinband bekommen hat, spiegelt seine Beschreibung aus dem Jahr 1349 als Codex von bestechender Schönheit (*pulcherrimum*)[3] wider, dass seine Illuminationen vermutlich zu Recht sehr geschätzt waren.

ANMERKUNGEN

1 Siehe auch die Harley *Bible moralisée*, Nr. 26.

2 Paris, BnF, ms lat. 17326.

3 Im Inventar der Sainte-Chapelle; siehe Kauffmann, „Sainte-Chapelle Lectionaries" (2004), S. 6, Anm. 18.

LITERATUR

Le Trésor de la Sainte-Chapelle, hrsg. von Jannic Durand und Marie-Pierre Laffitte (Paris, 2001), Nr. 42.

C. M. Kauffmann, „The Sainte-Chapelle Lectionaries and the Illustration of the Parables in the Middle Ages", *Journal of the Warburg and Courtauld Institutes*, 67 (2004), S. 1–22.

30

DER QUEEN MARY PSALTER

Eine unvergleichliche Illumination

Psalter in Latein.
London?, 1. Viertel des
14. Jahrhunderts.

- 275 × 175 mm
- 319 Blatt
- Royal 2 B. vii

In England änderte sich der Geschmack auch im Verlauf des 14. Jhs. nicht, man fand trotz der aufkommenden kleineren, individuelleren Stunden- oder Andachtsbücher weiterhin mehr Gefallen an großformatigen und reich bebilderten Psaltern. Mit seinen über 1000 Bildern ist der Queen Mary Psalter, eine der am aufwendigsten illustrierten biblischen Handschriften, die je erstellt wurden, ein hervorragendes Beispiel dafür. Die Miniaturen, die den Text der Psalmen einleiten, kommentieren und ausschmücken, sind, sowohl was die farbigen Zeichnungen als auch die Gemälde anbelangt, zu Recht für ihre künstlerische Perfektion berühmt. Die Handschrift ist nicht nach einem früheren Besitzer, sondern nach Königin Maria I. Tudor (reg. 1553–1558) benannt, die sie 1553 von einem diensteifrigen Zollbeamten namens Baldwin Smith geschenkt bekam, weil dieser einen Export des Codex verhindern wollte. Obwohl es keine heraldischen oder schriftlichen Beweise dafür gibt, dass der ursprüngliche Auftraggeber ebenfalls königlichen Geblüts war, lässt die Qualität und luxuriöse Ausstattung des Codex dennoch darauf schließen. Der Künstler – ungewöhnlicherweise stammen alle Illustrationen anscheinend von ein und derselben Person – ist heute als Meister des Queen Mary Psalters bekannt.

Der Psalter ist einer von sieben englischen Codices, die ungewöhnlich ausführliche Bilderzyklen (mit etwa 100 bis 480 Szenen) zum Alten Testament und eine Tradition aus dem Frühmittelalter wieder aufnehmen.[1] Zumeist überwiegen in diesen Handschriften die Bilder zum Buch der Genesis, wie auch im Queen Mary Psalter, in dem 66 der 223 Bilder des Präfationszyklus diesem Themenkreis zuzuordnen sind. Einige Ereignisse wie der Engelsturz und die Erschaffung der Tiere durch Gott (Bild 30.1 und Abb. 10 auf S. 28) werden auf je einer ganzen Seite geschildert. Doch die größeren Miniaturen sind eher die Ausnahme, in der Regel sieht man zwei Szenen pro Seite, aufgeteilt in gerahmten Registern, wie etwa die Erschaffung von Adam und Eva zusammen mit Gottes Mahnung, nicht vom Baum der Erkenntnis zu essen (Bild 30.6). Alle Illustrationen wurden als Strichzeichnungen mit dunkelbrauner Tinte angefertigt und mit farbigen Lavierungen in einer begrenzten Palette von Grün, Lila und Braun schattiert, um die Details zart zu betonen.

30.1 | Gott, der Schöpfer, und unten der Engelsturz, fol. 1v (Detail).

UMSEITIG
30.2–30.3 | Der Einzug in Jerusalem, mit der Dreifaltigkeit in der historisierten Initiale „D"*ixit* darunter und (unterer Rand) Stephanus belehrt drei Figuren am Anfang von Psalm 110; und (gegenüber im Uhrzeigersinn von oben links) Jesus heilt einen Blinden, wird von einer Frau gesalbt, hat den Vorsitz beim letzten Abendmahl und antwortet den Pharisäern, mit der Steinigung des Stephanus (unterer Rand); fol. 233v–234.

Coment lucifer chayit de ciel e devient diable · e g̃nt multitude des angeles

Dixit dominus do
mino meo. sede a
dextris meis
Donec ponam i

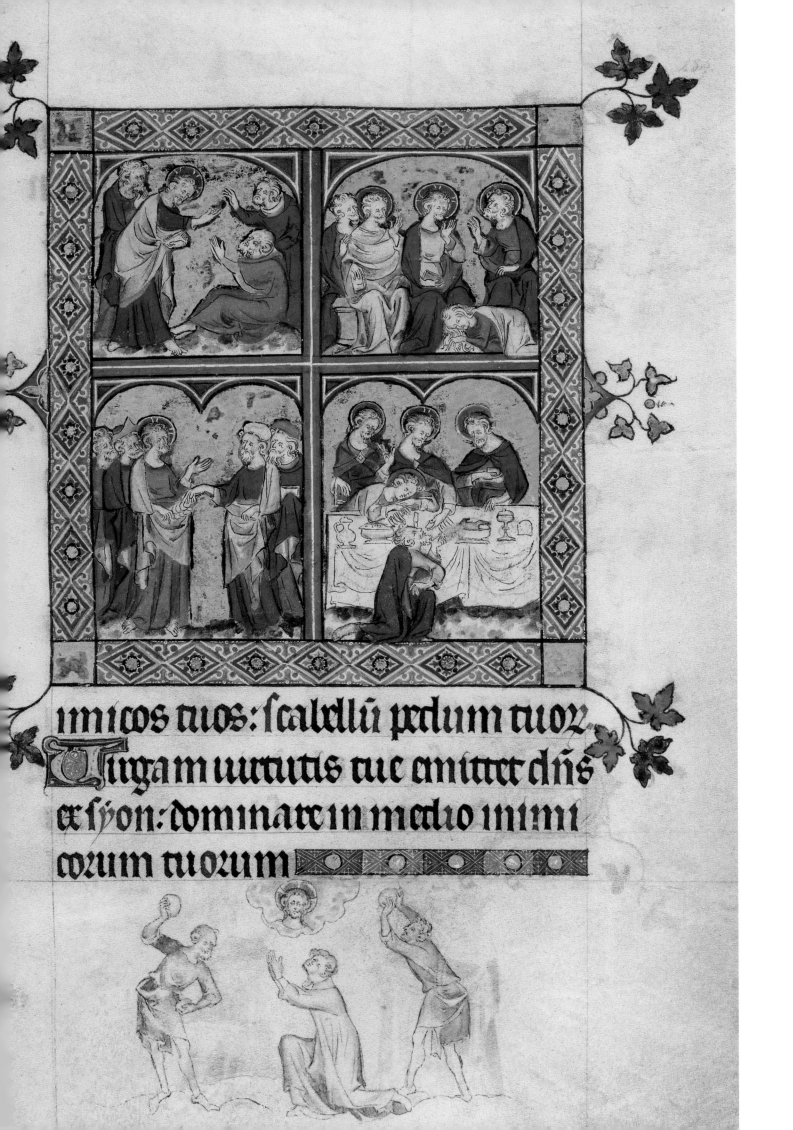

inimicos tuos: scabellū pedum tuoꝝ
Virgam virtutis tue emittet dn̄s
ex syon: dominare in medio inimi
corum tuorum

Dixit insipiens in
corde suo: nō est dš.
Corrupti sunt &
abhominabiles fc̄i

sũt ĩ iniquitatibꝫ: non est qui fa
ciat bonum

Deus de celo ꝓspexit super filios ho
minũ: ut uideat si est intelligens

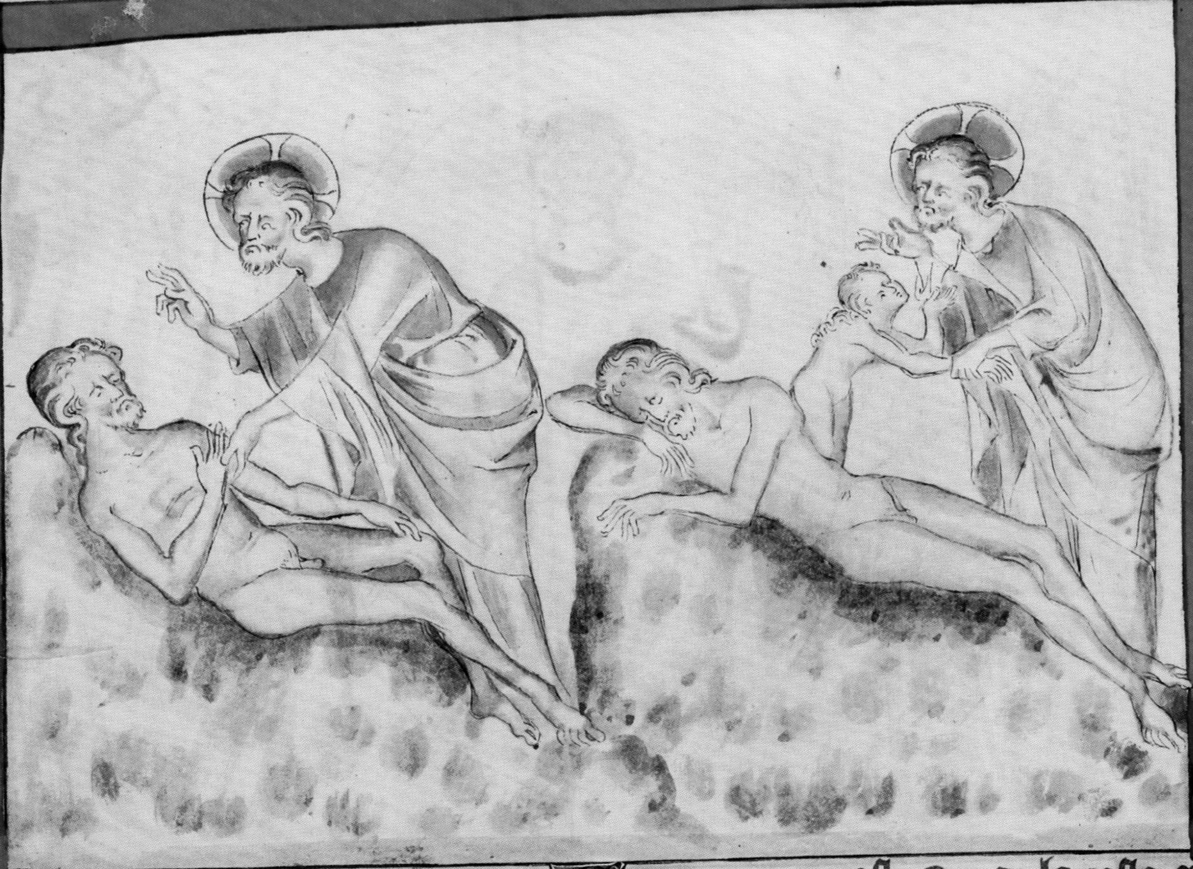

Coment deus crea adam. Coment deu creast Eue de la coste adam.

Coment deu baillia a Adam & a Eue paradys terrestre a gardir e lur defendoit le fruyt de cel arbre.

VORHERIGE SEITEN

30.4–30.5 | Jesus lehrt im Tempel, mit dem Narren in der Initiale „D"*ixit* darunter und einer Jagdszene (unterer Rand, am Anfang von Psalm 53; und gegenüber Jesus debattiert als Kind mit den Schriftgelehrten im Tempel sowie (am unteren Rand) Jagdszene mit Falken; fol. 150v–151r.

GEGENÜBER

30.6 | Die Erschaffung von Adam und Eva (oben) und Gottes Ermahnung, nicht vom Baum der Erkenntnis zu essen (unten), fol. 3r.

Unter den gerahmten Zeichnungen stehen die zumeist kurzen und prägnanten Legenden in Französisch. Zum Beispiel lautet der Untertitel zu Gottes Erschaffung von Adam und Eva (Bild 30.6): *Coment deus crea adam* („Wie Gott Adam erschuf") und *Coment deu creast Eve de la coste adam* („Wie Gott Eva aus der Rippe Adams erschuf").

Mit einer ganz anderen Technik in kräftigen Farben auf leicht gemustertem oder goldenem Grund wurden die Illustrationen der historisierten Initialen erstellt, die wichtige Abschnitte der Psalmeneinteilung markieren. Wie in vielen aus England stammenden Psaltern sind die acht liturgischen Psalmengruppen mit den „drei Fünfzigern" in einer Zehner-Aufteilung kombiniert, von denen jede mit einer großen illuminierten Initiale beginnt (Psalm 1 ist Teil beider Systeme).[2] Die im Laufe der Zeit standardisierten Bildmotive dieser historisierten Initialen beziehen sich fast immer auf das Leben Davids, die ersten Textzeilen oder die Titel der Psalmen selbst. So sieht man in der Initiale zu Psalm 53, der mit *Dixit insipiens in corde suo non est Deum* („Der Narr spricht in seinem Herzen: Es gibt keinen Gott") beginnt, einen sitzenden König, wahrscheinlich David, der im Beisein seines Hofnarren mit dem Finger nach oben auf Gott in einer Wolke zeigt (Bild 30.4).

Zur Ausstattung des Psalters gehört auch ein großer, vollständig gemalter Bilderzyklus zum Leben Jesu. Er beginnt bei Psalm 1 mit der Verkündigung, Mariä Heimsuchung und Geburt Jesu, setzt sich durchgehend über die Gebete und Litanei hin fort und endet mit Heiligen, die ein Christusbild anbeten. Noch umfangreicher ist ein weiterer Zyklus, der die Seiten unter dem Text der Psalmen und der anschließenden Gebete mit figürlichen Bas-de-page-Illustrationen schmückt. Es handelt sich wie im Präfationszyklus um lavierte Federzeichnungen. Die Bilderfolge beginnt auf der zweiten Textseite der Psalmen und läuft kontinuierlich über 464 Seiten bis zum Ende der Litanei durch. Die Figuren sind, wie bei einem so ausführlichen Zyklus zu erwarten, sehr verschieden, wenn auch viele in Gruppen erscheinen. So sind von Psalm 90 bis 108 überwiegend Szenen aus dem Leben Jesu zu sehen, gleich danach eine Bildsequenz der heiligen Märtyrer in der Reihenfolge des Kalenders, beginnend mit Stephanus (Bild 30.2–30.3). Es folgen lange Zyklen aus dem Leben von Thomas Becket und Maria Magdalena. Doch andere Bildmotive treten nicht in Gruppen, sondern eher als „bunte Mischung" auf und umfassen auch Jagdszenen wie unter dem Textanfang von Psalm 53 (Bild 30.4–30.5).[3] Mit ihrer unglaublichen Vielfalt und Schönheit lassen diese gezeichneten und gemalten Illuminationen auf bewegende Weise die spirituelle wie die säkulare Welt vor unseren Augen erstehen.

ANMERKUNGEN

1 Siehe C. M. Kauffmann, Biblical Imagery in Medieval England, 700–1550 (London, 2003), S. 215.

2 Vgl. Vespasian-Psalter und Tiberius-Psalter, Nr. 3 und 13.

3 Warner, *Queen Mary's Psalter* (1912), S. 39.

LITERATUR

George Warner, *Queen Mary's Psalter: Miniatures and Drawings by an English Artist of the 14th Century, Reproduced from Royal MS. 2 B. VII in the British Museum* (London, 1912).

Lucy Freeman Sandler, *Gothic Manuscripts, 1285–1385*, 2 Bde., A Survey of Manuscripts Illuminated in the British Isles, 5 (London, 1986), II, S. 16–19, 25, 30–34, 38, Nr. 56.

Kathryn A. Smith, „History, Typology and Homily: The Joseph Cycle in the Queen Mary Psalter", *Gesta*, 32 (1993), 147–159 (Abb. 1, 5–8).

Anne Rudloff Stanton, „The Queen Mary Psalter: A Study of Affect and Audience", *Transactions of the American Philosophical Society*, new series, 91 (2001), 1–287.

31

DIE WELLES-APOKALYPSE

Die Offenbarung in Anglonormannisch

Offenbarung, mit Kommentar, in Anglonormannisch, beigebunden *La lumere as lais* von Peter of Peckham. England, um 1310.

- 450 × 300 mm
- 215 Blatt
- Royal 15 D. ii

Nicht nur, aber vor allem aufgrund ihres Formats ist die Welles-Apokalypse „die größte" in der englischen Offenbarungs-Tradition (und sogar etwas größer als ein modernes A3-Buch).[1] In der Tat hat sie die Größe einer romanischen Riesenbibel und war vielleicht wie diese als Pultexemplar zum lauten Vortragen des Textes gedacht.

Die meisten englischen Apokalypsen wurden zwar in der zweiten Hälfte des 13. Jhs. hergestellt, aber die Beliebtheit dieses visionärsten neutestamentlichen Buches blieb auch im 14. Jh. bestehen. In der Mehrzahl waren die späteren Bücher aus England nicht in Latein, sondern in Anglonormannisch verfasst, um sie der adligen und höfischen Leserschaft zugänglich zu machen, die noch immer das Französische bevorzugte. Diese Handschrift ist heute als Welles-Apokalypse bekannt, weil sie 1430 zur Bibliothek von Lionel de Welles, dem 6. Baron Welles (1406–1461), zählte.

Vielleicht lag der ungebrochene Reiz, der von diesen illustrierten Apokalypsen ausging, zum Teil auch darin, dass sie als eine Art „sakrales Äquivalent" profaner Geschichten wie denen der Artussage und anderer Ritterepen dienten.[2] Von den 25 zwischen 1275 und 1350 in England entstandenen illuminierten Apokalypsen sind zwanzig auf Französisch, in Prosa oder Lyrik, verfasst.[3] Natürlich bieten sich dafür die in der Bibel geschilderten epischen Schlachten und Heldenkämpfe die *grant bataille* im Himmel, bei der Michael und seine Engel mit *le dragun e ses aungeles* („dem Drachen und dessen Engeln") kämpfen (Offb 12,7; Bild 31.1), geradezu an. Da die Miniaturen in der Welles-Apokalypse mit kräftigen Primärfarben auf gemusterten Hintergründen gemalt und zudem vereinfacht dargestellt sind, wie etwa das Tier mit seinen sieben Köpfen (*k[i] aveit set testes*, Bild 31.4), das aus dem Meer steigt *(une beste mounter de la mer)*, wirkt diese Handschrift wie ein Märchenbuch.

Die hochwertige Illumination der Welles-Apokalypse umfasst eine Fülle gänzlich gemalter Miniaturen zum Text sowie faszinierende Initialen mit Frauen- und Männerköpfen (Bild 31.3). Eine der beiden ganzseitigen Miniaturen (Bild 31.2) zeigt eine am Himmel geöffnete Tür, wie am Anfang

31.1 | Der große Kampf im Himmel: Michael und seine Engel kämpfen mit dem Drachen (Offenbarung 12,7), fol. 154v (Detail).

UMSEITIG

31.2–31.3 | Die Majestas Domini, mit den 24 Ältesten und den vier Lebewesen in den Ecken, und (unten) Johannes steigt auf einer Leiter in den Himmel hoch (Offenbarung 4,1–6); und (gegenüber) ein Frauen- und ein Männerkopf in den Initialen, fol. 117v–118r.

Tel taũt de iurs ki amuntunt a treis
aunz. e. demi. ke. antecrist regne. Ceo
est tuz les iurs de ceste vie. kar taũt
dure la guere au diable

E graunt bataille est fet au ciel.
Michael. e. ses aungles se cũba
tent encountre le dragun. e. ses aunge
les. E. li dragun. e. ses aungeles ne li

118

Apres ceste uist seint iohan.
Estes uos le us ouert du
ciel. e. la uoice primere. k'il
oi ausi cume de busine
lui dit. Muntez ca. ieo uos mustrai les
choses ke uendrunt tost apres ceste une. e.
tauntost fu en espirit. Si cum uos poez ueer
en la procheine figure sanz une del au
tre part la foille deuaunt.

Estes uos un siege mis en ciel.
e. sur le siege un seaunt. e.
li sire. ke i seiet resemblout
a regarder cum pere de iaspe
e. sardine. e. le arck du ciel fu enuiroun
le siege. ke resemblout auer semblaunce
cum esmeraude.

Ceo. ke seint iohan
ueit le us ouert du ciel.
signefie. ke lui bon prelat

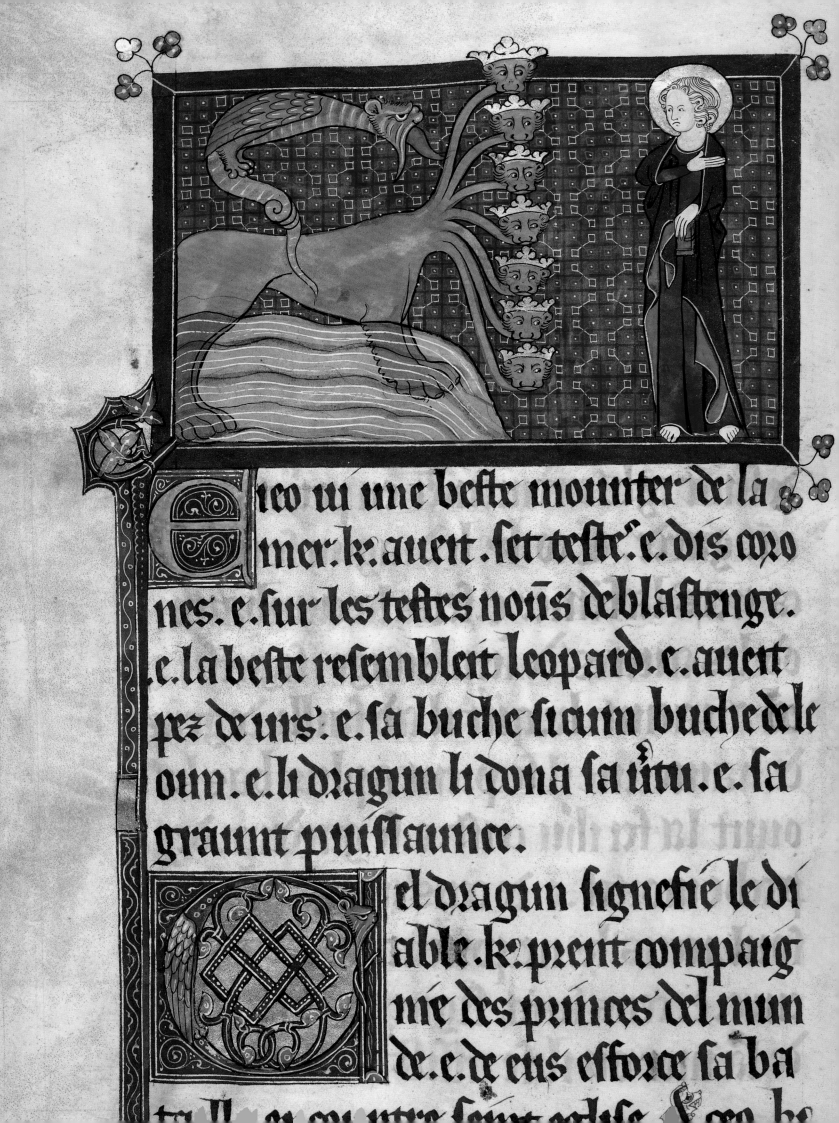

xiij.

E ieo vi une beste mounter de la
mer. k'. auert. set testes. e. dis coro
nes. e. sur les testes nou͂s de blastenge.
e. la beste resemblet leopard. e. auert
pez de urs. e. sa buche sicum buche de le
oun. e. li dragun li dona sa vertu. e. sa
graunt puissaunce.

Cel dragun signefie le di
able. k'. prent compaig
nie des princes del mun
de. e. de eus efforce sa ba
taille encountre seint eglise. ...

31.4 | Das Tier mit den sieben Köpfen (Offenbarung 13,1), fol. 157v (Detail).

des vierten Kapitels beschrieben, dessen Text auf der gegenüberliegenden Seite steht: *Apres cest vist seint ioh[a]n. E estes vo[s] le us overt du ciel* („Danach sah Johannes nach oben, und siehe, eine Tür war aufgetan im Himmel“). Man sieht Johannes im Bild die Leiter zu einem Engel hochsteigen, der ihm das zeigen wird, „was dann geschehen muss“ (Offb 4,1). Über ihm befindet sich die Vision der Majestas Domini umgeben von den vierundzwanzig Ältesten und den vier Lebewesen „voller Augen, vorn und hinten“ (Offb 4,2–6).

Der Begleitvers wurde von der Ichform in der Vulgata in die Erzählperspektive aus der dritten Person geändert, was durchaus darauf hindeutet, dass der Text beim Betrachten der Bilder laut vorgelesen werden sollte. Im Anschluss an diesen veränderten Bibeltext wird durch eine weitere hinzugefügte Zeile die Aufmerksamkeit auf das Bild gegenüber gelenkt: *Si cu[m] vo[us] poez veer en la procheine figure sau[n]z une del autre part la foille devau[n]t* („Wie Ihr im zugehörigen Bild sehen könnt, das sich hier im anderen Teil auf dem gegenüberliegenden Blatt befindet“). So eine Anweisung gibt es nur in der Welles-Apokalypse, und erst jüngst wurde die These laut, sie sei an die junge Frau in der begleitenden Initiale gerichtet, die direkt auf das Bild blickt, wenn das Buch geschlossen ist.[4] Die Anweisung dürfte auch die Rolle der Bilder als wichtigstes Element der volkssprachlichen Apokalypse belegen.

Dreien der illuminierten Apokalypsen aus dem frühen 14. Jh., diese hier mit eingeschlossen, ist ein langer Leitfaden mit religiösen Unterweisungen in französischen Paarreimen beigebunden, der unter dem Titel *Lumere as lais* oder *Licht (Erleuchtung) für den Laien* von dem Engländer Peter of Fetcham (Peckham; fl. 1267–1276) verfasst wurde. Nach dem vernichtenden Urteil eines modernen Forschers ist das *Lumere* „ein langweiliges Werk, ohne jeden Sinn und Stil“.[5] Wie hoch seine literarische Qualität auch sein mag, es richtet sich jedenfalls schon im Titel an eine Laienleserschaft. Und da es einer in die Volkssprache übersetzten Apokalypse beigefügt ist, lässt sich der Schluss ziehen, dass auch sie wohl primär für Laien und nicht für Kleriker gedacht war.

ANMERKUNGEN

1 Sandler, „*Lumere as lais and its Readers*“ (2012), S. 80 f.

2 C. M. Kauffmann, *Biblical Imagery in Medieval England, 700–1550* (London, 2003), S. 166.

3 Morgan, „Illuminated Apocalypses“ (2005).

4 Sandler, „*Lumere as lais and its Reader*“ (2012), S. 89 f.

5 Legge, *Anglo-Norman Literature* (1963), S. 215.

LITERATUR

M. Dominica Legge, *Anglo-Norman Literature and its Background* (Oxford, 1963), S. 214–218.

Nigel J. Morgan, „Illuminated Apocalypses of Mid-Thirteenth-Century England: Historical Context, Patronage and Readership“, in: *The Trinity Apocalypse (Trinity College Cambridge, ms R.16.2)*, hrsg. von David McKitterick (London, 2005), S. 3–22.

Nigel Morgan, „Latin and Vernacular Apocalypses“, in: *The New Cambridge History of the Bible*, 4 Bde. (Cambridge, 2012–2015), II: *From 600 to 1450*, hrsg. von Richard Marsden und E. Ann Matter (2012), S. 404–426.

Lucy Freeman Sandler, „The *Lumere as lais* and its Readers: Pictorial Evidence from British Library ms Royal 15 D ii“, in: *Thresholds of Medieval Visual Culture: Liminal Spaces*, hrsg. von Elina Gertsman und Jill Stevenson (Woodbridge, 2012), S. 73–94.

32

DIE HOLKHAM-BILDERBIBEL

Eine Bibel in Bildern

Bilderbibel in Anglonormannisch und anderen Sprachen.
London, um 1320–1330.

- 285 × 210 mm
- 42 Blatt
- Additional 47682

Gleich zu Beginn zeigt die Holkham-Bilderbibel eine ungewöhnliche Szene: Ein sitzender Künstler wendet sich zu einem stehenden Mann um, der in eine weißen Tunika und die schwarze Kapuzenkutte eines Dominikanermönchs gehüllt ist (Bild 32.2).[1] Das Bild ist heute stark abgerieben, vermutlich weil der Codex längere Zeit nicht gebunden war. Dennoch kann man die Worte beider Männer, die in Paarreimen auf den Spruchbändern neben jedem stehen, noch entziffern. Der Mönch weist mit nachdrücklichen Gesten den Künstler an, er solle „gut und sorgfältig arbeiten, denn es wird bedeutenden Leuten gezeigt werden“ *(Ore feres been e nettement kar mustre serra a riche gent)*. Der Künstler antwortet: „Das will ich tun, und wenn Gott mich leben lässt, wirst du niemals ein solches Buch noch einmal sehen“ *(Si frai voyre e Deux me doynt vivere Nonkes ne veyses un autretel livere).* Fast 800 Jahre später behält der Künstler mit seiner Aussage noch immer recht, denn es gibt kein mit der Holkham-Bibel vergleichbares Buch. Sie blieb mit ihrer Kombination aus alt- und neutestamentlichen Bibelszenen und den gereimten französischen Erklärungs- und Spruchbandtexten ein Einzelstück und ist, wie eine heutige Autorin bemerkt, „ein seltsames und schönes Ding“.[2]

Ihren Beinamen erhielt die Handschrift aus der Library von Holkham Hall in Norfolk, wo sie sich in der Sammlung des Earl of Leicester befand, bis sie 1952 durch Ankauf in den Besitz der British Library kam. Der Codex enthält nicht die ganze Bibel, sondern nur drei Abschnitte: Genesis bis Noah (fol. 2–9); die Evangelien, ergänzt durch apokryphe Versionen zum Leben Christi (fol. 10–28) und Offenbarung (fol. 39–42v). Die zarten und detaillierten Miniaturen dominieren den Text und wurden – anders als sonst in der mittelalterlichen Buchherstellung üblich – auch vor diesem angefertigt.[3] Im Vergleich zur Größe der Bilder ist der Platz für die Beischriften sehr knapp bemessen.[4] Nicht selten laufen die Schriftfelder recht ungeschickt in die seitlichen oder unteren Blattränder weiter und sind ungleichmäßig um die Illustrationen herum geschrieben, sodass einige Bilder bis in den Textblock reichen, wie etwa beim Baum der Erkenntnis im Bild des Sündenfalls und der Vertreibung (Bild 32.1).

32.1 | Der Sündenfall und die Vertreibung aus dem Paradies, fol. 4r.

Eue tot au deble disaunt. Cet pomer icy le fruit portaunt.

Ssai uous ueer icy ēscrit. En meme
la gise ca adā fet. Cauint deux estoit
en cel monde. E ont adā + eue lesse.
Vint le deable + a eue dit. Keest
ceo q̄ deux vus defendit. le fruit q̄ ceo
en ce pomer. Est tute sa force + son poer.
Pren la pomme si la mãgez. E cauin

ke il feet vus sauez. Eue de
seu estoit tro feble. E
meintenant ele crut le
deble. Ele prist la pou
me + la mordist. E a adā
de la mein la prit. Un
aungel tu meintenaunt
vint.

Ou ine esspe tut a maint. Hors de paradis les alla bu ter. Lur vie en secle la burer.

OBEN

32.2 | Ein Mönch und ein Künstler im Gespräch, am Anfang des Buches, fol. 1r (Detail).

GEGENÜBER

32.3 | Der Evangelist Johannes mit seinem Symbol, dem Adler, und (unten) der Teufel und Jesus sowie Mariä Verkündigung, fol. 11v.

Quide tu les almes
ne ira pas lungement
Le tens est venu
Le angel

venist

Coment un angel aparuth a pastureus ou ioye muth. Gl'a in excelsis chantant. E dist alez lo
er li tut puissant. veez la signe de grant poer. alez tot ne feres targer. li un a l'autre grant poer
mettrost. pur dire le chant q' le angel chantoyt. li un dist Glum glo ceo ne est rien. Alums la
nouns la saverums ben.

Coment les pastureus de lur chenerie. Feseient ioye a la virge marie. E le chant q' le
angel out chaunte. En le honour de la nativite. Songen al le wid one stevene.
Also þe angel song þat cam fro heuene.
Te deum & Gloria. la contenance veiez
cha.

32.4 | Ein Engel verkündet den Hirten die Geburt des Herrn, und (unten) die Hirten beten das Jesuskind an, fol. 13r.

Bis auf wenige Ausnahmen bestehen die Bildlegenden im ersten Teil der Handschrift aus anglonormannischen Versen (im restlichen Teil wechseln sie zur Prosa). Die Paarreime erinnern an die gereimten Dialoge in mittelalterlichen Mysterienspielen, die teilweise dieselben Themen darstellen, mit dem Schwerpunkt auf der Kindheit und Passion Jesu.[5] In einigen Fällen, wie auch im Eröffnungsbild mit Mönch und Künstler, erscheinen die Legenden auf Spruchbändern. Ein anderes Beispiel taucht am Anfang des Evangelienzyklus auf (Bild 32.3), wo der Verkündigung Mariä ein ungewöhnlicher Dialog zwischen Christus und dem Teufel vorangeht, in dem die bevorstehenden Ereignisse vorausgesagt werden:

Satanas, quey pense tu fere?
Quide tu les almes tutes a tey trere?
I[l] ne ira pas lungement issy:
Le tens est venu que ieo en ara merci.

Satan, was hast du vor?
Willst du versuchen, alle Seelen zu gewinnen?
Das wird nicht lange so sein:
Für mich ist die Zeit gekommen, Gnade zu zeigen.[6]

Wie in den Spielen werden die bekannteren Verse in Latein und nicht in Anglonormannisch wiedergegeben, wie die Begrüßung Mariens durch den Engel: *Ave maria gr[ati]a plen[a]s [sic] d[omi]n[u]s tecu[m]* („Sei gegrüßt, Maria, du Begnadete, der Herr sei mit dir") und ihre Antwort, beide in Rot geschrieben (Bild 32.3). Als weitere Sprache kommt Mittelenglisch vor (Bild 32.4). Der Text berichtet, dass die Hirten, als sie von der Geburt Jesu hörten, auf ihren Dudelsäcken spielten und mit dem Chor der Engelstimmen, die aus dem Himmel schallten, Lieder sangen *(Songen alle wid one stevene Also þe angel song þat cam fro hevene)*. Das Spruchband zeigt jedoch das Gloria in Latein. In seiner Mehrsprachigkeit spiegelt der Text den realen dreisprachigen Alltag im mittelalterlichen England wider. Außerdem könnte ein Geistlicher die Holkham-Bibel, wie viele andere große volkssprachliche Bücher mit unzähligen Illustrationen, einem Publikum aus einflussreichen und mächtigen Leuten *(riche gent)* präsentiert, vorgelesen und erklärt oder ausgelegt *(serra mustre)* haben, wie bereits im Anfangsbild zu sehen ist.

ANMERKUNGEN

1 Zu Mönchen siehe die Bologneser Bibel, Nr. 28.

2 M. Dominica Legge, *Anglo-Norman Literature and its Background* (Oxford, 1963), S. 241.

3 Wie in der Harley *Bible moralisée*, Nr. 26.

4 Vgl. die altenglische Apokalypse, Nr. 27, in der Text und Bild gleich viel Raum zugemessen wurde.

5 Siehe Diskussion in Kauffmann, *Biblical Imagery* (2003).

6 Englische Übersetzung von Brown in *Holkham Bible* (2007), S. 44.

LITERATUR

Susanne Kolter, „Sintflut und Weltgericht: Beobachtungen zum Fünfzehn-Zeichen-Zyklus im Holkham Bible Picture Book", *Marburger Jahrbuch für Kunstgeschichte,* 31 (2004), S. 61-82.

The Holkham Bible Picture Book, Faksimile, hrsg. von William Hassall (London, 1954).

The Anglo-Norman Text of the Holkham Bible Picture Book, hrsg. von F. P. Pickering, Anglo-Norman Texts, 23 (Oxford, 1971).

C. M. Kauffmann, *Biblical Imagery in Medieval England, 700–1550* (London, 2003), S. 225, S. 231–242.

The Holkham Bible Picture Book: A Facsimile, kommentiert von Michelle Brown (London, 2007).

John Lowden, „The Holkham Bible Picture Book and the *Bible moralisée*", in: *The Medieval Book: Glosses from Friends and Colleagues of Christopher de Hamel,* hrsg. von James H. Marrow, Richard A. Linenthal und William Noel (Houten, 2010), S. 75–83.

33

DER ST-OMER-PSALTER

Eine Fülle prachtvoller Randminiaturen

Psalter in Latein.
Norfolk, um 1330 (mit späteren Ergänzungen).

- 335 × 225 mm
- 175 Blatt
- Yates Thompson 14

Dieser einst für einen Ritter aus der Familie St. Omer in Mulbarton, etwa zehn Kilometer südwestlich von Norwich, geschaffene Psalter galt als „eines der letzten Meisterwerke ostanglischer Buchmalerei".[1] Einen Einblick in die Pracht und Komplexität der Ausschmückung geben die vier großen Einleitungsseiten, die im zweiten Viertel des 14. Jhs. vollendet und für alle liturgischen Hauptabschnitte des Psalters geplant waren. (Die anderen Teile der Ornamentik wurden erst im folgenden Jahrhundert fertiggestellt.) Jede von diesen ist unglaublich detailliert, vor allem bei den Randbildern, die mit ihren verschiedenen Szenen die Seite bereichern. Die Handschrift ist eine von mehreren einzigartigen Psaltern, die aus England stammen und in Verbindung mit Ostanglien in Auftrag gegeben wurden (hierzu zählen auch der Gorleston- und der Douai-Psalter, die beide eine in Gold geschriebene Dedikation der Kirche St. Andrew, Gorleston bei Yarmouth enthalten, und der Macclesfield-Psalter, der vor circa zehn Jahren in der Bibliothek des Earl of Macclesfield in Shirburn Castle entdeckt wurde).[2] Alle Codices sind durch den erkennbar englischen Malstil geprägt und belegen das anhaltend große Interesse an Psaltern in England, als in anderen Teilen Nordeuropas immer häufiger Stundenbücher bevorzugt wurden.[3]

Die Beatus-Seite, die den Beginn der Psalmen verziert und illustriert, ist ein Paradebeispiel für die außerordentlich kunstvolle Gestaltung (Bild 33.1, 33.3). Schön gemalte Figuren, Tiere und Ranken mit Blattwerk umgeben den Text. Allein schon die Miniatur in der historisierten Initiale „B" ist unglaublich detailliert und zeigt einen schlafenden Jesse, dem ein Ast aus seinem Körper wächst. Der Ast bildet Rundranken, die David mit der Harfe, Salomon mit einem Schwert und (oben) Maria, die von einem Kind gekrönt wird, umschließen (Bild 33.1).[4] Auf beiden Seiten sieht man Erzväter (ein gehörnter Moses rechts mit den Gesetzestafeln), Propheten mit Schriftrollen und Engel, die verschiedene Musikinstrumente spielen, in den äußeren Sektoren des Buchstabens. Die Ikonographie des Jessebaumes leitet sich von der Prophezeiung Jesajas ab: „Aus dem Baumstumpf Isais wächst ein Reis hervor, ein junger Trieb aus seinen Wurzeln bringt Frucht" (*egredietur virga de radice Iesse et flos de radice eius ascendet*;

33.1 | Die Wurzel Jesse oder der Jessebaum in der Initiale „B"*(eatus)*, am Anfang der Psalmen, fol. 7r (Detail).

dra pestilencie non sedit.

Sed in lege domini voluntas eius

lege eius meditabitur die ac nocte

Jes 11,1), wobei *virga* oder Baumstumpf als Hinweis auf *virgo* oder die Jungfrau interpretiert wird. Exegetisch ist es eine interessante Wahl, einen Jessebaum in die Psalmen miteinzubeziehen, denn in der Regel erscheint dieses Bild im Matthäusevangelium, das mit der Genealogie Jesu beginnt (z. B. Bologneser Bibel, Bild 28.3). In den ostanglischen Psaltern wird David als Psalmist in Begleitung von Musikanten auf innovative Weise im breiteren Kontext einer christologischen Interpretation der Psalmen gezeigt.[5]

So sieht man in den neun großen Rundbildern, deren Erzählung am linken unteren Rand beginnt und sich bis oben am rechten Rand fortsetzt, einen Abriss der biblischen Geschichte, wie sie im Buch Genesis beschrieben ist, von der Schöpfung bis zur Trunkenheit Noahs (Bild 33.3). Doch diese Szenen werden sogar noch durch kleinere und schmal gefasste in den Zwischenräumen ergänzt, die eine Fülle von eindrucksvollen Details bieten. Diese reiche Ausstattung ist beispielhaft, wie ein Forscher feststellte, für „ein völlig neues System der Buchillustration, bei der dichtgedrängte erzählende Bilder an den unteren Seitenrand geschoben wurden"[6], das sich Ende des 13. Jhs. in England entwickelte.

Der Auftraggeber selbst und seine Frau sind in diese Randillustration eingebettet. Sie erscheinen in der Mitte über dem Baum der Erkenntnis jeweils zwischen diesem und Gottes Mahnung links und der Vertreibung rechts. Der Mann ist als Ritter in der Rüstung und mit dem Schild von St. Omer dargestellt und könnte von daher Sir William de St. Omer sein († nach 1347). Wir können uns vorstellen, wie Sir William und seine Frau ihren Psalter aufschlagen und sich selbst inmitten der Schöpfungsbilder mit nach oben gerichtetem Blick auf den Begleittext zu den visuellen Reminiszenzen an die Schöpfung und Erlösung der Menschheit knien sehen.

Diese ikonographische Raffinesse wird in den Initialen und den Originalbildern deutlich. Zum Beispiel zeigt das „D"*(ixit)* der Initiale zu Psalm 110 („Der Herr sprach zu meinem Herrn") ein Bild von Christus beim Jüngsten Gericht, wie er seine Wunden präsentiert, zusammen mit Fanfaren blasenden Engeln sowie Toten, die aus ihren Särgen steigen (Bild 33.2). In den Randmedaillons sieht man die Passion Christi und spätere Ereignisse, vom Verrat in der linken unteren Ecke bis zum Pfingstwunder in der rechten oberen, weshalb der zweite „Herr" als Hinweis auf Christus interpretiert wird. Somit illustriert im St.-Omer-Psalter eine Vielzahl von Bildern an den Anfängen großer Psalmengruppen den Text und stellt vor allem zwischen diesem und dem Neuen Testament eine Beziehung her.

33.2 | Das Jüngste Gericht in der Initiale „D"*(ixit)* und in den Randbildern (von der linken Ecke unten an) der Verrat, die Geißelung, Jesus trägt das Kreuz, die Kreuzigung, die Grablegung, die Auferstehung, die drei Frauen am Grab, die Himmelfahrt und das Pfingstwunder, am Anfang von Psalm 110, fol. 120r.

LITERATUR

Lucy Freeman Sandler, *Gothic Manuscripts*, 1285–1385, 2 Bde., A Survey of Manuscripts Illuminated in the British Isles, 5 (London, 1986), II, Nr. 104.

C. M. Kauffmann, *Biblical Imagery in Medieval England, 700–1500* (London, 2003), S. 212 ff.

Stella Panayotova, „The St Omer Psalter", in: Scot McKendrick, John Lowden and Kathleen Doyle, *Royal Manuscripts: The Genius of Illumination* (London, 2011), Nr. 33.

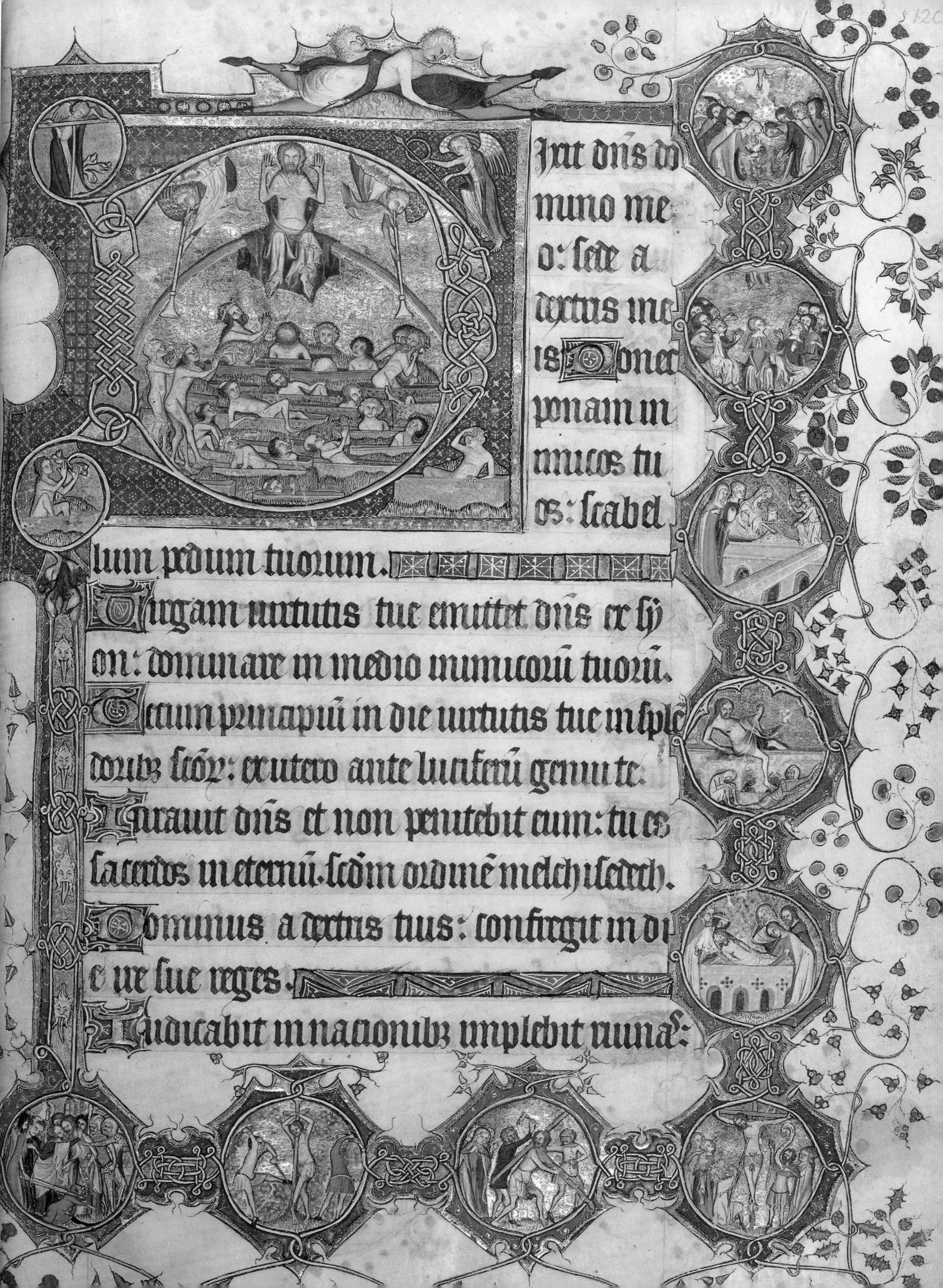

Dixit dñs do
mino me
o: sede a
dextris me
is. Donec
ponam in
imicos tu
os: scabel
lum pedum tuorum.
Virgam uirtutis tue emittet dñs ex sy
on: dominare in medio inimicorũ tuorũ.
Tecum principiũ in die uirtutis tue in sple
doribz scõr: ex utero ante luciferũ genui te.
Iurauit dñs et non penitebit eum: tu es
sacerdos in eternũ. scdm ordinẽ melchisedech.
Dominus a dextris tuis: confregit in di
e ire sue reges.
Iudicabit in nacionibz implebit ruinas:

33.3 | In den Bildmedaillons von links nach rechts: die Schöpfung; der Engelsturz und die Erschaffung Evas; die Ermahnung und der Sündenfall; die Vertreibung; Adam bestellt das Feld, Eva spinnt Wolle, Kain und Abel bringen ihr Opfer dar und die Ermordung Abels; und Lamech tötet Kain und der Tod von Jabal, am Anfang der Psalmen; fol. 7r (Detail).

ANMERKUNGEN

1 Richard Marks and Nigel Morgan, *The Golden Age of English Manuscript Painting, 1200–1500* (London, 1981), S. 80.

2 Additional 49622; Douai, Bibliothèque municipale, ms 171; Cambridge, Fitzwilliam Museum, ms 1-2005.

3 Für ein anderes Beispiel siehe den Queen Mary Psalter, Nr. 30.

4 Für einen anderen Jessebaum in einem Psalter siehe den Winchester-Psalter, Bild 20.1.

5 Vgl. David als Psalmist im Vespasian-Psalter, Bild 3.1, im Lothar-Psalter, Bild 7.2, und im Melisende-Psalter, Bild 19.2.

6 Kauffmann, *Biblical Imagery* (2003), S. 212.

34

DIE BIBEL VON CLEMENS VII.

Eine beeindruckende Papstbibel

Bibel in Latein.
Neapel, um 1330–1340
(mit späteren Ergänzungen).

- 360 × 245 mm
- 507 Blatt
- Additional 47672

Im 14. Jh. war Neapel als tonangebendes Zentrum der Kunst weltbekannt. Unter Robert von Anjou, der von 1309 bis 1343 König von Neapel war, zog die Stadt so große Maler wie Pietro Cavallini († nach 1330) aus Rom, Simone Martini († 1344) aus Siena und Giotto († 1337) aus Florenz an. Auch diese reich bebilderte Bibel, deren Auftraggeber bislang nicht identifiziert werden konnte, entstand in Neapel. Ihr jetziger Name geht aber auf einen späteren Besitzer, den ersten Gegenpapst Clemens VII., zurück, der während seines Pontifikats von 1378 bis 1394 in Avignon residierte und sein Wappen in den Codex einsetzen ließ (Bild 34.1).

Die Bibel von Clemens VII. liefert einen eindrucksvollen Beleg dafür, wie sehr die Kultur vom Hof der Anjous in Neapel und den Päpsten in Avignon gefördert wurde. Mit ihrer Pracht und ausgesprochenen Schönheit als *biblia pulcra* hat diese Abschrift der lateinischen Vulgata von dem Moment an, als sie 1340 in den Besitz des Papstes überging, die Betrachter in Staunen versetzt, und das ist auch heute noch so. Der schön geschriebene Text ist auf jeder Seite reich mit Farben und Gold verziert, mit Bildinitialen unterteilt und von prächtigen Zierstäben mit knospendem Blattwerk umrahmt, anscheinend nach einer früheren Vorlage aus Salerno. Die historisierten Initialen, die jeden größeren Abschnitt einleiten, enthalten besonders am Anfang vieler biblischer Bücher mehrere separate Szenen, deren Erzählung sich in einigen Fällen, vor allem bei Daniel, der Apostelgeschichte und Offenbarung, auf den folgenden Seiten fortsetzt (bei den drei genannten Büchern über je sieben, sechs und elf Seiten; Bild 34.1-34.7). Während die ersten wenigen Randillustrationen im Codex wie in den früheren Bologneser Bibeln[1] in Medaillons stecken, sind alle übrigen im Rechteckformat und von den Rankenausläufern der Zierstäbe eigens umrahmt.

Trotz ihrer relativ geringen Größe sind viele Initial- und Randminiaturen außergewöhnlich stark mit figürlichen Details und harmonischen Kulissen ausgestattet. So liegt der Fokus in den sieben Tafelillustrationen am Anfang von Ruth auf den wichtigsten Episoden aus dem ersten und letzten Kapitel des Buches (Bild 34.1). Um die Geschichte so vollständig wie möglich zu erzählen, zeigt der Illuminator in einem Bild manchmal mehrere Szenen

34.1 | In der Initiale „I"*(n)*: Noomi, Elimelech und ihre beiden Söhne ziehen nach Moab; Elimelech wird beerdigt; Noomis Söhne heiraten Ruth und Orpa; und Noomis Söhne werden beerdigt (Ruth 1,1–5). Am unteren Rand: Noomi verabschiedet sich von Orpa und diese kehrt um, während Ruth und Noomi nach Bethlehem gehen (Ruth 1,6–19); die Wappen von Clemens VII.; Boas heiratet Ruth und diese bringt Obed zur Welt (Ruth 4,9–17). Am Anfang des Buches Ruth, fol. 93 (Detail).

uxores singulas. et pergite in terram beniamin.
Cumque uenerint patres earum ac fratres. et
aduersum uos querelari ceperint atque iurgari.
dicemus eis. Misereminí eorum. Non enim ra
puerunt eas iure bellantium atque uicto
rum. sed rogantibus ut acciperent non dedistis:
et a uestra parte peccatum est. Feceruntque
filii beniamin ut sibi fuerat imperatum: et
iuxta numerum suum rapuerunt sibi de his
que ducebant choros: uxores singulas.
Abieruntque in possessionem suam: edifican
tes urbes. et habitantes in eis. Filii quoque
israel: reuersi sunt per tribus et familias in tab
nacula sua. In diebus illis non erat rex in israel:
sed unusquisque quod sibi rectum uidebatur hoc
faciebat. Explicit liber iudicum. Incipit liber

IN DIEBUS. ruth.
unius iudicis quando iudices
preerant. facta est fames
in terra: abiitque homo de beth
leem iuda. ut peregrinaretur
in regione moabitide cum
uxore sua. ac duobus liberis.
Et ipse uocabatur elimelech.
et uxor eius noemi: et duo
filii eius. unus maalon: et alter
chelion. ephratei de beth
leem iuda. Ingressique re
gionem moabitidem mo
rabantur ibi. Et mortuus
est abimelech maritus noe
mi: remansitque ipsa cum filiis.

expectare uelitis donec crescant: et annos
impleant pubertatis: ante eritis uetule
quam nubatis. Nolite queso filie mi fa
cere hoc. quia uestra angustia me magis pre
mit: et egressa est manus domini contra me.
Elevata igitur uoce: rursum flere ceperunt.
Orpha osculata est socrum ac reuersa. ruth
adhesit socrui sue. Cui dixit noemi. En re
uersa est cognata tua ad populum suum et
ad deos suos: uade et tu cum ea. Que respondit.
Ne aduerseris michi: ut relinquam te et abeam.
Quocumque perrexeris pergam. Ubi morata
fueris: et ego pariter morabor. Populus tuus
populus meus. et deus tuus deus meus. Que
te morientem terra susceperit in ea moriar:
ibique locum accipiam sepulture. Hec michi
faciat deus et hec addat: si non sola mors
me et te separauerit. Uidens ergo noemi
quod obstinato ruth animo decreuisset secum per
gere. aduersari noluit: nec ultra ad suos
reditum persuadere. Profecteque sunt simul:
et uenerunt in bethleem. Quibus urbem in
gressis: uelox apud cunctos fama percre
buit. Dicebantque mulieres. Hec est illa
noemi. Quibus ait. Ne uocetis me noemi
id est pulchram: sed uocate me mara hoc est
amaram: quia ualde me amaritudine re
pleuit omnipotens. Egressa sum plena: et
uacuam reduxit me dominus. Cur igitur
uocatis me noemi quam humiliauit do
minus. et afflixit omnipotens. Uenit ergo
noemi cum ruth moabitide nuru sua

plectetur natos tuos usque dum venio: et predica illis misericordiam: quoniam exuberant fontes mei et gratia mea non deficiet. Ego Esdras preceptum accepi a domino in monte Oreb ut irem ad Israel. Ad quos cum venirem, reprobaverunt me, et respuerunt mandatum domini. Ideo vobis dico gentes que auditis et intelligitis. Expectate pastorem vestrum requiem eternitatis dabit vobis: quoniam in proximo est ille qui in fine seculi adveniet. Parati estote ad premia regni, quia lux perpetua lucebit vobis per eternitatem temporis. Fugite umbram seculi huius. Accipite iocunditatem glorie vestre. Ego testor palam salvatorem meum. Commendatum donum accipite, et iocundamini gratias agentes ei qui vos ad celestia regna vocavit. Surgite et state et videte numerum signatorum in convivio domini. Qui se de umbra seculi transtulerunt, splendidas tunicas acceperunt a domino. Recipe Sion numerum tuum, et conclude candidatos tuos qui legem domini compleverunt. Filiorum tuorum quos optabas, plenus est numerus. Roga imperium domini ut sanctificetur populus tuus qui vocatus est ab initio. Ego Esdras vidi in monte Syon turbam magnam quam numerare non potui, et omnes canticis collaudabant dominum. Et in medio eorum erat iuvenis statura celsus, eminentior omnibus illis, et singulis eorum capitibus imponebat coronas, et magis exaltabatur. Ego autem miraculo tenebar. Tunc interrogavi angelum, et dixi. Qui sunt hi domine? Qui respondens dixit mihi. Hi sunt qui mortalem tunicam deposuerunt, et immortalem

satisfaciens vestro, non tamen meo studio. Arguunt enim nos hebreorum studia: et imputant nobis contra suum canonem latinis auribus ista transferre. Sed melius esse iudicans phariseorum displicere iudicio, et episcoporum iussionibus deservire: institi ut potui. Et quia vicina est chaldeorum lingua sermoni hebraico: utriusque lingue peritissimum loquacem repperiens, unius diei laborem arripui, et quicquid michi ille hebraicis verbis expressit: hec ego accito notario, sermonibus latinis exposui. Orationibus vestris mercedem huius operis compensabo: cum gratum vobis didicero me quod iubere estis dignati complesse. Explicit prologus. Incipit liber Tobie.

TOBIAS ex tribu et civitate Neptalim que est in superioribus Galilee super Naason post viam que ducit ad occidentem, in sinistro habens civitatem Sephet. Cum captus esset in diebus Salmanassar regis Assyriorum in captivitate tamen positus, viam veritatis non deseruit ita ut omnia que habere poterat cotidie concaptivis fratribus qui erant ex eius genere impertiret. Cumque esset iunior omnibus in tribu Neptalim: nichil tamen puerile gessit in opere. Denique cum irent omnes ad vi

GEGENÜBER

34.2 | In der Initiale „T“*(obias)*: Tobit erblindet (Tobit 2,10–11). Am unteren Rand: Tobias verlässt Vater und Mutter in Begleitung des Engels Rafael (Tobit 5,22–28); Tobias fängt den großen Fisch (Tobit 6,1–4); und Tobias kehrt in Begleitung seiner Frau Sara und Rafael nach Hause zurück und heilt Tobits Erblindung mit Fischgalle (Tobit 11,10–18). Am Anfang des Buches Tobit, fol. 187 (Detail).

GANZ OBEN

34.3 | Jesaja sieht den Thron Gottes (Jesaja 6,1–3), bekommt von Gott eine große Tafel (Jesaja 8,1) und sieht die Geburt Christi voraus (Jesaja 7,14; 9,6–7; 11,1–2), fol. 267 (Detail).

OBEN

34.4 | Daniel deutet Nebukadnezars Traum vom Baum, unter dem die wilden Tiere des Feldes Schatten fanden und von dem sich alle Lebewesen ernährten (Daniel 4,4–26), fol. 332v (Detail).

UMSEITIG

34.5 | Ein Engel zeigt Johannes den Sturz Babylons, denn „sie dachte bei sich: Ich throne als Königin“, mit Kaufleuten, Königen und Seeleuten in einem Schiff, die den Untergang beweinen, und dem Engel, der den Stein „so groß wie ein Mühlstein“ ins Meer wirft (Offenbarung 18,1–24), fol. 472 (Detail).

opa eius. In poculo quo miscuit vobis
miscete illi duplum. Quantum glorificavit
se ⁊ in delicijs fuit: tm̃ date illi tormentum
et luctum. Quia in corde suo dicit. Sedeo
ut regina et vidua non sum. ⁊ luctum
non videbo. ⁊ ideo in una die venient
plage eius. mors. ⁊ luctus. ⁊ fames. et i
gni comburetur. quia fortis ē d's qui iu
dicabit illam. Et flebunt ⁊ plangent se
sup illam reges terre qui cum illa for
nicati sunt ⁊ in delicijs vixerunt. cum
viderint fumū incendij eius longe stan

ma
Ha
ut
me
et t
die
tifi
uer
le
cer
et
ad

a. et misit in mare dicens.
tu mittetur babilon illa ci
gna et ultra iam non inue
t uox citharedoꝝ et musicoꝝ
nentium et tuba non au
ea amplius . et omnis ar
erit in ea quia ars non in
in ea amplius . et uox mo
dietur amplius . et lux lu
lucebit in ea amplius .
onsi et sponse non audiet
te amplius . Quia merca

in Folge, achtet aber darauf, dass er in solchen Fällen (wie links neben dem Schild) den Figuren Orpa, Noomi und Ruth immer ein und dieselbe Kleidfarbe gibt, damit sie unterscheidbar bleiben. Ebenso fachmännisch sind die vier Szenen aufgebaut, die für den Anfang des apokryphen Buches Tobit gewählt wurden. Der Ausgangspunkt der Geschichte, Tobits Erblindung, ist in der großen Einleitungsinitiale gut illustriert. Am unteren Blattrand rahmen der Abschied von Tobias und seine Rückkehr mit dem Engel Rafael die entscheidende Szene, in der Tobias den Fisch fängt, der helfen wird, die Blindheit seines Vaters zu heilen.

Die Visionen von Jesaja, Nebukadnezar und Johannes werden besonders eindrucksvoll behandelt, sowohl was die Details als auch das Gefühl des Wundersamen in diesen Ereignissen angeht (Bild 34.3, 34.5). Ein kräftig blauer Hintergrund und die allgemein hellen Farben unterstreichen das Visionäre in den Worten Jesajas, während die Sorgfalt bei den realistischen Details den Sujets Substanz verleiht (Bild 34.3). Der Baum aus Nebukadnezars Traum ist eine äußerlich schöne Erscheinung mit dunkler Bedeutung, die eine der elf Illustrationen in Daniel dominiert (Bild 34.4). Die spektakulärste von allen ist die aus 20 Bildern bestehende Folge zum Buch der Offenbarung des Johannes. Auf jeweils kleinstem Raum platziert der Künstler eine beachtliche Anzahl von Figuren und gibt erfolgreich einen Großteil der durch die Visionen des Johannes hervorgerufenen Bilder

34.6 | In seiner Vision sieht Johannes (unten), wie das von den Ältesten, den vier Lebewesen und einer Unzahl von Engeln angebetete Lamm von dem Einen, der auf dem Thron sitzt, das Buch der Sieben Siegel bekommt (Offenbarung 5,6–14); und (rechts) wie das von den Ältesten verehrte Lamm das Buch öffnet und die Siegel aufbricht, durch welche die vier Reiter und die Seelen aller, die wegen des Wortes Gottes getötet worden waren, abgerufen werden (Offenbarung 6,1–10), fol. 469 (Detail).

34.7 | Johannes sieht das himmlische Jerusalem, das „mit edlen Steinen aller Art geschmückt“ ist (Offenbarung 21,9–27), fol. 473 (Detail).

wieder (Bild 34.6–34.7). Obwohl dem Maler dieser meisterhaften Miniaturen keine anderen Illuminationen zugeschrieben worden sind, wird allgemein angenommen, dass sie vom künstlerischen Stil her auf Pietro Cavallini zurückgehen, der das berühmte Fresko des Jüngsten Gerichts in der Kirche Santa Cecilia in Trastevere in Rom geschaffen hat.

Die Bibel von Clemens VII. war jahrzehntelang Teil päpstlicher Sammlungen. Von Benedikt VII. (1334–1342) im Jahr 1340 nach dem Tod von Raimond de Gramat, Abt von Montecassino, beschlagnahmt, blieb der Codex in Avignon, bis Benedikt XIII. (1394–1422) sich zu Beginn des 15. Jhs. in den Süden nach Peñiscola an der Ostküste Spaniens zurückzog. Danach befand sich die Bibel wohl in Avignon und wurde von Clemens VIII. (1423–1429) an König Alfons V. (reg. 1416–1458) weitergegeben. Während der Zeit in Avignon wurde dem Codex im Auftrag von Clemens VII. oder Benedikt XIII. fast am Ende der Offenbarung ein illuminiertes Ersatzblatt hinzugefügt (Bild 34.5). Vom Verlust und Ersatz beider Seiten wusste man bis ins 16. Jh., was auch beweist, dass die Bibel bis dahin geschätzt und in Gebrauch war.

LITERATUR

Andreas Bräm, *Neapolitanische Bilderbibeln des Trecento: Anjou-Buchmalerei von Robert dem Weisen bis zu Johanna I*, 2 Bde. (Wiesbaden, 2007), I, bes. S. 106 ff., 406 f.
Cathleen A. Fleck, *The Clement Bible at the Medieval Courts of Naples and Avignon: A Story of Papal Power, Royal Prestige and Patronage* (Farnham, 2010).

ANMERKUNGEN

1 Siehe Bologneser Bibel, Nr. 28.

35

DIE VIER EVANGELIEN DES ZAREN IWAN ALEXANDER

Slawische Präsentation byzantinischer Pracht

Vier Evangelien in Bulgarisch-Slawisch.
Tarnowo, um 1355–1356.

- 335 × 240 mm
- 286 Blatt
- Additional 39627

Die Regentschaft des Zaren Iwan Alexander (1331-1371) war ein Höhepunkt in der Kulturgeschichte Bulgariens und sein ins Kirchenslawische, das heißt in die bulgarisch-slawische Sprache, übersetztes Tetraevangeliar gilt als eines der wichtigsten noch erhaltenen Meisterwerke der bulgarischen Kunst im Mittelalter. Die Hersteller des wahrscheinlich in Tarnowo, der Hauptstadt des Zarenreiches, entstandenen Codex stützten sich auf die lange Tradition der byzantinischen Buchproduktion sowie auf neuere slawische Praktiken. Sie haben ihn auch als Beitrag zur Restauration des Zarenreiches und der Verfechtung christlicher Kultur auf dem Balkan gedacht, als die Macht des byzantinischen Kaisers verblasste und die der osmanischen Türken wuchs. In den Worten seines Schreibers Simeon wurde der Codex „nicht nur einfach für die äußere Schönheit seiner Ornamentik geschaffen ... sondern vor allem, um das göttliche Wort im Inneren, die Offenbarung und die Heilige Schrift wiederzugeben". Er beinhaltet jetzt außergewöhnliche 397 „Leben spendende Bilder des Herrn und seines glorreichen Jüngers Jesus". Der einst auch auf der Außenseite reich verzierte, in silbervergoldete Deckel gebundene Codex wurde vermutlich bei den an großen Festtagen abgehaltenen Gottesdiensten in Anwesenheit des Zaren und seiner Familie ausgestellt und sollte auch nach deren Tod zum ewigen Gedenken an sie dienen.

Gleich zu Beginn des Buches spiegelt ein imposantes, in der Tradition byzantinischer Kaiserporträts entstandenes Doppelseitenporträt sowohl das künstlerische Erbe seines Schöpfers als auch die kaiserlichen Ambitionen des Zaren wider. Auf der rechten Seite (Bild 35.1) sieht man Zar Iwan Alexander im kaiserlichen Ornat mit seiner zweiten Frau Theodora, einer konvertierten Jüdin, und den beiden Söhnen Iwan Schischman (reg. 1371-1395) und Iwan Strazimir († 1388?), wie sie gerade Gottes Segen erhalten. Auf der linken Seite sind die drei Töchter des Zaren abgebildet, die älteste, Kera Tamara, steht neben ihrem ersten Mann. Iwan Alexander erscheint auch neben jedem Evangelisten jeweils am Ende ihres Evangeliums (Bild 35.2) sowie zwischen Abraham und Maria in einer großen Illustration des Jüngsten Gerichts nach der im Markusevangelium ausgeführten Prophezeiung von Jesus an seine

35.1 | Zar Iwan Alexander, seine Frau und zwei Söhne empfangen Gottes Segen, fol. 3.

UMSEITIG (LINKS)
35.2 | Jesus fährt in den Himmel auf, seine Jünger und Maria sind dabei und schauen nach oben; Zar Iwan Alexander und Markus, der ihn segnet, am Ende des Markusevangeliums fol. 134v.

UMSEITIG (RECHTS)
35.3 | Das Jüngste Gericht, mit Zar Iwan Alexander zwischen Stammvater Abraham und der Jungfrau Maria (unten links), im Markusevangelium, fol. 124.

† Ѳеѡдора въ Ха Ба вѣрнаа
и новопросвѣщеннаа
црца и самодръжица
въсѣмь
Блъгаромь
и Гръкомь:
† Іѡанъ Алеѯандръ
въ Ха Ба вѣренъ црь
и самодръжецъ
всѣмь Блъгаромь
и Гръкомь
Іѡ Шишманъ
црь снъ
великаго црѣ Іѡ Алеѯандра
Іѡ Асѣнь
црь
снъ
царевъ

на недѫжныѫ рѫкы възложѧтъ, и
здрави бѫдѫтъ · г҃ъ же ис҃ по гланиі
ѥго же къ нимъ · възнесе сѧ на не
беса, и сѣде ѡ деснѫѭ б҃а · ѡни же и
шедше проповѣдаахѫ
вьсѫдоу · г҃оу поспѣшь
ствоуѭщоу · и слово оутвръ
ждаѭщоу · послѣствоуѭ
щиими знамении, аминь:

или часѣ· никтоже не вѣсть· ни агге
ли иже сѫть на нбсехъ· ни снъ тъ
кмо оцъ· блюдѣте сѧ и бдите· и мо
литесѧ· не вѣсте бо когда времѧ прі
идеть:

ЕѴАГГЕЛІЕ СТОГО Ѿ МАТѲЕА

Книга родъства Іу Хва. сна
два. сна авраамлѣ. авраа
мъ роди ісаака. ісаакъ же роди
іакова.

Поздѣже бывшоу, приде чл҃къ богатъ т҃мн
ѿ аримаѳеа· именемь іѡсифъ· иже
и тъ оучилъ сѧ бѣ оу іс҃а· съи пристѫпи
къ пилатоу, проси тѣла іс҃ва· тогда
пилатъ повелѣ дати тѣло іс҃во· и при тмн
емъ тѣло іѡсифъ· обвитъ е плаща
ницеѭ чистоѭ· и положи е въ новѣмь
своемь гробѣ· иже исѣче въ камени·

Jünger (Bild 35.3). Diese Porträts betonen die Einheit der weltlichen und geistlichen Führungsrolle des Zaren.

Der biblische Text der Handschrift ist ebenso prachtvoll ausgeschmückt. Über jedem Evangelienanfang findet sich eine große ornamentale Miniatur, in der auch die Porträts des Evangelisten und der Propheten (Bild 35.4) eingearbeitet sind. Im Text selbst illustrieren mehrere hundert Miniaturen das Leben und die Lehren Jesu in der den Erzählungen der Evangelisten entsprechenden Abfolge und mit Schwerpunkt auf seiner Kindheit, Wunder, Gleichnissen und seiner Passion. Angesichts der vierfachen Erzählungen in den Evangelien und der reichen Bebilderung werden viele Episoden mehrfach dargestellt. Die meisten dieser Szenen stehen in einem relativ schmalen horizontalen Streifen, manche sind aber auch auf zwei oder drei Streifen verteilt, die dann auf der Seite vertikal übereinandergestellt (Bild 35.3, 35.5) oder auf eine kleine Kastenform beschränkt inmitten des Textblocks erscheinen. An den besonders aufwendigen Seiten, wie der mit dem Stammbaum Jesu bei Matthäus (Bild 35.6), zeigt sich, wie sorgfältig die Gestaltung geplant werden musste.

Im Tetraevangeliar des Zaren aber haben die Schreiber und Maler all diese Entscheidungen nicht selbst getroffen, da sie sich eindeutig an eine Vorlage, eine ebenso aufwendig illuminierte byzantinische Handschrift (nicht auffindbar), hielten. Was die Aufteilung in Register und die Wahl des Sujets anbelangt, stimmen die Miniaturen sehr eng mit denen einer Evangelien-Handschrift aus dem 11. Jh. überein, die heute in Paris aufbewahrt wird und möglicherweise für den byzantinischen Kaiser Isaak I. Komnenos (reg. 1057–1059) im Studios-Kloster in Konstantinopel angefertigt wurde.[1] Eine ähnliche Folge von nahezu 300 in Register aufgeteilten Miniaturen zeigt nur noch eine andere byzantinische Evangelien-Abschrift aus dieser Zeit, die sich jetzt in der Bibliothek Laurenziana in Florenz befindet.[2] Die einzelnen Porträts des Zaren in diesem Codex ersetzen die eines Abts im Studios-Evangeliar; und das einleitende Porträt der Zarenfamilie könnte auf das der Kaiserfamilie am Beginn der verlorenen byzantinischen Handschrift zurückgehen, aus der auch die anderen Illustrationen für das Zarenbuch kopiert wurden. Wie spätere slawische Handschriften mit ähnlichen Porträts und Miniaturen in Bildstreifen zeigen, war diese Art von Evangeliar noch im 17. Jh. sehr geschätzt.

Nach dem Tod des Zaren wurde das bulgarische Reich zerschlagen und 1393 fiel Tarnowo in die Hände der Türken. Kurz darauf wurde das Zaren-Evangeliar anscheinend über die Donau nach Moldawien gebracht und von Prinz Alexandru cel Bun (Alexander der Gute), der von 1400 bis 1432 das Fürstentum Moldau regierte, erworben. Vermutlich Anfang des 17. Jhs. befand sich die Handschrift dann im Kloster Agiou Pavlou (Pauluskloster) auf dem griechischen Berg Athos und wurde dort 1837 von dem britischen Reisenden Robert Curzon (1810–1873) als Souvenir gekauft und nach England gebracht.

LITERATUR

Bogdan D. Filov, *Miniaturite na Londonskoto Evangelie na Tsar Ivan Aleksandra / Les miniatures de l'évangile du roi Jean Alexandre à Londres* (Sofia, 1934).

Ekaterina Dimitrova, *The Gospels of Tsar Ivan Alexander* (London, 1994).

Byzantium: Faith and Power (1261–1557), hrsg. von Helen C. Evans (New York, 2004), Nr. 27.

VORHERIGE SEITE (LINKS)

35.4 | Matthäus sitzt da und hält sein Evangelium (Mitte), mit dem Hochbetagten auf seinem Thron und Cherubim (oben) und Abraham und Isaak (unten), am Anfang des Matthäusevangeliums, fol.6.

VORHERIGE SEITE (RECHTS)

35.5 | Jesus am Kreuz, verspottet von der Menge und aus der Lanzenwunde blutend (unten), und im Augenblick seines Todes (oben), mit den Toten, die aus ihren Gräbern kommen, weil die Erde bebt, im Matthäusevangelium, fol. 84.

GEGENÜBER

35.6 | Der Stammbaum Jesu, mit Juda und seinen Brüdern (oben), König David (Mitte), König Salomo und den Königen Israels (unten), fol. 7.

ANMERKUNGEN

1 Paris, BnF, ms grec 74.

2 Florenz, Bibioteca Medicea Laurenziana, ms Plut. 6.23.

д҃вдь же ц҃рь роди соломона ѿ ѹ

риина · соломѡнъ же ро

ди ровоама · рѡвоамъ же

роди авиѫ · авиѫ же роди

асѫ · асъ же ро ди іѡсафа

та · іѡсафатъ же роди іѡра

ма · іѡрамъ же роди озиѫ · ози

а же іѡафама · іѡафамъ же роди

ахаза · ахазъ же роди езекиѫ · езе

кіа же роди манасиѫ ·

36

DIE *BIBLE HISTORIALE* KARLS V.

Die Bibel als historische Darstellung

Bible historiale complétée moyenne (Genesis bis Offenbarung) in Mittelfranzösisch.
Paris, 1357.

- 390 × 295 mm
- 264 Blatt (Bd. 1), 242 Blatt (Bd. 2)
- Royal 17 E. vii (2 vols)

Von allen französischen Bibelversionen im Mittelalter wurde die *Bible historiale* am häufigsten kopiert. Heute existieren von ihr noch gut 100 Exemplare.[1] Durch sie erhielten im 14. und 15. Jh. adlige Laienkreise Zugang zur Bibelauslegung der letzten 200 Jahre an der Pariser Universität.

Die *Bible historiale* ist offenkundig eine Übersetzung der *Historia scholastica* des Petrus Comestor († 1178), eines Kommentars zur wörtlichen Bedeutung des Bibelstoffes von der Erschaffung der Welt bis zur Zeit Jesu, die auf Comestors Lehre an der Universität beruhte. Zwischen 1291 und 1297 stellte der Kleriker Guiart des Moulins aus dem Artois zwei Versionen dieser Übersetzung zusammen. Doch nach den meisten noch vorhandenen Abschriften zu urteilen, entwickelte sich die *Bible historiale* im 14. Jh. zu einem komplexeren Text weiter. Besonders wichtig für die *Bible historiale complétée*, wie diese späteren Versionen genannt werden, ist die *Bible du XIIIe siècle*, die kurz vor 1274 vollendet wurde. Diese enthielt auf der Basis der Vulgata-Version, wie sie die Universität und Buchhändler in Paris um 1230 verwendeten, eine vollständige Übersetzung des Alten und Neuen Testaments. So konnten die Kompilatoren der *Bible historiale complétée* mit der *Bible du XIIIe siècle* Comestors Textkorpus ergänzen und Abrisse mit kompletten Übertragungen ersetzen. 90 der etwa 100 Kopien der *Bible historiale* haben diese revidierte Fassung.

Das vorliegende Manuskript ist eine bedeutende Abschrift der *Bible historiale complétée moyenne* (der dritten von fünf noch längeren Versionen). Im ersten Band ist Guiarts Text um eine komplette Übersetzung des Buches Hiob und des Psalters erweitert; im zweiten folgen Übertragungen der Weisheitsbücher, Großen und Kleinen Propheten, 1. und 2. Makkabäer sowie das komplette Neue Testament, alle aus der *Bible du XIIIe siècle*. Dennoch bilden Guiarts Vorrede seiner 1297er Version und seine Übersetzung von Comestors Vorwort die Einleitung, jeweils mit dem Porträt ihres Autors (Bild 36.2). Neun andere Pariser Abschriften aus der Zeit um 1350 beinhalten eine ähnliche Version des *moyenne*-Texts. Wie die meisten der erhaltenen Abschriften ist auch diese *Bible historiale* reich bebildert.

36.1 | Die Dreifaltigkeit und die vier Evangelisten, am Anfang des Vorworts von Guiart des Moulins, Bd. 1, fol. 1 (Detail).

UMSEITIG (LINKS)
36.2 | Petrus Comestor schreibt seinen Text (links) und präsentiert ihn William, Erzbischof von Sens (rechts), Bd. 1, fol. 2v (Detail).

UMSEITIG (RECHTS)
36.3 | König Salomo unterweist seine Sohn Rehabeam (oben links), befiehlt die Tötung des von zwei Frauen beanspruchten Kindes (unten links), sitzt über drei Männer zu Gericht (unten rechts) und gibt ihnen den Befehl, auf den Leichnam ihres Vaters zu schießen (oben rechts), am Anfang der Sprichwörter, Bd. 2, fol 1 (Detail).

Ci commence la Bible
hystoriaus. ou les hystoires
escolastres. Cest li prohemes
de celui qui mist ce livre de la
tin en francois

Dountre que
li dyables
qui chascũ
iour en pe
chie destour
be et enord
dist les cu
ers des hommes par oyseuse
et par mil las quil a tendus
pour nous prendre. et en
trer en nos cuers. Com cil
qui onques ne cesse de gue
rier comment il nous puisse
mener a pechie pour nos ames
traire en son puant enfer.
avecques lui. Est il mestiers
a nous clers et prestres de
sainte eglise. qui devons es
tre lumiere du monde. que
nous ap[re]s nos heures & nos
oroisons entendons a aucu
ne bonne euvre faire. si que
li peres des dampnes. Quant
il nous vient assaillir ne
nous truisse oyseus par q[uo]y
il ait achoison de legierement
entrer en nos cuers. Et nous
face cheoir par pechie. Pre
mierement par pensee. Et
apres par euvre. Si devons
sur toute riens fuir oyseuse.
Et entendre touziours a fai
re aucune bonne euvre qui
a dieu plaise. et au dyable
soit contraire et ennemieuse.
Et pource que li dyables q[ui]
maintes foiz ma fait pechier

ge a larcheuesque de senz pour
son ouurage corrigier se mestier
en eust.

Honnorable pere,
et son cher seigneur
Guillaume par
la grace de dieu ar
cheuesque de sens.
Pieres sers humaist prestres
canoines de saint pierre. bonne vie.
et bonne fin. La cause pourquoy
ie entrepris le trauail de cest ou
urage fu la grant instance de la
requeste et de la proiere mes com
paingnons. liquel comme il
eussent hystoire de la sainte es
cripture qui trop estoit bries et
neant exposee. me contraindrent
par force de prieres a ceste euure
entreprendre. a laquelle il peus
sent auoir recours pour la sente
de lhystoire attaindre. Si sui
en telle maniere ales auant
que ie nay riens lessie de la ue
rite des diz. et des faiz des peres
ne riens de nouuel ni ay adiou
ste. encore soient nouuelles cho
se plaisans a oir et a estonages
oreilles. Or ay ie tout commen
cie ceste euure a la description
du monde que moyses fist de
nostre premier pere adam. et ai me
ne le ruissel des hystoires iusques
a la ascention nostre seigneur. et les
se a plus sages de moy a expos
la parfondece des misteres. li
quel pueent et les choses an
ciennes raconter. et nouuelles
faire. Et dedenz ces hystoires
des peres. ai ie ente et mis mist
des hystoires des paiens. qui
dedenz ceste euure sont meslees.
et qui appartiennent a la rai
son des temps des hystoires des
peres deuant diz. et les ay a de
denz entees. aussi com li ruissel
qui ist dune riuiere. et raem
plist toutes les fosses quil treu
ue au dehors de la riuiere. et pour
ce ne lesse mie la riuiere son di
cours. Mais pource que le mau
uais guerre et rude a mestier
de lyme. ai ie garde de la lyme
a vous biau pere pour ceste eu
ure corrigier. par quoy nos cor
rections li doint par la uolente
de dieu resplendeur. et vostre aucto
rite pardurablete. Et en toutes
choses est diex beneis.

En ceste maniere ie guiars
des moulins de cest tresfait
doien prestre translatai a la aide
de dieu a la tresgrant instance
de mes prieres pour faire laies
personnes entendre. les hystoires
des escriptures anciennes. pu
is fui ie au liure mon pere de
senz pour excuse sen aucune a
mprendre en lordenance du
rommans. Car vraiement de
la uerite ne sui ie de riens issus
ne uolente ny ai adiouste. ainz
ay poursui cest saint mestres
en hystoires en toutes les cho
ses qui en romans doiuent es
tre. par raison translatees. Si
pri a touz clers entendans es
criptures. qui cest ouurage li
ront que sil y treuuent a corrig
que la lyme de leur senz. vueille
limer mon rude engin et corri
gier. Et doit on sauoir que iay
translate les liures hystoriaux
de la bible selonc le texte de la bi
ble. et selonc hystoires les esco
lastres si com deuant est dit.
Si ay escript le texte de la bible
premierement de grosse lettre. et
puis apres en ordres les hystoi
res de plus deliee lettre. et pour
et quant il y a poin a exposer
par hystoires. ie les ay mises
en gloses et ay poursui mon
ouurage en ceste maniere iusques
en la fin. A mon commencement
soit soit la grace du saint espir.
et la aide de la benoite uierge ma
rie Amen. Cest li prohemes
du mestre en hystoires de la cre
ation du ciel empiree. et des quatre
tre elemens. et de la premiere
confusion du monde. selonc
la bible.

En palais de roy
et dempereur
appartient. iiij.
mansions. Ce
est assauoir.
Auditoire ou
quel il fait ses iugemens. Et
donne a chascun son droit.
Chambre. en laquelle il re
pose. Et cenaille ou salle en
laquelle il donne ses mengiers.
En ceste maniere nous empe
rers qui commande aux uens

Ci commencent les parabo
les salemon filz du roy dauid.

Les pa
raboles
salemō
filz dauid
roys de
iursalē
a sauoir
sapience
et discipline a entendre para
bole de prudence. et a receuoir
enseingnement de doctrinne.
et iustice et iugement en loy
aute. et droiture. Que ceulz soit
donnez aus petis. Cest a dire
aux humbles. Et que science
soit donnee aux ioennes. Et
lentendement a ceulz qui en
ont mestier. Le sage sera plus
sage parsoir. Et celui qui enteēt
bien en sara mielx gouuerner
soy et autres. Et aperceuera pa
raboles et interpretations. et
les figures. et les paraboles
des sages. et la paour nostre seig
neur, Cest commencement de
sapience. Li sot despisent sapi
ence et doctrinne. Mon filz oy
la discipline de ton pere. et ne
lesse mie la loy de ta mere. que
grace soit adioustee et mise.
sur ton chief, et fermail dor a
ton col. Mon filz se li pecheur ta
lentent ne les croy mie. Cest
a dire se losengiers te losengēt
ne les croy mie que il ne te
deceuent. Se il te dient vie
o nous. Metons agues pour
occire. Reponnons las pour
contre la iustice pour le pīdre
Engloutissons come enfer
tout vif. Et tout entier com
me descendant en la fosse. No
trouuerons toute precieuse
substance. Et emplirons nos
maisons de despueilles. Met
sort o nous touz. Nous auons
une seule bourse. Mon filz ne
va pas o eulz. Eschiue ton
pie de leur sentes. Car certes le
pies queurent en mal. Et
se hastent a espandre sanc.
La roys est pour nient getee

SAINT

Ci commencent les euuangilles
cest assavoir saint mahi. sait
marc. saint luc. saint iehan. p
meirement leuuangile saint
mahieu. qui se commencie p la
genealogie des abraham ius

Josaphath e
iam engend
engendra io
gendra acha
ezechie. Ez
nassem. M

ra ioram so
am. Ozias
n. Joathas en
z engendra
ngendra ma
es engendra
ndra iosie

A genera
cion de ihu
crist estoit
en tel man
iere. Cõme
marie me
ihucrist fe

37

DIE BILDERBIBEL VON PADUA

Das Alte Testament in Bildern

Bibbia istoriata (Exodus bis Josua) in Italienisch.
Padua, um 1390–1400.

- 325 × 230 mm
- 80 Blatt
- Additional 15277

Was die Menge der Illustrationen anlangt, können es nur wenige der noch erhaltenen Handschriften mit der Bilderbibel von Padua aufnehmen. Heute in zwei Teilen in London und Rovigo aufbewahrt,[1] enthält sie knapp 900 Illustrationen im Pentateuch, den fünf Büchern der jüdischen Bibel, sowie den Büchern Josua und Ruth. Fast 300 Bilder zeigen die Geschichte der Genesis und 200 jene des Buches Numeri. Falls der Band einst auch das Buch der Richter umfasste (was der Fall sein könnte, da illuminierte Oktateuche nicht ungewöhnlich sind), hätte er wohl an die 1000 Illustrationen enthalten. Von den reich ausgestatteten Werken, die im 14. Jh. in der norditalienischen Stadt Padua, noch vor Giottos berühmten Fresken in der Scrovegni-Kapelle, entstanden, ist keines im Ausmaß seiner Bildergeschichte ambitionierter als dieses.

Der Londoner Teil der Handschrift, der das Buch Exodus bis Josua umfasst, ist für den ganzen Band repräsentativ. Die Seite wird von Bildern dominiert; der Text ist von zweitrangiger Bedeutung.[2] Jede der fünf Seiten wird fast vollständig von einer Illustration eingenommen, drei in Exodus, die nacheinander die Bundeslade, die siebenarmige Menora des Tempels und Aaron als Hohepriester zeigen (Bild 37.1), sowie zwei jeweils am Anfang der Bücher Levitikus und Numeri, die nahezu identische Darstellungen der Stiftshütte sind. Auf fast jeder anderen Seite nehmen vier, manchmal nur drei, einzelne gerahmte Bilder einen Großteil des Pergaments ein (Bild 37.2–37.4). Über und unter den Bildern stehen Legenden in einem Dialekt des Veneto, deren längste mehrere Zeilen und die kürzeste nicht mal eine ganze Zeile umfassen. Alle diese Bildlegenden beginnen mit *Como* … („Wie …") und beziehen sich direkt auf die Erzählung. Bilder und Inschriften sind mittels römischer Ziffern gekennzeichnet, die in roter Tinte geschrieben daneben stehen. Am Beginn eines jeden Buchs fängt die Nummerierung wieder bei eins an. In den Illustrationen werden die Hauptfiguren nicht in der Blockschrift der Bildlegenden, sondern in Schreibschrift benannt. Die einzigen fortlaufenden Texte in dem Band sind zwei Seiten mit langer Legende zu den drei ganzseitigen Bildern im Exodus sowie ein 16 Seiten langer Auszug

37.1 | Aaron als Hohepriester, im Priestergewand (2 Mos 40,13-15), fol. 17v.

El capitolo de questo Aaron summo sacerdoto si e scritto a doe carte oltra questa.

fo de pelle de molton fate rosse. e la quarta fo de pelle de molton fate lacure. e per fare tute le vestimète
sacerdotale e tute le altre cosse necessarie al sacrifitio ali quale dui homini dio si de tanta scientia e tan
to intellecto che li sape fare de orevexaria e de marangonia e de ogni altra arte tuto quello che fe luogo
a questo fato intriegamentre.

Como Beselehel e Oliab so compagno lavora de orevexaria le cosse necessarie al sacrifitio e a larch

del tabernaculo

aueraue morto e la ieraue romaxa viua. Responde Balabam, co pecca e no saueua che tu stessi contra de mi.

sel te despiaxe che no ge uaga e retornero in drio. Respoxe lo agnolo ua via cum quisti e guarda no parlare
altro seno quello che te comandero che tu debi dire.)

Como Balabam ua via cum li ambassaore al re Balach per consentimento del Agnolo.)

Como el re Balach aldando che Balabam uegniua da ello ge uene in contra infina ale confine del so ter
ren e si ge disse per que caxon no si tu uegnu tosto da mi abiandote manda li ambassaore te pensaui tu
cusi mo che no te possesse pagare de la toa uia. Responde Balabam ecco che sum qua. No te pensare che

possa altro dire seno le parole che dio me metera in la mia bocha. Finite queste parole li anteuia de contragi

vn parenta da laltro e che le possession romagna continuamentre in la soa propria tribu e questi si e li comandamenti e li iudicii che uole mesier domenedio.

Como queste cinque serore. Maala thersa Egla Melcha Noa le quale tute cinque serore fo fiole de salphaad del tribo de Manasse fiolo de Joseph se marida tute cinque in vn tratto e qui si uen sposa e si tolse cum homini del tribu e del parenta de Manasse del quale parenta si era sta so pare salphaad sico che le possession le quale ge era tocha per heredita de so pare salphaad no andesse in altro tribo ne in altro parenta cha in parenta.

VORHERIGE SEITE (LINKS)

37.2 | Der Bau der Bundeslade und der Stiftshütte (2 Mos 36): Moses und Aaron wählen Bezaleel und Oholiab aus, die Bundeslade und die Stiftshütte zu bauen; und Bezaleel und Oholiab bei der Arbeit, wie sie Opfergefäße für die Bundeslade herstellen, das Holz für die Stiftshütte zurichten und Vorhänge weben, um die Bundeslade und die Stiftshütte zu schützen; fol. 15v (Detail).

VORHERIGE SEITE (RECHTS)

37.3 | Bileam begegnet dem Engel des Herrn, reitet auf der Eselin nach Moab, trifft König Balak und bekommt auf den Höhen Baals das Volk Israels gezeigt (4 Mos 22–23), fol. 50 (Detail).

GEGENÜBER

37.4 | Moses verkündet das Urteil zu den Heiratsbedingungen der fünf Töchter Zelophchads (oben links), und die Töchter Zelophchads werden mit den Söhnen ihres Onkels verlobt und verheiratet (oben rechts und unten) (4 Mos 36,1–12), fol. 56 (Detail).

zu den Zehn Geboten, 13 Seiten Text am Ende von Levitikus und drei von Numeri.

Obwohl sie sich vom Malstil her unterscheiden, gingen die Künstler an ihre Sujets auf recht ähnliche Weise heran. Beide hielten sich an die Bildunterschriften, folgten der wörtlichen Bibelerzählung und bildeten die Figuren naturalistisch und oftmals in zeitgenössischer Kleidung ab. Somit bieten einige Miniaturen, wie jene der Handwerker, die an der Stiftshütte arbeiten (Bild 37.2), dem heutigen Betrachter detaillierte Einblicke in den italienischen Alltag der damaligen Zeit. Für das Zielpublikum haben diese Illustrationen wohl die Unmittelbarkeit der volkssprachlichen Bildlegenden bereichert. Die Künstler gaben ihren Figuren auch eine monumentale Größe und betonten deren Statur mit ausladenden Gewändern, die den Körper von Kopf bis Fuß verhüllen. Fast alle Akteure der Bibelgeschichte sind im direkten Vordergrund und so platziert, dass die Füße dicht am unteren Rand der Miniaturen und die Köpfe in einem oder in zwei waagrechten Streifen der oberen Bildhälfte liegen. Architektur und Interieurs rahmen die Figuren eher, als dass sie rund um diese für Räumlichkeit sorgen. Damit der Betrachter die Bilder lesen kann, sind die jeweiligen Personen stets im selben Gewand abgebildet, wie in den Geschichten von Bezaleel und Oholiab, die die Stiftshütte schufen, (Bild 37.2) und von Bileam, dem midianitischen Propheten (Bild 37.3).[3] Der Vergleich mit Wandgemälden in Padua aus den 1370er-Jahren, etwa jene von Altichiero in der Jakobuskapelle der Antonius-Basilika, legen nahe, dass die Künstler der Bilderbibel sich den Meisterwerken der jüngsten Monumentalmalerei angepasst hatten. Zudem dürften sie aus älteren Bilderzyklen geschöpft haben, möglicherweise auch aus frühchristlichen Handschriften, und von den jüdischen Bibelkommentaren beeinflusst worden sein.

Mit ihrer Fülle an Illustrationen und ihrer Volkssprache hat die Handschrift starke Affinitäten mit anderen herausragenden Büchern, die um die Wende des 14. zum 15. Jh. in Padua für Laien entstanden. Ein aufwendig bebildertes Kräuterbuch in Italienisch etwa, heute ebenfalls in der British Library, beinhaltet die Wappen der Familie Carrara.[4] In der Bilderbibel finden sich jedoch keinerlei Hinweise auf ihre ersten Besitzer.

ANMERKUNGEN

1 Rovigo, Biblioteca dell'Accademia die Concordi, Silvestri MS 212.

2 Vgl. die Holkham-Bilderbibel, Nr. 32.

3 Dieselbe Konvention wird in der Bibel von Clemens VII. verwendet, Nr. 34.

4 Egerton 2020.

LITERATUR

La miniatura a Padova dal Medioevo al Settecento, hrsg. von Giordana Canova Mariani (Modena, 1999), Nr. 59, S. 465–470.

38

DIE *BIBLIA PAUPERUM* DES KÖNIGS

Das Alte Testament erfüllt sich im Neuen

Biblia pauperum in Latein.
Den Haag, um 1395–1400.

- 175 × 385 mm
- 31 Blatt
- King's 5

Das Alte und das Neue Testament sind die entscheidenden Teile der christlichen Bibel. Obwohl sie bekanntlich im 2. Jh. von den häretischen Markionisten abgelehnt wurde, galt die jüdische Bibel als von Gott inspirierter Text des neuen Glaubens. Außerdem betrachteten die christliche Lehre und deren Kommentare schon von früh an das Alte Testament als Prophezeiung des Neuen Testaments. Oder nach der prägnanten Zusammenfassung des hl. Augustinus: *Vetere Novum lateat et in Novo Vetus pateat* („Das Neue Testament liegt im Alten verborgen und das Alte wird im Neuen offenbart“).[1]

Die *Biblia pauperum* ist ein wichtiges Beispiel dieser typologischen Herangehensweise an die Heilige Schrift. Das komplexe Werk wurde als „intellektuell feinsinnigster Bibelkommentar des Mittelalters, der in bemerkenswertem Maße Text und Bild kombiniert“[2] beschrieben und entstand wohl im 13. Jh. in Frankreich im Kontext der Bibelstudien der Dominikaner.[3] Durch die 30 bis 40 beschrifteten Bilder erfuhr das spätmittelalterliche Publikum, wie Episoden des Alten Testaments die Kindheit und Passion Jesu ankündigen und durch die Ereignisse im Neuen Testament erklärt werden. Über 80 Handschriften sowie mehrere Blockbücher und frühe Druckausgaben belegen die Popularität des Werks. Trotz des heutigen Namens wandte sich die *Biblia pauperum* nicht an Arme, sondern an des Lesens kundige gläubige Laien.

Der hier präsentierte Band ist die opulenteste Kopie der *Biblia pauperum*, benannt nach ihrem Aufbewahrungsort in der King's Library von Georg III. (reg. 1760–1820). Es ist auch eine „der höchst innovativen illustrierten Handschriften aus dem Spätmittelalter“.[4] Vermutlich in Den Haag entstanden, im kulturellen höfischen Umkreis des Grafen von Holland, Albrecht I. von Bayern (1336–1404), heben ihre 31 Blätter die *Biblia pauperum* auf eine neue Ebene des künstlerischen Schaffens. Im Groben behalten sie das Format älterer Handschriften bei. Die mittlere Miniatur jeder Seite zeigt ein Ereignis aus dem Neuen Testament und ist an den Ecken von den vier *auctoritates*, Brustbildern von König David sowie den Propheten des Alten Testaments umgeben (38.1–38.4). Unter der Miniatur stehen kryptische

38.1 | Judas verrät Jesus, fol. 12 (Detail).

Auctoritates
Ezech
Jhem
Dauid

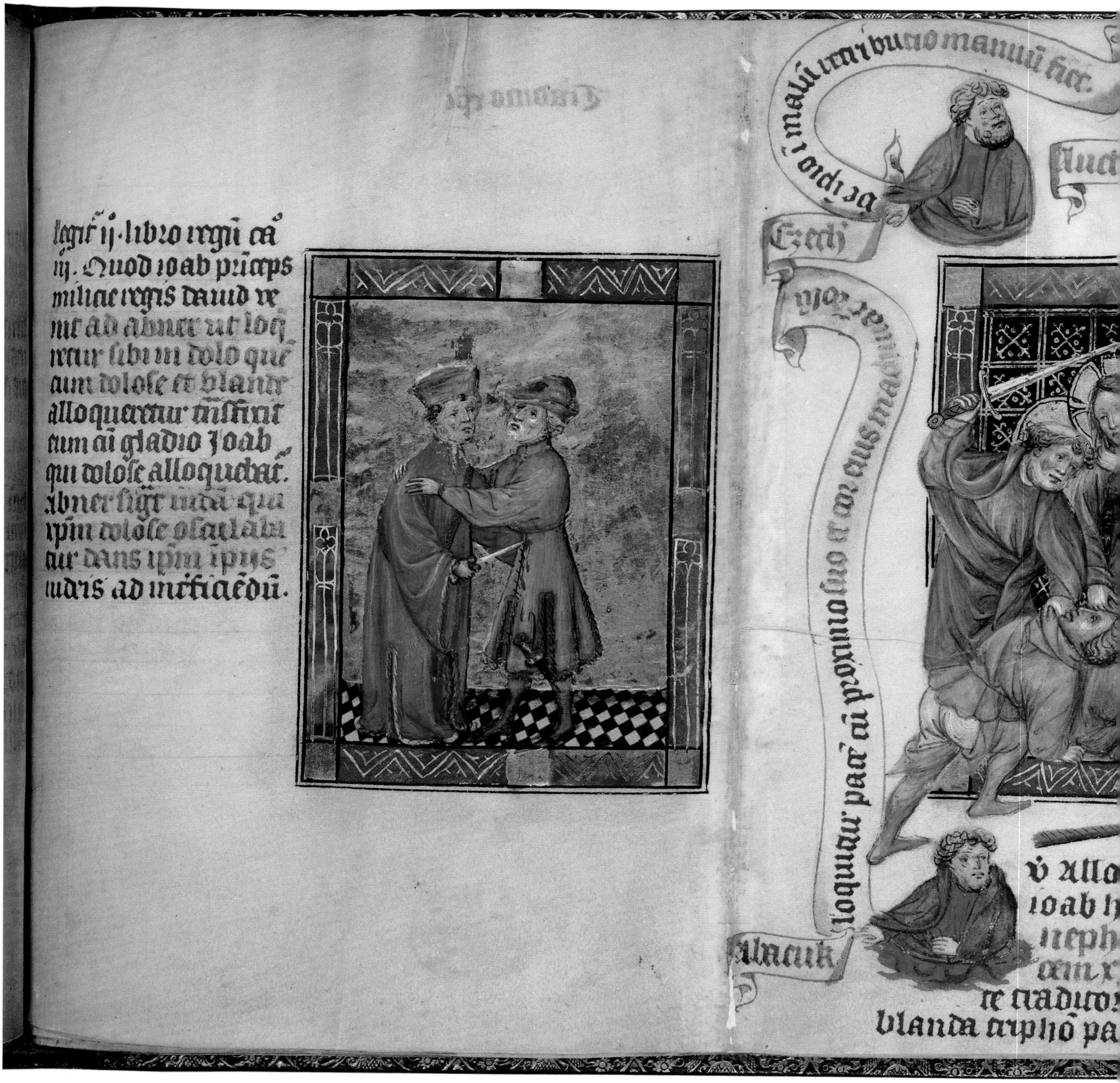

38.2 | Judas verrät Jesus, flankiert von zwei Antitypen aus dem Alten Testament: Joab ermordet Abner heimtückisch (2 Sam 3,27) und Trypho hintergeht Jonathan und die Juden (1 Makk 12,39-45); fol. 12.

12
Ihem
legit pmo machabe
oru ca xij Quod tri
pho venit ad viros
de iuda et isrl ut eis
loqueretur in dolo
et eos caperet. Tri
phon iste proditore
iuda sigt qui dolose
ad xpm veniebat ipm
calumpniose oscu
lans tradidit iude
is ad interficiendu.
Dauid

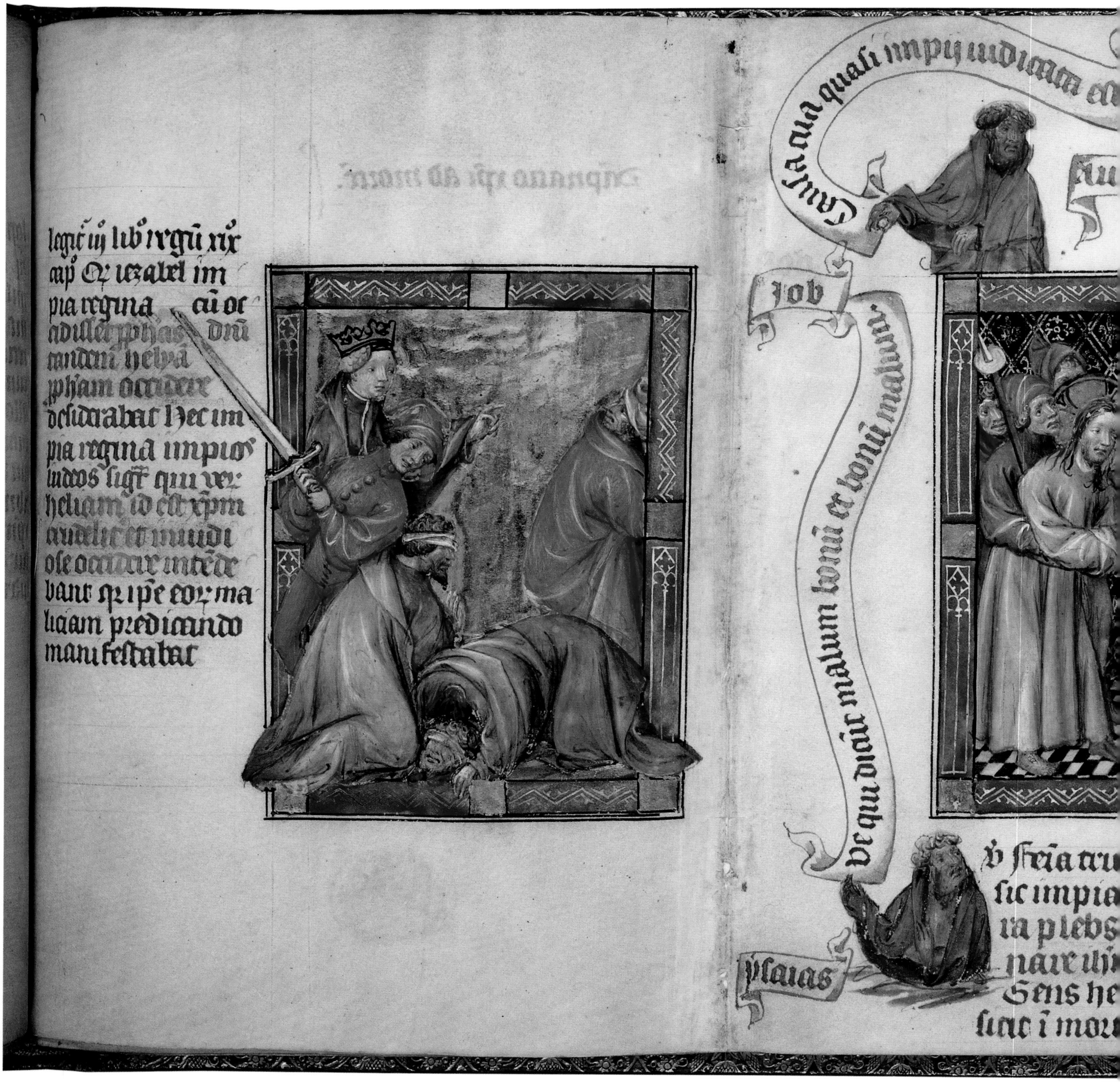

38.3 | Pilatus wäscht sich vor Jesus die Hände, flankiert von zwei Antitypen des Alten Testaments: Königin Isebel befiehlt die Hinrichtung der Propheten des Herrn (1 Kön 18,4) und König Darius ordnet an, Daniel in die Löwengrube zu werfen (wenn die Bildlegende ihn auch fälschlicherweise Nebukadnezar nennt) (Dan 6,16); fol. 13.

amos
Salomō

Causa tua quasi impii iudicata est.
Auctoritates
Job
Amos
Ve qui dicit malum bonu et bonu malum.
Accipere personam impii in iudicio no est bonu.
Ysaias
Salomon.
Feria tercia crux isti dapnac
sic impia xpm. Est fe
ria plebs causa dap
nare ihm sine ca.

38.4 | Pilatus wäscht sich vor Jesus die Hände, fol. 13 (Detail).

lateinische Verse, die sich auf das zentrale Thema des Alten Testaments beziehen. Die mit den Figurenporträts verbundenen Spruchbänder enthalten Zitate oder Paraphrasen aus dem Alten Testament und fungieren wie Sprechblasen in heutigen Comics. Rechts und links sind Miniaturen mit Szenen aus dem Alten Testament, jeweils begleitet von lateinischen Texten, die diese Bildgeschehen zusammenfassen und deren Bezug zum Neuen Testament aufzeigen (Bild 38.2, 38.3). Während die Hersteller älterer Kopien den Stoff in zwei solchen Sequenzen aus drei Bildern auf einer Seite übereinander oder eine Sequenz einer anderen auf Eröffnungsseiten gegenüberstellten, wurde er hier in einem vollkommen neuen Buchtyp auf überbreiten und zweifach gefalteten Seiten präsentiert. Die heutige Bindung des Bandes zeigt die Seiten, die ursprünglich gefaltet waren, aufgeklappt und an der ersten Faltung geheftet (die Einstichlöcher sind auf Bild 38.2 bis 38.3 sichtbar). Um die komplette Bildsequenz zu sehen, musste der Leser früher die zwei Teile mit dem Alten Testament ausklappen.

Zwei Beispiele zeigen, wie das einst funktionierte. Das zwölfte Blatt behandelt den Verrat Jesu durch Judas (Bild 38.2). Im Mittelbild packt Judas Jesus, um ihm den berühmten Kuss zu geben, während Petrus aus dem Bildrahmen herausspringt, um Malchus mit seinem Schwert zu erschlagen (Bild 38.1–38.2). Außerhalb des Rahmens stehen vier Brustbilder von Ezechiel, Jeremia, Habakuk und David neben Texten zum Thema Verrat. Das Zitat aus den Psalmen zum Beispiel beklagt den Verrat durch „auch mein Freund, dem ich vertraute, tritt mich mit Füßen" (Ps 41,10). Die kryptischen lateinischen Verse darunter verbinden die zentrale Szene des Neuen Testaments mit den Themen der Miniaturen rechts und links, die sich gleichfalls mit Verrat befassen. In den Begleittexten werden Urbilder von Judas mit den Verrätern Joab und Trypho gleichgesetzt. Als Nächstes kommt Pilatus und wäscht sich seine Hände von Jesu Schicksal rein (Bild 38.3). Hier konzentrieren sich die alttestamentlichen Texte Hiob, Amos, Jesaja und Salomo auf die Beugung der Gerechtigkeit und jene, die „das Recht in Wermut verwandeln" (Amos 5,7). Nach ihren Begleittexten illustrieren diese Bilder des Alten Testaments die Prototypen der Juden, deren böser Einfluss für die Kreuzigung Jesu sorgte: Isebel, die alle Propheten des Herrn zu töten suchte, und die Babylonier, die den widerstrebenden König Darius drängten, Daniel in die Löwengrube zu werfen.

ANMERKUNGEN

1 *Quaestiones in Heptateuchum*, 2,73.

2 Christopher de Hamel, *The Book: A History of the Bibel* (London, 2001), S. 158.

3 Zu den Dominikanern siehe die Bologneser Bibel, Nr. 28.

4 Marrow, „Art and Experience" (1996), S. 114.

LITERATUR

James A. Marrow et al., *The Golden Age of Dutch Manuscript Painting* (New York 1990), Nr. 2.

Biblia pauperum: King's MS 5, British Library, London, 2 Bde. (Luzern 1993–1994), I: *Facsimile*; II: *Commentary in English, French and German*, hrsg. von Janet Backhouse, James H. Marrow und Gerhard Schmidt.

James H. Marrow, „Art and Experience in Dutch Manuscript Illumination around 1400: Transcending the Boundaries", *Journal of the Walters Art Gallery*, 54 (1996), S. 101–117 (108–115).

39

DIE GROSSE BIBEL DER ENGLISCHEN KÖNIGE

Eine spätmittelalterliche Riesenbibel

Bibel in Latein.
London, um 1410–1413.

- 630 × 430 mm
- 350 Blatt
- Royal 1 E. ix

Jedes Buch, dessen Seiten mehr als einen halben Meter lang sind, ist ein Zeichen für die Kunstfertigkeit seiner Hersteller wie des extravaganten Bestrebens seiner Auftraggeber. Nur wenige Bibelhandschriften sind derartige Riesen. In den Sammlungen der British Library erreicht nur dieses eine Exemplar solch ein Format, das seine engsten Rivalen aus angelsächsischer, karolingischer und romanischer Zeit noch um 10 bis 15 cm übertrifft.[1] Nur die Stavelot-Bibel (Nr. 16) kommt ihm nahe. In anderen Sammlungen gilt dies noch für die bemerkenswerten italienischen Bibeln, die *Biblia magna* aus dem 11. Jh.

Unter den illustrierten Bibelabschriften ist der Band also eine Besonderheit. Von einem neueren Autor als „die letzte große Bibelsequenz der englischen mittelalterlichen Buchillustration"[2] beschrieben, präsentiert das Manuskript für jedes Buch des Alten und Neuen Testaments eine große Illustration, die in eine Initiale gemalt ist. Dabei dient die Kontur des Buchstabens eher als Rahmen, durch den der dreidimensionale fiktive Raum des Bildes zu sehen ist, anstatt als lesbare Letter. Am Beginn des Buches Jonas gelingt es dem Künstler durch eine starke Kürzung des Mittelstrichs der „E"-Initiale, den Binnenraum des Buchstabens mit zwei aufeinanderfolgenden Episoden, dargestellt in einer einzigen Landschaft, zu füllen (Bild 39.1). Nur selten überschneidet sich der dreidimensionale Raum der Illustration mit der Initiale und agiert mit dieser, wie bei der Einleitung zum Buch Ruth (Bild 39.2), wo die zentrale Figur des Bildes, Ruth, durch die deutende Hand von Boas betont wird, die in schrägem Winkel aus dem Bildraum über die Initiale „I" ragt.

Neben den Initialen mit biblischen Sujets zeigen 58 Bilder den frühen Kirchenvater und Bibelübersetzer Hieronymus.[3] Ein jedes markiert den Anfang eines seiner Prologe zu einem Buch der Bibel. Die meisten zeigen ihn als Gelehrten in einem Studierzimmer voller Bücher, in Anerkennung der Urheberschaft seiner Prologe und der Bibelübersetzung (Bild 39.3). Zumeist bilden sie ihn mit dem Kardinalshut *(galero)* ab, der im 13. Jh. eingeführt wurde. Dies wurde zur Tradition als (anachronistischer)

39.1 | Jonas wird von einem Schiff über Bord ins Maul eines Wals geschleudert und an der Küste vor einer Stadt wieder an Land gespuckt, am Anfang des Buches Jonas, fol. 232v (Detail).

Et ascendit in ioppen : et inuenit nauem

Hinweis auf seine führende Rolle in der Frühkirche.[4] Viele zeigen Hieronymus in Begleitung eines viel jüngeren Mannes (Bild 39.4). Wie in den Szenen, wo Hieronymus diesem ein Buch überreicht, deutlich wird, liegt bei solchen Abbildungen offenbar besonderes Gewicht auf die Weitergabe der Bibel und sie waren wahrscheinlich dazu gedacht, eine spezifische Verbindung zwischen dem antiken Bibeltext und dem vorgesehenen Besitzer der Handschrift im frühen 15. Jh. herzustellen. Die belebende Vielfalt der Behandlung, welche die Buchmaler diesem Thema angedeihen ließen, unterstreicht nicht nur deren künstlerischen Verdienste, sondern auch diese funktionelle Rolle der wiederholten Verbindung von Text und Leser.

Ein weiteres faszinierendes Merkmal der Handschrift ist die Aufnahme des apokryphen Nikodemusevangeliums, das zwischen dem Johannesevangelium und der Apostelgeschichte steht. Obwohl es hier *Tractatus passionis Christi secundum Nichodemum (Traktat zur*

39.2 | Ruth sammelt auf dem Feld ein, während Männer das Getreide schneiden, und Boas weist gegenüber einem Diener auf sie hin, am Anfang des Buches Ruth, fol. 62v (Detail).

39.3 | Hieronymus sitzt in seiner Studierstube vor einem großen Bücherschrank, am Anfang seines Prologs zum 1. Buch Chroniken, fol. 94v (Detail).

Passion Jesu nach Nikodemus) anstelle von Evangelium genannt wird, wurde dem Text anscheinend derselbe Status wie den 27 kanonischen Büchern des Neuen Testaments zugewiesen. Weithin verbreitet und gelesen im Mittelalter, richtete sich dieser Bericht über Prozess, Tod und Wiederauferstehung Jesu nach den Evangelien, ergänzte sie jedoch auch um weitere Episoden. Eine dieser Episoden ist in der Anfangsinitiale (Bild 39.6) dargestellt. Der von Pilatus ausgeschickte Bote, der Jesus holen soll: „Da er Christus erkannte, betete er ihn an und breitete seinen Umhang ... auf dem Boden aus" *(agnoscens eum adoravit et fasciale ... expandit in terra)*. Auch hier deutet der Buchmaler eine assoziative und emotionale Verbindung zu seinem Leser an, der wie der Bote Christus anerkennen und anbeten soll.

Trotz der anhaltenden Debatte über die Identität und Anzahl der Buchmaler, die diese Ausschmückung ausführten, besteht nun ein breiter Konsens, dass das Buch am Anfang des zweiten Jahrzehnts des 15. Jhs.

Et venient omnes immolantes et sumentes ex eis et co-
quent in eis: et non erit
mercator ultra in domo
domini exercituum in die
illa. Explicit liber za-
charie prophete. Incipit
prologus sancti ieronimi pres-
biteri in malachiam prophetam.
Malachias aperte et in
fine omnium prophetarum
de abiectione israel et vo-
catione gentium: non est
michi ait voluntas in
vobis dicit dominus exercituum. et munus non suscipiam de manu vestra. Ab ortu enim solis usque ad occasum magnum est nomen meum in gentibus: et in omni loco sacrificatur et offertur nomini meo oblatio munda. Explicit prologus.
Incipit argumentum in malachiam prophetam.

Deus per moysen populo israel
preceperat. sacerdotes tabernaculi
sui omni corporali vicio liberos
hostias omni vicio carentes
sibi offerre. Quibus legem suam
ad regendum populum ob hoc de-
derat: ut per sacrificiorum ob-
lationem intuitu dei et hominum fama populum preceptis ce-
lestibus faceret obedire. Inde sacerdotes angelos dei
esse hoc in loco scriptura
testatur. Sed quia tanti muneris gratiam contempnentes superdicti populi ac sacerdotes sacrificia modo deturpata ipsi criminibus atque impietatibus
maculati deo offerre ceperunt. ideo per malachiam prophetam deus populum israel increpans ait. Dilexi vos dicit dominus. Et dixistis. In quo
dilexisti nos. Nonne frater erat esau iacob dicit dominus et dilexi iacob:
esau autem odio habui. Esau autem fratrem iacob non unquam vel spontanea
nec voluntate odio habitum a deo. vel sine initio gratia iacob dilec-
tum: manifestum est cum secundum presenciam suam esau quidem effusionem fra-
terni sanguinis concupiscere. iacob autem sui cognomine observan-
dam legem desiderare cognosceret. Cuius rei gratia superdictis usus est
exemplo dicens. Dilexi iacob: esau autem odio habui. Quamvis
ex operibus memoratorum quorum liber geneseos meminit. in quo
unusquisque eorum futurus erat proposito: manifeste constat. ut
scriptum est. Creverunt pueri. et erat esau homo agrestis sa-
ciens venari. Iacob autem simplex manens in tabernaculo.
Nam reliqua que lectione comprehensa sunt: prevaricatione
populi israel in observandis sacrificiis dei increpatione eos in

eunte prophetam quod
deos alienos co-
luerunt significat.
Explicit argumen-
tum in malachiam
prophetam. Incipit
liber malachie pro-
phete. Capitulum primum.
Onus verbi domini
ad israel in ma-
nu malachie. Di-
lexi vos dicit do-
minus. Et dixi-
stis. In quo di-
lexisti nos: Nonne frater erat esau iacob dicit dominus. et dilexi iacob. esau autem odio habui. et posui montes eius in

in solitudinem. et hereditatem eius in dracones deserti.
Quod si dixerit ydumea destructi sumus. sed revertentes
edificabimus que destructa sunt: hec dicit dominus exercituum.
Isti edificabunt. et ego destruam. Et vocabuntur termini
impietatis: et populus cui iratus est dominus usque in eter-
num. Et oculi vestri videbunt: et vos dicetis. Magnifi-
cetur dominus super terminum israel. Filius honorat patrem
et servus dominum suum timebit. Si ergo pater ego sum:
ubi est honor meus: Et si dominus ego sum. ubi est timor
meus dicit dominus exercituum: Ad vos o sacerdotes qui de-
spicitis nomen meum: et dixistis. In quo despeximus nomen tuum: Offertis super altare meum panem pollutum
et dicitis. In quo polluimus te: In eo quod dicitis mensa domini despecta est. Si offeratis cecum ad immolandum
nonne malum est: Si offeratis claudum et languidum
nonne malum est: Offer illud duci tuo si placuerit ei aut
si susceperit faciem tuam: dicit dominus exercituum. Et nunc
deprecamini vultum domini ut misereatur vestri. de manu enim
vestra factum est hoc: si quomodo suscipiat facies vestras
dicit dominus exercituum. Quis est in vobis qui claudat o-
stia. et incendat altare meum gratuito: Non est michi
voluntas in vobis. dicit dominus exercituum: et munus non
suscipiam de manu vestra. Ab ortu enim solis usque ad occasum magnum est nomen meum in gentibus: et in omni
loco sacrificatur. et offertur nomini meo oblatio munda.
quia magnum est nomen meum in gentibus dicit dominus exercituum. et vos polluistis illud in eo quod dicitis. Mensa
domini contaminata est. et quod superponitur contem-
ptibile est: cum igne qui illud devorat. Et dixistis. Ecce
de labore. Et exsufflastis illud dicit dominus exercituum: et intulistis de rapinis claudum et languidum. et intulistis
munus. Numquid suscipiam illud de manu vestra dicit dominus: Maledictus dolosus qui habet in grege suo mas-
culum: et votum faciens immolat domino debile. Quia
rex magnus ego sum dicit dominus exercituum: et nomen meum
horribile in gentibus. Capitulum ii.
Et nunc ad vos mandatum hoc o sacerdotes.
Si nolueritis audire. et si nolueritis ponere su-
per cor ut detis gloriam nomini meo. ait dominus exercituum. mittam in vos
egestatem et maledicam benedictionibus vestris. et maledicam illis: quoniam non
posuistis super cor. Ecce ego proiciam vobis brachium. et
dispergam super vultum vestrum stercus sollempnitatum
vestrarum: et assumet vos secum. et scietis quia misi ad vos
mandatum istud: ut esset pactum meum cum levi dicit dominus exercituum. Pactum meum fuit cum eo vite et pacis. et dedi ei timorem et timuit me: et a facie nominis
mei pavebat. Lex veritatis fuit in ore eius: et iniquitas
non est inventa in labiis eius. In pace et in equitate am-
bulavit mecum: et multos avertit ab iniquitate. Labia
enim sacerdotis custodiunt scientiam et legem requirent
ex ore eius: quia angelus domini exercituum est. Vos autem
recessistis de via. et scandalizastis plurimos in lege. Ir-
ritum fecistis pactum levi: dicit dominus exercituum. Propter quod et ego dedi vos contemptibiles et humiles omnibus populis sicut non servastis vias meas: et acce-
pistis faciem in lege. Numquid non pater unus omnium nostrum: Numquid non deus unus creavit nos: Qua-
re ergo despicit unusquisque nostrum fratrem suum. violans pactum patrum nostrorum. Transgressus est iuda. et abho-
minatio facta est in israel et in ierusalem: quia conta-
minavit iudas sanctificationem domini quam dilexit. et
habuit filiam dei alieni. Disperdet dominus virum qui
fecerit hoc: magistrum et discipulum de tabernaculis

o. et offerentem munus domino exercituum. Et hec rur
fecistis. Operiebatis lacrimis altare domini. fletu et
tu. ita ut ultra non respiciam ad sacrificium: nec ac
m placabile quid de manu vestra. Et dixistis. Quam
ausam: Quia dñs testificatus est inter te et uxorem
ertatis tue: quam tu despexisti. Et hec particeps tua:
r federis tui. Nonne vnus fecit. et residuum spũs e
t: Et quid vnusquisqz querit. nisi semen dei: Cus
e ergo spm̃ vestrum: et uxorem adolescencie tue noli despi
Cum odio habueris: dimitte dicit dñs deus israel.
ret autem iniquitas uestimentum eius: dicit dñs
uum. Custodite spm̃ vestrum: et nolite despicere. Labo
ecistis dñm in sermonibus vestris: et dixistis. In quo
eimus laborare: In eo cum diceretis. omnis qui fa
lum bonus est in conspectu domini: et tales ei pla
Aut certe ubi est deus iudicij: Capitulum tercium.
Ecce ego mittam angelum meum qui prepara
bit viam ante faciem meam. Et statim ve
niet ad templum suum dominator quem vos
tis: et angelus testamenti quem vos vultis. Ecce
: dicit dñs exercituum. Et quis poterit cogitare diem
itus eius: Et quis stabit ad videndum eum: Ipse
quasi ignis conflans: et quasi herba fullonum. Et
r conflans et emundans argentum: et purgabit
leui. Et conflabit eos quasi aurum et argentum:
it domino offerentes sacrificia in iusticia. Et placebit
mino sacrificium iuda et ierlm sicut dies seculi: et
um antiqui. Et accedam ad vos in iudicio: et ero
elox maleficis. et adulteris. et periuris. et qui ca
niantur mercedem mercennarij. viduas et pupillos.
muit peregrinum: nec timuerunt me dicit dñs exerci
Ego enim dñs et non mutor. Et vos filij iacob:
tis consumpti. A diebus enim patrum vestrorum recess
a legitimis meis: et non custodistis. Revertimini
: et revertar ad vos dicit dñs exercituum. Et dixis
n quo revertemur: Si affigit homo deum. quia vos
itis me: Et dixistis. In quo confiximus te: In
s et in primiciis. et in penuria vos maledicti estis:
vos configitis gens tota. Inferte omnem decimam in
m. et sit cibus in domo mea: et probate me sr̃ hoc
ñs. si non aperuero vobis cataractas celi. et effude
is benediccionem usqz ad abundanciam. Et increpa
vobis devorantem. et non corrumpet fructum terre
ec erit sterilis vinea in agro dicit dñs exercituum.
eatos vos dicent omnes gentes. Eritis enim vos
abilis dicit dñs exercituum. Invaluerũt sr̃ me uba vrã di
Et dixistis. Quid locuti sumus cõtra te: Et dixisti. Vanus est
uit deo. Et quod emolumentum. quia custodiuimus
ta eius. et quia ambulauimus tristes coram dño ex
m: Ergo nunc beatos dicimus arrogantes. siqui
ificati sunt facientes impietatem: et temptauerunt
t salui facti sunt. Tunc locuti sunt timentes deum:
usqz cum proximo suo. Et attendit dñs et audiuit:
tus est liber monumenti coram eo timentibus deum:
antibus nomen eius. Et erunt michi ait dñs ex
n in die qua ego faciam in peculium: et parcam
t parcit uir filio suo servienti sibi. Et convertimini
ebitis quid sit inter iustum et impium: et inter ser
a deo et non servientem ei. Capitulum quartum.
Ecce enim dies veniet succensa quasi caminus: et
erunt omnes superbi et omnes facientes iniqui
tatem stipula. Et inflammabit eos dies veniens
is exercituum: que non relinquet eis radicem et ger

men. Et orietur vobis timentibus nomen meum sol iu
sticie: et sanitas in pennis eius. Et egrediemini et salie
tis sicut vituli de armento: et calcabitis impios cum fue
rint cinis sub planta pedum vestrorum in die qua ego facio
dicit dñs exercituum. Mementote legis moysi servi mei.
quam mandavi ei in oreb ad omnem israel: precepta et
iudicia. Ecce ego mittam vobis helyam prophetam: ante
quam veniat dies dñi magnus et horribilis. et convertet
cor patrum ad filios. et cor filiorum ad patres eorum: ne
forte veniam et percuciam terram anathemate. Explicit
liber malachie prophete. Incipit prologus sancti Jeronimi

presbiter in libris Ma
chabeorum. Machabeorum
libri duo prenotant prelia
inter hebreorum du
ces persarumqz gentem
pugnam quoqz sabba
torum. et nobiles ma
chabei ducis trium
phos: ex cuius nomi
ne et libri idem sunt
nuncupati. Hec quo
qz historia continet e
tiam inclita illa gesta machabeorum fratrum. qui sub
antiocho rege pro sacris legibus dira tormenta perpessi
sunt. Quos mater pia cum diversis suppliciis urgerentur.
non solum non flevit: set et gaudens hortabatur ad glo
riam passionis. Explicit prologus. Incipit liber macha
beorum pmus. Cap. jm.

Et factum est
postquam percus
sit alexander phi
lippi rex macedo.
qui primus reg
navit in grecia
egressus de terra
cethim darium
regem persarum et
medorum. et con
stituit prelia mul
ta. et omnium
optinuit muni
ciones. Et interfecit reges terre: et pertransiit usqz ad fi
nes terre. et accepit spolia multitudinis gencium: et siluit
terra in conspectu eius. Et congregavit virtutem et exerci
tum fortem nimis et exaltatus est: et elevatum est cor eius.
et optinuit regiones gencium et tirannos et facti sunt illi
in tributum. Et post hec decidit in lectum. et cognovit q
a moreretur: et vocavit pueros suos nobiles qui secum
erant nutriti a iuventute sua. et divisit illis regnum su
um: dum adhuc viveret. Et regnavit alexander annis
duodecim et mortuus est: et optinuerunt pueri eius reg
num vnusquisqz in loco suo. Et imposuerunt sibi om
nes diademata post mortem eius: et filij eorum post eos
annis multis: et multiplicata sunt mala in terra. Et
exijt ex eis radix peccati antiochus illustris filius anti
ochi regis qui fuerat rome obses: et regnavit in anno cen
tesimo tricesimo et septimo regni grecorum. In diebus illis
exierunt ex israel filij iniqui: et suaserunt multis dicen
tes. Eamus et disponamus testamentum cum gentibus
que circa nos sunt: quia ex quo recessimus ab eis. inve
nerunt nos multa mala. Et bonus visus est sermo
in oculis eorum: et destinaverunt aliqui de populo. et

vendi sunt libros
quinto die mensis

VORHERIGE SEITE

39.4–39.5 | Hieronymus überreicht sein Buch einem knienden Jüngling; Maleachi erzählt, wie Gott die Juden tadelt; Hieronymus sitzt in seinem Studierzimmer; und Alexander der Große kämpft zu Fuß gegen König Darius von Persien; an den Anfängen der Prologe zu den Büchern Maleachi und 1. Makkabäer, fol. 239v–240 (Detail).

GEGENÜBER

39.6 | Als Jesus vor Pilatus erscheint, breitet ein junger Mann seinen mit Hermelin ausgeschlagenen Umhang zu Jesu Füßen aus, am Anfang des Nikodemusevangeliums, fol. 282 (Detail).

von Künstlern in London angefertigt wurde, die in den Niederlanden ausgebildet worden waren und wohl auch von dort stammten. Wie in einigen anderen zeitgenössischen Prachthandschriften zeigten diese Gastkünstler bei ihren Figuren ein lebhaftes Interesse an einer naturalistischen Darstellung der Menschen wie der Räume, die diese besetzen. Neuere Forschungen haben diese Bibel auch als das einzige Buch identifiziert, das im letzten Willen von Heinrich V. (reg. 1413–1422) namentlich aufgeführt ist. Danach gehörte die *Biblia magna* (große Bibel) zuvor seinem Vater König Heinrich IV. (reg. 1399–1413) und sollte an den künftigen Heinrich VI. (reg. 1422–1461, 1470–1471) fallen. Einander folgende englische Monarchen erwarben mehrere Abschriften der *Bible historiale*, in der ausgewählte Texte ins Französische übersetzt und mit ebenfalls französischen Kommentaren versehen waren.[5] Im Gegensatz dazu bot die Große Bibel ihrem königlichen Publikum eine direkte Verbindung mit dem alten Text der Vulgata. Ihr riesengroßes Format bedeutete, dass sie zur Aufbewahrung und zum Vorlesen auf einem großen Pult liegen musste, das eventuell nicht in einer Kapelle, sondern in einem Studierzimmer stand.

LITERATUR

Jenny Stratford, „The Royal Library in England before the Reign of Edward IV", in: *England in the Fifteenth Century. Proceedings of the 1992 Harlaxton Symposium*, hrsg. von Nicholas Rogers (Stamford, 1994), S. 187-197 (bes. S. 194).

Kathleen L. Scott, *Later Gothic Manuscripts, 1390-1490*, 2 Bde., A Survey of Manuscripts Illuminated in the British Isles, 6 (London, 1996), II, Nr. 26.

Joanna Froń ska, „The Great Bible", in: Scot McKendrick, John Lowden und Kathleen Doyle, *Royal Manuscripts: The Genius of Illumination* (London, 2011), Nr. 23.

ANMERKUNGEN

1 Siehe die Canterbury Royal Bible, die Moutier-Grandval-, die Stavelot-, die Frankenthaler, die Floreffe- und die Arnsteinbibel, Nr. 5, 6, 16, 21–23.

2 Scott, *Gothic Manuscripts* (1996), II, S. 105.

3 Zu Hieronymus siehe den Vespasian- und den Lothar-Psalter sowie die Frankenthaler Bibel, Nr. 3, 7 und 21, und „Tausend Jahre Kunst und Schönheit", S. 12 f.

4 Im Gegensatz zum Lothar-Psalter, Bild 7.3.

5 Siehe auch die *Bibles historiales* von Karl V. und Edward IV., Nr. 36 und 42.

40

DIE *BIBLE HISTORIALE* KARLS VON FRANKREICH

Weisheit aus der Bibel erfahren

Grande Bible historiale à prologues (Genesis bis Offenbarung) in Französisch.
Paris um 1420.

- 460 × 330 mm
- 296 Blatt (Bd. 1), 251 Blatt (Bd. 2)
- Additional 18856 und 18857

Von den noch erhaltenen Kopien der *Bible historiale* enthalten einige die längsten Sequenzen an biblischen Bildern, die im Spätmittelalter geschaffen wurden.[1] Besonders reich illustriert sind jene in der *Grande Bible historiale à prologues*. Es ist die fortschrittlichste Version dieses Genres und der Text umfasst nicht nur den Inhalt früherer *Bibles historiales*, sondern auch französische Übersetzungen der Bücher 1 und 2 Chronik, 1 und 2 Esra und Nehemia (Bild 40.3) sowie Prologe in der Alltagssprache, etwa jenen des Augustinermönches Jean de Blois.

Das hier vorgestellte Manuskript ist eine besonders schöne Kopie dieses prächtigsten aller Bibeltexte. Es wurde in Paris von einem der führenden Buchmaler im ersten Viertel des 15. Jhs. erstellt. Seine zwei großen dicken Bände enthalten nicht weniger als 141 Bilder. Ihr Format ist das jener Bücher, die für die Bibliotheken damaliger frankophoner Adliger gedacht waren. In dieser Hinsicht hat diese *Bible historiale* mehr gemeinsam mit damaligen Manuskripten von Texten in der Volkssprache als mit den lateinischen für Studium und Andacht. Ihre Illustrationen sind typische Produkte der kommerziellen Künstler, die diesen Laienmarkt mit Bibliotheksbüchern versorgten, – zum großen Teil konventionell, aber manchmal auch in der Ikonographie innovativ und komplex. Derart ausführliche Texte wurden stets in zwei Bänden veröffentlicht.

Die illustrierte Anfangsseite des ersten Bandes (Bild 40.1) ist herausragend. Sie steht am Beginn einer der Vorreden zur *Bible historiale*, die sich von Peter Comestors *Historia scholastica* ableitet, und bietet einen tiefschürfenden visuellen Kommentar zur theologischen Weisheit. Dieser Kommentar, der an die Stelle konventionellerer Abbildungen der Dreifaltigkeit oder Gottes im Kreise der Evangelisten tritt, wie es sie in vielen anderen Historienbibeln gibt, bezieht seine Thematik aus der Bibel wie auch anderer christlicher Literatur. In Anspielung auf die Dreifaltigkeit in ihrer Dreiteilung, ohne sie konkret darzustellen, zeigt das Hauptbild einen Kirchenraum mit drei Türen, die, von links nach rechts, beschriftet sind mit *Spes* („Hoffnung"), *Caritas* („Liebe") und *Fides* („Glaube"). Im

40.1 | Frau Weisheit, Moses und der heilige Petrus unterweisen das Volk, umgeben von den Evangelisten (unten), und Szenen aus dem Leben der Jungfrau Maria (links) und Jesu (rechts), am Anfang einer der Einleitungen der *Grande Bible historiale*, Additional 18856, fol. 3 (Detail).

De la creation du ciel empire et des quatre
elemens et de la premiere confusion du monde
le ou salle en la quelle il donne ses mes
sagiers.
En palais de roy et de
empereur appartient
a avoir trois man
sions. Cest assavoir
auditoire ou consi
toire ou quel il fait
ses iugemens et don
ne a chascun so droit.
Chambre en la quel
le il repose. Et cenail
En ceste maniere
nre empereire
qui commande
aus vens et a la
mer et a le monde
pour auditoire ou
quel toutes choses
sont faites a son
commandement
et a la boulente de

linken Raum verkündet Moses mit seinen traditionellen Hörnern[2] die Zehn Gebote dem hebräischen Volk – ein Diptychon der Gesetzestafeln befindet sich auf dem Altar hinter ihm. Im linken Randschmuck sind zwei Medaillons mit Mariä Verkündigung (unten) und Himmelfahrt (oben). Rechts außen predigt ein Apostel, wohl Petrus, vor einer Volksmenge; auf dem Altar über ihm befinden sich ein Buch und ein Kelch, die Symbole für das Wort sowie Christi geopfertes Blut. Im rechten Randschmuck zeigen zwei Medaillons die Himmelfahrt (oben) und das Pfingstwunder (unten). In der Mitte der ganzen Miniatur unterweist zudem eine dritte Gestalt eine Gruppe von Menschen. In diesem Fall handelt es sich um eine Frau mit Krone, Flügeln und einem Buch; ihr Publikum sind links weltliche wie kirchliche Herrscher und rechts ein Bischof und Kirchenlehrer. Zur Verdeutlichung ihrer Predigt ist unter der Frau ein großes Textfeld

LINKS

40.2 | Die Dreifaltigkeit, flankiert von den vier Evangelisten, am Anfang des Matthäusevangeliums, Additional 18857, fol. 148 (Detail).

OBEN

40.3 | König Kyros befiehlt den Wiederaufbau des Tempels in Jerusalem, am Anfang von 1 Esra, Additional 18856, fol. 207 (Detail).

La lignee iudas tendra la tente a tout son ost par devers orient si sera le prince naason le filz a
minadab et fu la sõme de tous les combatans de toute ceste lignee .lxxiiij .mil .et .vjc. decoste iudas tendi
ses tentes devers orient aussi la lignee ysachar et fu leur princes achanachel le filz suar et la sõme des cõba
tans de ceste lignee fu .liiijm .et .iiijc. decoste ysachar tendi ses tentes devers orient la lignee zabulon si fu le pr
ces heliable filz helon et la sõme des combatans de ceste lignee fu .lvijm .et .iiijc. ainsi furent es heberges iudas
devers orient .C .iiij .et .vjm qui aloient premeram par leurs compaignies devers midi tendi ses tentes la lignee
ruben et fu leur prince helisseur filz sedeur et la sõme des combatans de ceste lignee fu .xlvjm .et .v. decoste ru
tendi ses tentes devers midi aussi la lignee symeon si fu leur prince salamihel le filz furi saddai et la sõme de
cõbatans de ceste lignee fu .lixm .et .ii. decoste symeon tendi ses tentes la lignee gad si fu leur prince heliasaph l

40.4 | Die Zwölf Stämme Israels finden sich ein, um sich von Moses und Aaron zählen zu lassen, am Anfang von Numeri, Additional 18856, fol. 78 (Detail).

angebracht. Dieses enthält Auszüge aus dem deuterokanonischen Buch Sirach (24,5–6 und 8), aus den Sprüchen (8,34; 8,14–15) sowie aus einem der einflussreichsten philosophischen Texte des frühen Christentums, aus Boethius' *De consolatione philosophiae* (Buch 4, Metrum 1).[3] In jedem Fall ist das Thema die Weisheit und stellt die zentrale Lehrerin die weibliche Personifikation dieser Tugend dar. Über diesen Szenen schwebt physisch und symbolisch Gott, flankiert von Maria, Johannes dem Täufer und den Engeln. Autorität verleihen dem Ganzen zwei Propheten im oberen Rand und die vier Evangelisten in zwei historisierten Initialen und zwei weiteren Medaillons (Letztere werden in Bild 40.1 nicht gezeigt). Nur noch eine andere Handschrift der *Bible historiale* wagt eine derart ambitionierte Auslegung in ihrer Eingangsillustration.[4]

Die Betonung der Weisheit am Beginn des ersten Bandes wird ergänzt von dem Bild Salomos als Lehrer am Anfang des zweiten (Abb. 1). Hier ist die Darstellung der Unterweisung näher am Leben des vorgesehenen Publikums der Handschrift. Dieses Bild ist weniger abstrakt als sein älterer Gegenpart und steht exemplarisch für den weisen Herrscher. Die traditionelle Illustration zu Beginn des ersten Bandes der Historienbibel, die Dreifaltigkeit, wurde an den Anfang des Matthäusevangeliums verschoben. Außerdem hat der Künstler statt der schlichten Abbildung von Matthäus die Dreifaltigkeit umgeben von allen vier Evangelisten gewählt (Bild 4.2).

Die reiche Ausstattung der Handschrift sowie die Beteiligung eines der berühmtesten Künstler jener Zeit, des Bedford-Meisters, veranlassten ältere Forscher zu der Vermutung, das Buch sei für ein Mitglied der französischen oder englischen Königsfamilie bestimmt gewesen. Dies bleibt zwar spekulativ, doch dokumentieren die den Seiten beigefügten Wappen, dass das Manuskript später an Karl von Frankreich überging, den jüngeren Bruder von König Ludwig XI., als er 1465 bis 1469 Herzog der Normandie war (Bild 40.1, 40.4).

ANMERKUNGEN

1 Siehe auch die *Bibles historiales* von Karl V. und Edward IV., Nr. 36 und 42.

2 Die Tradition, Moses mit Hörnern darzustellen, stammt aus der Schilderung in der Vulgata, sein Gesicht sei nach dem Gespräch mit Gott gehörnt gewesen *(cornuta esset facies sua ex consortio sermonis Dei)* nach dem Empfang der Gesetzestafeln (2 Mos 34,29).

3 Zu den deuterokanonischen Büchern siehe „Tausend Jahre Kunst und Schönheit", S. 10.

4 Harley 4381.

LITERATUR

Millard Meiss, *French Painting in the Time of Jean de Berry: The Limbourgs and their Contemporaries* (New York, 1974), S. 364, 379.

M. W. Evans, „Boethius and an Illustration to the *Bible historiale*", *Journal of the Warburg and Courtauld Institutes*, 30 (1967), S. 394-398 (bes. S. 397).

Pamela Tudor-Craig, „The Iconography of Wisdom and the Frontispiece to the *Bible historiale*, British Library, Additonal Manuscript 18856", in: *The Church and Learning in Later Medieval Society: Essays in Honour of R. B. Dobson, Proceedings of the 1999 Harlaxton Symposium*, hrsg. von Caroline M. Barron und Jenny Stratford (Donnington, 2002), S. 110–127.

41

EINE NIEDERLÄNDISCHE HISTORIENBIBEL

Die Heilsgeschichte auf Niederländisch

Utrechter Bibel (Genesis bis Esther) in Niederländisch.
Utrecht um 1440–1445.

- 390 × 285 mm
- 298 Blatt
- Additional 15410

Der Norden der Niederlande zählte zum Kerngebiet der protestantischen Reformation, deren einer Schwerpunkt darauf lag, dass die Laien die Bibel selbst lasen. In den Jahrhunderten zuvor war in diesen Gebieten die Heilige Schrift verbreitet in der Volkssprache vorgelesen worden. Nach neueren Forschungen[1] umfassen rund 430 Handschriften, die vielfach für Laien und nicht für Ordensleute gedacht waren, Teile der Bibel auf Mittelniederländisch.

Zweifelsohne sind die aufwendigsten Bände in diesem Kontext die heute sogenannten Utrechter Bibeln. Die noch vorhandenen etwa 20 Exemplare wurden zwischen 1430 und 1480 in Utrecht geschrieben und illuminiert. Diese Handschriften sind berühmt für ihre reiche Illustrierung der biblischen Erzählung: Einige Bände beinhalten mehrere hundert Miniaturen, die von professionellen Künstlern angefertigt wurden. Die Utrechter Bibeln unterscheiden sich zwar in der Anzahl ihrer biblischen Bücher, bestechen jedoch durch einen oder zwei der beiden mittelniederländischen Texte, die 1360/61 in Brabant bzw. Anfang des 15. Jhs. im Norden der Niederlande vollendet wurden. Während in dem früheren Werk dem Bibeltext die *Historia scholastica* von Petrus Comestor († 1178) beigefügt ist, konzentriert sich im späteren die Übersetzung allein auf die Worte der Heiligen Schrift und verzichtet auf einen Kommentar. Wie der Prolog der Utrechter Bibel deutlich macht, liegt die Betonung auf der historischen oder wortwörtlichen Interpretation der Heiligen Schrift und nicht auf der allegorischen oder moralischen Bedeutung.[2] Zusammen präsentieren die Utrechter Bibeln eine klare und glaubwürdige Erzählung der historischen Vergangenheit, deren Lesung für Laien gedacht war, die individuell nach Erlösung suchten.[3]

Die hier gezeigte Utrechter Bibel ist ein schönes Beispiel für diesen Typus. Wie einige andere dieser Manuskripte beschränkt sich ihr Text auf ausgewählte Prosabücher des Alten Testaments. 22 Bücher, nach der Übersetzung von 1360/61, enthalten sowohl kanonische Schlüsseltexte (den Oktateuch, 1 und 2 Samuel, 1 und 2 Könige[4], Daniel, Ezechiel und Habakuk) sowie Bücher, die in modernen protestantischen Bibeln als

41.1 | König Salomo sitzt zu Gericht, am Anfang des Buches Richter, fol. 160 (Detail).

ons parabolē vergaderde.
boec Cap

LINKS

41.2 | Elkana steht zwischen seinen beiden Frauen, Pennina mit ihren Kindern und der weinenden kinderlosen Hanna, am Anfang von 1 Samuel, fol. 177v (Detail).

GEGENÜBER

41.3 | Elija lässt das Feuer vom Himmel über die Boten von König Ahasja (links) regnen; mehrmals dazu aufgefordert, besucht er endlich den verletzten König und prophezeit ihm den Tod, am Anfang von 2 Könige, fol. 231v (Detail).

apokryph betrachtet werden (Das Gebet des Manasse, Tobit, 1 und 2 Esra, Judith und Esther). Comestors Kommentar ist an den betreffenden Bibeltext angehängt und entweder als *scholastica historia* ausgewiesen oder mit roter Tinte kenntlich gemacht. Während der Anfang von Habakuk und des Gebets von Manasse nur mit einer großen illuminierten Initiale hervorgehoben sind, beginnen alle anderen Bücher mit einer Illustration. Bei der Genesis steht eine spaltenhohe Abbildung der sieben Schöpfungstage, eine Randminiatur von Abraham und Isaak sowie ein vollständig ausgeschmückter Rand. An anderer Stelle geht dem Buch eine einzelne Illustration über die Breite einer Spalte voran, die teilweise zudem mit Randschmuck betont wird. Die an Farben reichen und in ihrer Kulisse zeitgenössischen Miniaturen unterstreichen den wörtlichen und direkten Zugang zum Text.

Wie andere Utrechter Bibeln ist der Band das Werk mehrerer kommerzieller Buchmaler. Vier Künstler waren für die Illustrationen, Hauptinitialen sowie die Randgestaltung verantwortlich. Jedem von ihnen wurde zur Illustrierung der hier vorgestellten Handschrift eine wer En die van amo en die va moab en die va arabien q̄me tiuda omtrent en gaddy En doe iosephat bede inde tempel so verstervtene yahel zacha rias zone die prophete en seide O iuda en iherusale en wilt niet ontsien Ghi selt morgen wt trec ken en die here sal mit v wesen En iosephat toech wt en sloech die viande en veriagede se En doe isra el der viande getelde voefde in dage so hiet hi die valeye die stat der be nedittien · om dat hi vrienscappe had gemaect mitten coninc van israel so wert sijn volc in die zee te broken daer die text af sept ·

Ер dandere Text

M van iosephats woerde ende sine wercke die hi dede ende sine striden en sijn si niet bescreue inden boeke der woerden vande da gen der coningen van iuda Oec hi dede oec af vanden lande die ouer blive vander droecheden die ouer bleuen waren in aza sijns vad' dagen En doe en was ne gheen coninc gemaect in edom En die coninc iosephat had gemaect ene vloet inder zee die vare soude in ophir om gout Oec si en mochte niet gaen Want si worden te bro ken in asiongaber Doe seide otho zias achabs zoen tot iosephat mijn knapen sellen gaen mit dine kna pen in die scepe en iosephat en wou de En iosephat sliep mit sinen va ders en hi is mit hem begrauen in dauid sijns vaders stede En io ram sijn zone regneerde ouer he

Heydensche yeesten

N iosephats dagen was die negende coninc vanden latinen siluius carpetus En die tiende siluius tyberius En na hem wert die riuiere die ty bere genoemt diemen te vore abul la hiet Die elfte coninc was siluius agrippa

Text d' bibelen

O thozias achabs zone begoste te regneren boue israel in sama

Hier begint dat vierde boec d' coninge

M oab brac sijn geloefte na die dat achab doot was en ginc is rael af En o chosias viel do re die tralie vā sijnre cameren die hi hadde in samarien En hi quam en hi zende bode en seide tot hem Gaet en neemt raet aen belzee bub den god van ackers of ic sal mogen te liue bliue van deser ziecheit En sheren engel sprac tot he lyam van thesby en seide Stant op en ganc in sconincs van samarie bode gemoete en sels tot hem segge En is ne geen god in israel dat ghi gaet om raet te neme van belsebub de god van ackers Om die zake seit die he re Du en sels vande bedde niet gaen daer du op gelege bis · Oec du sels die doot steruē En helyas ginc wech en die boden keerden weder tot othosia En hi seide hem waer om si di weder co men En si antwoerden hem Een man quā ons te gemoete En hi sei de ons Gaet en keert weder toten

Ochozias plach te sijn onder de co va isrl'

soude mogen in duutsche verclaere
elc te sinre stat Die ioden en hebben
in dit boec niet die historie van su
sanne noch der kinderen lof noch
die sagen van bel En vanden drake
daer wij af seggen selle claerlick
elc te sinre stede

Hier beghint daniels boec Cap. I.

Nabugodonosor de coninc
van babilonie
quam te iheru
salem in ioa
chims sconincs
van iuda der
de iaer va si

41.4 | Daniel betet in der Löwengrube (links); Habakuk, der den Schnittern Essen aufs Feld bringen will, wird von einem Engel fortgetragen, um stattdessen Daniel zu versorgen (Dan 14,30–38); am Anfang des Buches Daniel, fol. 265 (Detail).

spezielle Aufgabe zugewiesen, wobei ein Miniaturenmaler die Illumination der Genesis übernahm, ein zweiter die vier Bilder jeweils am Anfang von Exodus bis Deuteronomium und ein dritter die sieben Miniaturen von Josua bis zu 2 Könige sowie der Letzte jene von Tobit bis Esther. Durch diese Arbeitsteilung vermochten mehrere Künstler gleichzeitig an Teilen des Buches zu arbeiten und führten somit die Anfertigung auf kommerzielle Weise aus. Der Beitrag des dritten Künstlers zur Illustrierung (Bild 41.1–41.3) ist bei Weitem der beste, obgleich die in Niederländisch verfassten Anweisungen an den Rändern der betreffenden Seiten zu seiner Anleitung darauf deuten, dass diese Person die Arbeit nicht koordinierte, wie man vielleicht meinen würde.

In Wahrheit ist dies der Meister der Katharina von Kleve, so genannt nach seiner hervorragenden Illumination eines Stundenbuches, das sich heute in New York befindet und um 1440 für Katharina von Kleve (1417–1476), Herzogin von Geldern, hergestellt wurde.[5] Er gilt als einer der innovativsten und faszinierendsten Künstler des Spätmittelalters. Von den 15 Handschriften, deren Illumination ihm zugeschrieben wird, sind drei Exemplare Utrechter Bibeln. Wie im vorliegenden Band verlieh der unbekannte Buchmaler seinen biblischen Figuren Leben und realistische Anmut. Am Anfang des Buches Richter zum Beispiel belebt der Künstler eine ansonsten womöglich formelhafte Gerichtsszene mit einer vielfältigen Farbpalette, verschiedensten Gesten und Haltungen sowie anekdotischen Details (Bild 41.1). Für 1 Samuel stellte der Meister der Katharina von Kleve ein traditionelles Sujet neu dar, indem er Gewänder und Posen von Pennina und Hanna in starkem Kontrast zeigt (Bild 41.2). Hannas nachdenkliche und niedergeschlagene Haltung befindet sich beredt im Widerspruch zur lebhaften Interaktion zwischen Pennina und ihren Kindern. Die bezaubernde Darstellung Daniels in der Löwengrube (Bild 41.4) wurde von einem Kollegen des Meisters erstellt.

LITERATUR

Sandra Hindman, *Text and Image in Fifteenth-Century Illustrated Dutch Bibles* (Leyden 1977), S. 3, 10, 13, 67, 85, 137.

James H. Marrow et al., *The Golden Age of Dutch Manuscript Painting* (New York, 1990), Nr. 42.

Rob Dückers und Ruud Priem, *The Hours of Catherine of Cleves: Devotion, Demons and Daily Life* (New York 2010), S. 55 und 58, Nr. 20.

ANMERKUNGEN

1 Suzan Folkerts, „Reading the Bible Lessons at Home: Holy Writ and Lay Readers in the Low Countries“, *Church History and Religious Culture*, 93 (2013), S. 217–237 (bes. S. 224).

2 Hindman, Text and Image (1977), S. 23.

3 Geert Warnar, „Het verlossende woord: De Utrechtse bijbels (ca. 1430-1480) in context“, *Ons Geestelijk Erf*, 83 (2012), S. 264–282.

4 Zum Oktateuch siehe die Bilderbibel von Padua, Nr. 37; die vier Bücher Könige werden zumeist als 1 und 2 Samuel sowie 1 und 2 Könige bezeichnet.

5 New York, Morgan Library, ms M. 917 und ms M. 945.

42

DIE *BIBLE HISTORIALE* EDWARDS IV.

Wahrlich eine Bibel für einen König

Bible historiale (Tobit bis Apostelgeschichte) in Französisch. Brügge 1470 (Text) und um 1479 (Illumination).

- 435 × 320 mm
- 239 Blatt
- Royal 15 D. i

Zusammen mit zwei dazugehörigen Bänden[1] hat man diese Handschrift als die schönste französische Bibel bezeichnet, die je gemacht wurde.[2] Ihre 77 Miniaturen, die vielerlei Themen des Alten und Neuen Testaments behandeln, machen sie gewiss zu einem der am reichsten illuminierten Manuskripte. Zudem behandeln elf dieser Bilder ihre Sujets mit einer malerischen Breite und räumlichen Großzügigkeit, die sie unter den anderen spätmittelalterlichen Bibelminiaturen hervorstechen lässt. Die Bibel ist ein beredtes Zeugnis für den wahrgenommene Prunk am Hofe Edwards IV. (reg. 1461–1483), den ein auswärtiger Besucher als „den prächtigsten ... der ganzen Christenheit" beschrieb.[3]

Während ältere Abschriften der Historienbibel zumeist in Paris entstanden waren[4], wurden dieser Band und die beiden anderen in Brügge angefertigt. Die Stadt war in der zweiten Hälfte des 15. Jhs. eines der lebhaftesten Zentren für Handel und Kunst in Europa. In Brügge wimmelte es geradezu von Buchmalern, die in der Lage waren, für vermögende Kunden Handschriften hoher Qualität herzustellen. Wie in vielen derartigen Bänden ist auch hier die Illumination das Ergebnis einer engen Zusammenarbeit mehrerer Künstler. Alle bis auf eine der elf großen Miniaturen – das auffallendste Charakteristikum des Buches – wurden einem „Chef-Künstler" zugeschrieben, der mit einem talentierten Gehilfen zusammenarbeitete. In Illustrationen wie dem Gastmahl Belsazars (Bild.42.1) entwickelten die beiden Buchmaler erstaunliche Kompositionen, deren Schlichtheit durch einen plastischen Auftrag kräftiger Farben und die Einführung verschiedenster komplizierter Haltungen der Figuren lebendig wirkt. Trotz ihrer Größe konzentrieren sich alle Illustrationen nahezu ausschließlich jeweils auf eine einzige Episode. Zusätzliche Szenen sind in die unbedeutenden Ecken der Miniaturen verbannt und vom Betrachter leicht zu übersehen. Als sie ihre Bilder zusammenstellten, schöpften die beiden Miniaturenmaler aus einem Bestand an Vorlagen für einzelne Figuren wie Gruppen. Quellen für die beeindruckende Kreuzigung (Bild 42.5) beispielsweise waren ein älterer niederländischer Stich desselben Themas für die beiden Diebe sowie für

42.1 | Während er beim Mahl zu Tisch sitzt, erschrickt König Belsazar beim Anblick einer menschlichen Hand ohne Körper, die auf die Wand seiner Kammer schreibt, am Anfang des Buches Daniel, fol. 45 (Detail).

Mane thechel phares

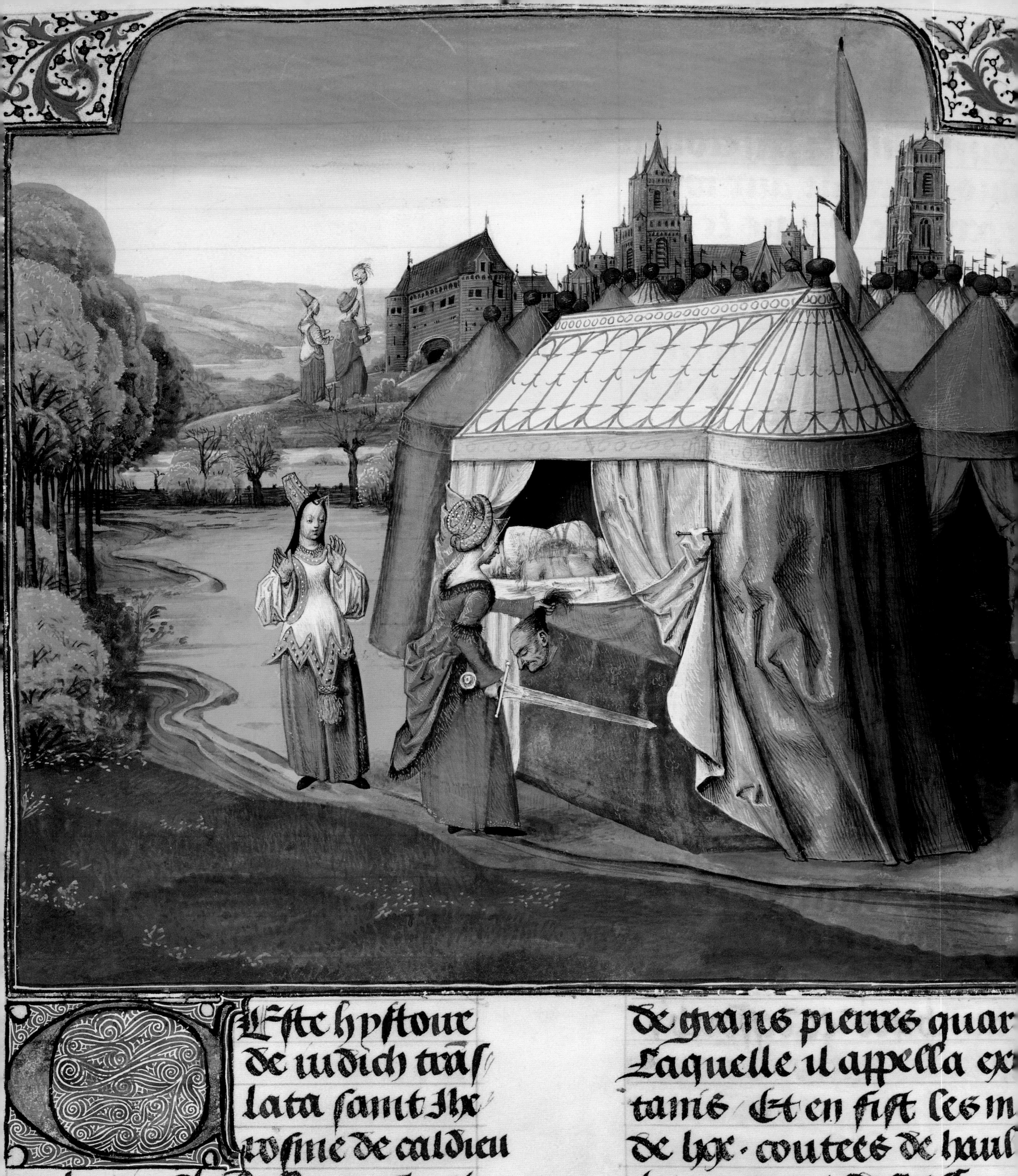

Ceste hystoire
de iudich trans-
lata saint Ihe-
rosme de caldieu
en latin A la requeste et
pryere des saintes vierges
eustociu et paule … quat

de grans pierres quar-
Laquelle il appella ex-
tanis Et en fist les m
de lxx. coutees de haul
Et auoient despesseur
xxv. coutees Et
se commanca fort a glo

Au quart io[ur]
apres holo
fernes fist
appareillier
vng grant
soupper a ses gens Et ap
[illegible]

Car il me tourneroit a
grant honte entre les
assiriens se elle meschap
poit ainsi Dont
ala vagao a iudich Et
luy dist ha a bonne pu
[illegible]

VORHERIGE SEITEN (LINKS)
42.2 | Judith hält den Kopf des assyrischen Königs Holofernes in der Hand, den sie in seinem Zelt vor der belagerten Stadt Betulia geköpft hat, während er betrunken war; im Hintergrund trägt sie seinen Kopf auf der Spitze ihres Schwerts in die Stadt; im Buch Judith, fol. 66v (Detail).

VOERHERIGE SEITEN (RECHTS)
42.3 | Die Assyrer finden den kopflosen Körper des Holofernes, als das jüdische Heer aus der Stadt auszieht, um sie anzugreifen; im Hintergrund ist der Kopf des Holofernes auf der Stadtmauer auf einer Pike aufgespießt; im Buch Judith, fol. 76v (Detail).

LINKS
42.4 | Judas gibt die Silberstücke, die er für den Verrat Jesu erhalten hat, zurück und begeht Selbstmord, in der Evangelienharmonie, fol. 346 (Detail).

GEGENÜBER
42.5 | Jesus stirbt am Kreuz zwischen den zwei Dieben, während Maria in die Arme von Johannes sinkt, die beiden anderen Frauen voller Trauer das Geschehen betrachten und der Centurio und die Soldaten sich unterhalten; in der Evangelienharmonie, fol. 353 (Detail).

den gekreuzigten Jesus ein Tafelbild der Kreuzigung von dem berühmten niederländischen Künstler Rogier van der Weyden († 1464).

Die einzige große Miniatur, die nicht von den beiden Buchmalern stammt, ist *Der Tod des Holofernes* (Bild 42.2). Diese wurde einem Maler zugeschrieben, der mit einer eher gedämpften Palette arbeitete und größeres Interesse an der Darstellung des Raumes und des Spiels des Lichts als an den Formen hatte. Vergleicht man diese Miniatur mit dem nächsten Bild in diesem Band, das die Auffindung des toten Holofernes zeigt (Bild 42.3), wird deutlich, wie unterschiedlich die Beiträge der Illuminatoren sind. Der talentierte Gehilfe, der an den großen Bildern mitwirkte, übernahm selbst eine der 66 einspaltigen Miniaturen (Bild 42.4), zart gemalt in Halb-Grisaille, einer Technik, bei der die monochrome Grisaille mit ein wenig Farbe versehen wird.[5] Ein dritter und ein vierter Künstler waren für alle anderen kleinen Miniaturen, mit Ausnahme von zweien, zuständig und ebenso für die schön illuminierten Bordüren, die alle Illustrationen umrahmen (Bild 42.6). Gemeinsam bilden diese Darstellungen eine ununterbrochene visuelle Erzählung, die vom Buch Tobit (Bild 42.6) bis zur Apostelgeschichte reicht und die Bücher Jeremia, Ezechiel, Daniel

Ainsi que
ceste tourbe
mauldictte
des juyfz
menoit

le cyreneem qui leur sam
bloit fort et robuste pour
soustenir et porter ceste croix
Auquel voux voulsist
il ou non ilz la chargerent

(Bild 42.1), Judith (Bild 42.2–42.3), Esther und Makkabäer sowie eine Evangelienharmonie umfassen, in der die verschiedenen Erzählungen der vier Evangelisten zu einer einzigen verwoben sind (Bild 42.4–42.5).[6]

Wie viele seiner Vorgänger wollte König Edward IV. einige der schönsten Bücher, die auf dem Kontinent hergestellt worden waren, besitzen. Und so baute er eine bemerkenswerte Sammlung opulenter südniederländischer Handschriften mit farbenprächtigen Illustrationen auf, die die adlige Vorliebe für französische Unterweisungsliteratur und historisierte Texte jener Zeit widerspiegelte. Am Anfang des hier gezeigten Manuskripts gibt eine Inschrift des Schreibers Jan du Ries das Datum der Anfertigung mit 1470 an und den Auftraggeber als Edward IV. Doch der Band war ursprünglich anscheinend nicht für den englischen König gedacht. Edwards Name und Titel wurden eindeutig auf eine ausradierte Stelle gesetzt und waren nicht Teil des Originaltextes von du Ries. Weitere Belege deuten darauf, dass der Band für Edward viel später fertiggestellt wurde. Die beiden dazugehörigen Bände, die den Rest seiner Historienbibel ausmachen, sind auf 1479 datiert, was, wie wir heute wissen, der Hauptperiode entspricht, in der Edward niederländische Prachthandschriften sammelte. Eine detaillierte Untersuchung der Heraldik und des Randschmucks (Bild 42.6) und die Analyse der Gewänder der Figuren bestätigen, dass die Ausgestaltung des Bandes ebenfalls um 1479 erfolgte. Vermutlich wegen des Mangels an einem früheren Auftraggeber mit ausreichend Interesse und Vermögen, blieb der hochfliegende Ehrgeiz der Planer dieser Kopie der Historienbibel mehrere Jahre lang nach dem Schreiben des Texts unerfüllt, bis die buchmalerische Ausgestaltung dann für den englischen König abgeschlossen werden konnte.

42.6 | Tobit wird von Vogelexkrementen geblendet, während er schlafend in seinem Haus liegt; draußen spricht sein Sohn Tobias mit dem Engel Rafael, der als Reisender verkleidet ist; am Anfang des Buches Tobit, fol. 18.

LITERATUR

Samuel Berger, *La Bible française au Moyen Âge: étude sur les plus anciennes versions de la Bible écrites en prose de langue d'Oïl* (Paris, 1884), S. 389 f.

Thomas Kren und Scot McKendrick, *Illuminating the Renaissance: The Triumph of Flemish Manuscript Painting in Europe* (Los Angeles, 2003), Nr. 82.

John Lowden, „Bible historiale: Tobit to Acts", in: Scot McKendrick, John Lowden und Kathleen Doyle, *Royal Manuscripts: The Genius of Illumination* (London 2011), Nr. 53.

Scot McKendrick, „The Manuscripts of Edward IV: The Documentary Evidence", in: *1000 Years of Royal Books and Manuscripts*, hrsg. von Kathleen Doyle und Scot McKendrick (London, 2013), S. 149–177.

ANMERKUNGEN

1 Royal 18 D. ix und Royal 18 D. x.

2 Berger, *La Bible* (1884), S. 389.

3 Gabriel Tetzel, February 1466, zitiert in Charles Ross, *Edward IV* (London, 1974), S. 259.

4 Siehe die *Bibles historiales* von Karl V. und Karl von Frankreich, Nr. 36 und 40.

5 Zur Grisaille siehe die *Bible historiale* von Karl V., Nr. 36.

6 Zu Evangelienharmonien siehe „Tausend Jahre Kunst und Schönheit", S. 15.

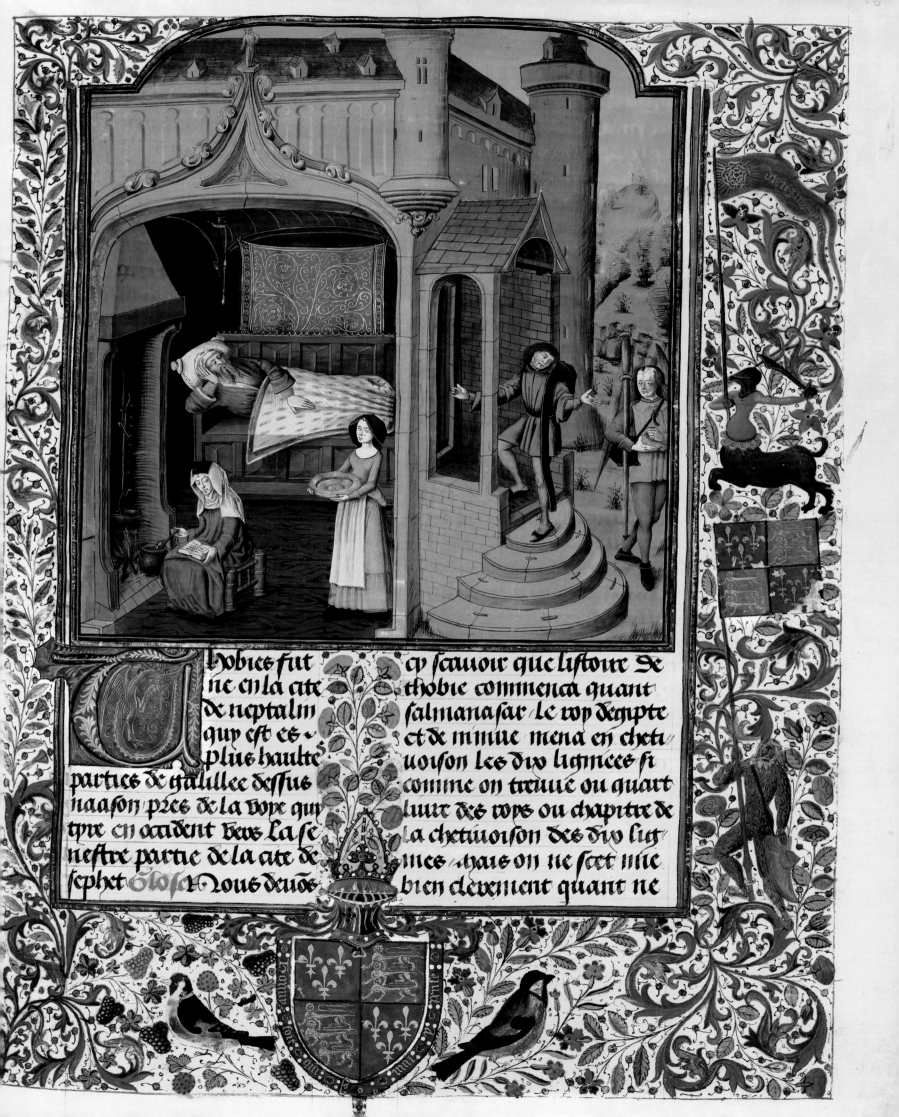

Thobies fut
ne en la cite
de neptalim
quy est es-
plus haultes
parties de galillee dessus
naason pres de la voye quy
tyre en occident vers la se-
nestre partie de la cite de
sephet Glose Nous devons
cy scavoir que listoire de
thobie commenca quant
salmanasar le roy degipte
et de ninive mena en chetivoison les dix lignees si
comme on treuve ou quart
livre des roys ou chapitre de
la chetivoison des dix lig-
nes mais on ne scet mie
bien clerement quant ne

43

DAS EVANGELIAR DES KARDINALS FRANCESCO GONZAGA

Die Evangelien eines Renaissance-Kardinals

Vier Evangelien in Griechisch.
Rom, 1478.

- 310 × 215 mm
- 299 Blatt
- Harley 5790

Im späten 15. Jh. hatte der Papst den früheren Ruhm Roms teilweise wiederhergestellt. Fast das ganze Jahrhundert hindurch war das Papsttum im französischen Avignon im Exil gewesen. Dann war es im großen Schisma versunken, in dessen Verlauf mehr als eine Person der Stellvertreter Christi zu sein beanspruchte.[1] Bei seiner Rückkehr nach Rom nahm das Papsttum seine vorübergehende Herrschaft über die Stadt wieder auf und belebte dort Kunst und Wissenschaft neu. Zu der Zeit, als das hier vorgestellte Manuskript angefertigt wurde, besaß Papst Sixtus IV. (reg. 1471–1484) die größte Sammlung an Büchern in Westeuropa und ließ gerade die Sixtinische Kapelle, eines der heute berühmtesten Bauwerke der Welt, errichten.

Das als Evangeliar des Kardinals Francesco Gonzaga bekannte Buch ist ein bemerkenswertes Kunstwerk, das während der Renaissance in Rom entstand. Zwischen seinen Buchdeckeln befinden sich drei schöne Evangelistenporträts von Markus, Lukas und Johannes (Matthäus fehlt und ist spurlos verschwunden) sowie illuminierte Incipitseiten für alle vier Evangelien. Jede dieser Miniaturen ist eine genaue Betrachtung wert. Im Fall der Porträts (Bild 43.1–43.2) ist die künstlerische Sprache eindeutig jene des italienischen Quattrocento und nicht die von Byzanz.[2] Die Perspektive, die realistische Darstellung und die Farbpalette der Porträts verbinden sich so mit der römischen Kleidung aller Figuren und der Jugend von Johannes, dass sie auf die Arbeit eines italienischen Buchmalers verweisen, der im Gleichschritt mit den Entwicklungen der Renaissance-Malerei tätig war. Andere Merkmale, wie die mit Tuch bedeckten Lesepulte von Markus und Johannes (Bild 43.1–43.2), können auf die Verwendung viel älterer westlicher Vorlagen hindeuten.3 Bislang wurde diesem Künstler keine weitere Illumination mit Sicherheit zugeschrieben. Von ihm sind jedoch auch die vier Anfangsbilder, die großen Initialen sowie drei Randfiguren, die am Anfang der Evangelien erscheinen (Bild 43.3–43.7). Obwohl in Format wie Ikonographie byzantinisch, beinhalten die Anfangsbilder nicht nur Schmuck im Stil der Renaissance, der identisch mit jenem der Porträtrahmen

43.1 | Draußen an seinem Schreibpult sitzend, legt Markus beim Schreiben seines Evangeliums eine Pause ein, begleitet von seinem Symbol, dem Löwen, am Anfang des Markusevangeliums, fol. 87v (Detail).

UMSEITIG
43.2–43.3 | Draußen an seinem Schreibpult sitzend schreibt Johannes an seinem Evangelium, begleitet von seinem Symbol, dem Adler; und (gegenüber) Christus, der ein Buch hält und den Segen gibt, flankiert von den Erzengeln Michael und Gabriel, und (rechts unten am Rand) Johannes der Täufer; am Anfang des Johannesevangeliums, fol. 232v–233.

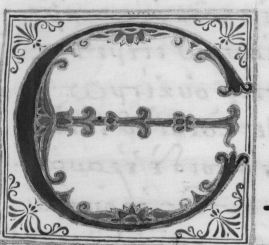

Ἐν ἀρχῇ ἦν ὁ λόγος·
καὶ ὁ λόγος ἦν
πρὸς τὸν θεόν.
καὶ θς ἦν ὁ λόγος·
οὗτος ἦν ἐν ἀρχῇ
πρὸς τὸν θν·
πάντα δι' αὐτοῦ
ἐγένετο· καὶ χωρὶς αὐτοῦ ἐγένετο
οὐδὲ ἕν, ὃ γέγονεν· ἐν αὐτῷ
ζωὴ ἦν· καὶ ἡ ζωὴ ἦν, τὸ φῶς
τῶν ἀνων· καὶ τὸ φῶς ἐν τῇ σκο-
τίᾳ φαίνει· καὶ ἡ σκοτία αὐτὸ

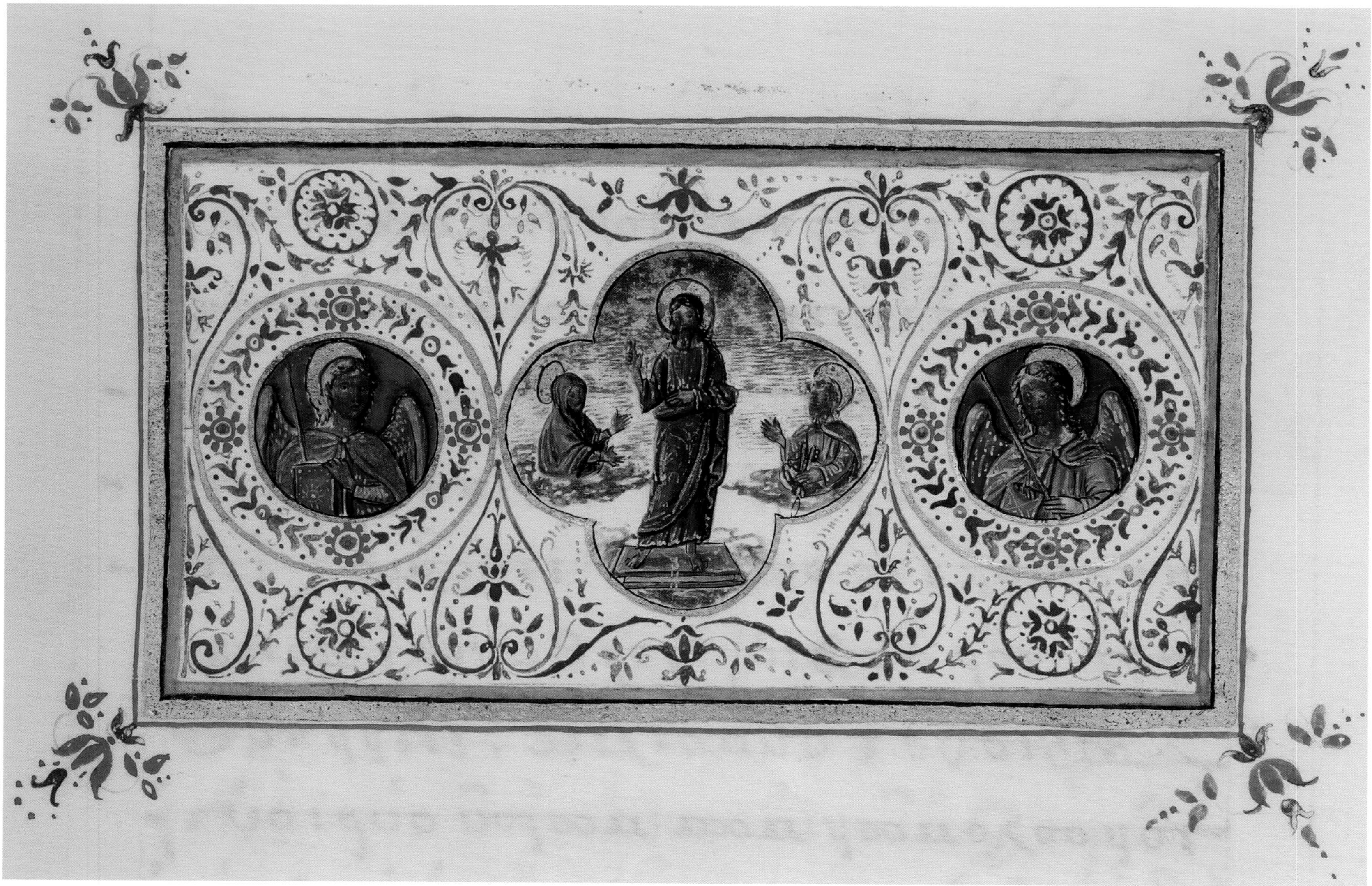

GEGENÜBER (OBEN)

43.4 | Christus steht zwischen Halbporträts von Maria und Petrus und gibt den Segen, mit (in den Medaillons) den Erzengeln Michael und Gabriel, auf der Anfangsseite des Matthäusevangeliums, fol. 4 (Detail).

GEGENÜBER (UNTEN)

43.5 | Christus mit einem Buch zwischen den Propheten Jesaja und Jeremia mit Schriftrollen, auf der Anfangsseite des Markusevangeliums, fol. 88 (Detail).

ist, sondern auch mit den Lehren der römischen Kirche übereinstimmt. Das Eingangsbild zu Matthäus beispielsweise (Bild 43.4) enthält eine byzantinische *Deësis*, doch nicht mit Johannes dem Täufer, wie es traditionell der Fall ist, sondern mit Petrus.[4] Hier wie am Anfang des Johannesevangeliums segnet Christus auf lateinische und nicht auf griechische Weise. Auffallende byzantinische Merkmale sind Erzengel mit der *labara* (byzantinische Würdenzeichen; Bild 43.3)[5] und die betende Maria *Blachernitissa* (Bild 43.7). So benannt nach einem berühmten Bild in der Kirche Sankt Maria von Blachernae in Konstantinopel, wird die Muttergottes (griech. *Theotokos*) im Gebet gezeigt mit dem Christuskind in einem Medaillon auf der Brust.

Wie die meisten anderen Bibelhandschriften wurde das Evangeliar des Kardinals Francesco de Gonzaga von einem älteren Manuskript abgeschrieben. Ungewöhnlich aber nachweisbar ist, dass nicht nur sein Text, sondern auch die unverwechselbaren Incipitseiten aus dieser Vorlage stammen. Tatsächlich umfasst nur dieses andere Evangeliar, das sich heute im Vatikan befindet,[6] so charakteristisch historisierte Anfangsbilder und Randfiguren. Da der Buchmaler kein Griechisch konnte, kopierte er im Gonzaga-Evangeliar nicht die eingetragenen Bezeichnungen der Charaktere von seiner byzantinischen Vorlage. Durch Rückgriff auf die Inschriften im Vatikan-Band können wir aber jede Figur in der Abschrift namentlich benennen. Die Figuren an den Seiten in den Anfangsbildern der Evangelien von Markus, Lukas und Johannes (Bild 43.3–43.4, 43.7) sind die Erzengel Michael (links) und Gabriel (rechts). Die beiden Propheten am Beginn von Markus sind Jesaja und Jeremia, die beiden Randfiguren am Anfang von Lukas stellen den Evangelisten und Theophilus dar, an den das Evangelium gerichtet ist (Bild 43.7). Wir können außerdem bestätigen, dass der römische Petrus am Anfang von Matthäus (Bild 43.4) David ersetzt, und nicht Johannes den Täufer wie in der Handschrift des Vatikans. Insgesamt ist der Band von Kardinal Gonzaga die faszinierendste Kopie der griechischen Evangelien, die zur Zeit der Renaissance in Italien angefertigt wurde.

Wie bei zahlreichen Büchern aus dieser späten Handschriftenzeit wissen wir sehr viel über die mit dem Band verbundenen Personen, jedoch nur wenig zu ihren Motivationen und Absichten. Am Ende des Manuskripts berichtet eine Inschrift, die eine Seite lang ist, das Kopieren des griechischen Texts der vier Evangelien sei am 25. April 1478 in Rom abgeschlossen worden. Seine Transkription wurde von dem kretischen Schreiber Ioannes Rhosos († 1498) ausgeführt und von Kardinal Francesco Gonzaga (1444–1483) bezahlt. Rhosos lebte seit kurz nach dem Fall von Konstantinopel im Jahr 1453 in Italien und wurde bevorzugt von Gelehrten wie Sammlern ausgewählt, die Abschriften von griechischen klassischen Texten haben wollten. Ein Jahr zuvor hatte er für Gonzaga den griechischen Teil einer zweisprachigen Kopie der *Ilias* und der *Odyssee* vollendet, die heute im Vatikan aufbewahrt werden.[7] Doch unter den noch erhaltenen Bänden von Rhosos sticht diese Abschrift der Evangelien als sehr markant heraus, die nur wenige Parallelen hat.[8]

LINKS

43.6 | Theophilus nimmt das Lukas-Buch entgegen, auf der Anfangsseite des Lukasevangeliums, fol. 143 (Detail).

RECHTS

43.7 | Die Muttergottes *Blachernitissa*, flankiert von den Erzengeln Michael und Gabriel, und (am Rand rechts unten) Theophilus nimmt das Lukas-Buch entgegen, auf der Anfangsseite des Lukasevangeliums, fol. 143.

Francesco, der jüngere Sohn von Ludovico Gonzaga (1414–1478), dem mächtigen Herrscher von Mantua und berühmten Förderer des Malers Andrea Mantegna, wurde 1461 zum Kardinal gewählt und kam im folgenden Jahr nach Rom. Dort errichtete er einen kultivierten und feinsinnigen Haushalt sowie eine bedeutende Sammlung von Büchern und Kunstwerken. Sein Privatsekretär Giovanni Pietro Arrivabene († 1504), dem später das Evangeliar gehörte, war ein Schüler des Humanisten Francesco Filelfo. Doch im Gegensatz zu den Humanisten beherrschte Kardinal Gonzaga kein Griechisch und dürfte eine Kopie der Evangelien in der Originalsprache nur aus Prestigegründen benutzt haben.

LITERATUR

David S. Chambers, *A Renaissance Cardinal and his Worldly Goods: The Will and Inventory of Francesco Gonzaga* (1444–1483) (London, 1992), S. 61 f.

The Painted Page: Italian Renaissance Book Illumination, 1450–1550, hrsg. von Jonathan J. G. Alexander (London, 1994), S. 106.

Robert S. Nelson, „Byzantium and the Rebirth of Art and Learning in Italy and France", in: *Byzantium: Faith and Power (1261–1557)*, hrsg. von Helen C. Evans (New York, 2004), S. 523.

ANMERKUNGEN

1 Siehe die Bibel von Clemens VII., Nr. 34

2 Vergleiche die Guest-Coutts-Handschrift sowie das Burney-, griechische Harley- und das Evangeliar von Zar Iwan Alexander, Nr. 9, 18, 24, 35.

3 Fabrizio Crivello, „Motivi altomedievali tra Bisanzio e Rinascimento: nota sugli evangelisti dell'Evangelario Harley 5790", in: *Miniatura: lo sguardo e la parola*, hrsg. von Federica Toniolo und Gennaro Toscano (Mailand, 2012), S. 292–295

4 Zur Deësis siehe den Psalter von Königin Melisende, Nr. 19.

5 Zur *labara* siehe den Winchester-Psalter, Nr. 20.

6 Vatikanstadt, BAV, MSS Rossi 135–138.

7 Vatikanstadt, BAV, MSS Vat. gr. 1626, 1627.

8 Eine seltene Parallele ist der Psalter, den er 1478 kopierte (Harley 5737).

Ἐπειδήπερ πολλοὶ
ἐπεχείρησαν ἀνα-
τάξασθαι διήγη-
σιν περὶ τῶν πε-
πληροφορημένων
ἐν ἡμῖν πραγμά-
των· καθὼς παρ-
έδοσαν ἡμῖν οἱ ἀπ' ἀρχῆς αὐτόπται
καὶ ὑπηρέται γενόμενοι τοῦ λόγου·
ἔδοξε κἀμοὶ παρηκολουθηκότι
ἄνωθεν· πᾶσιν ἀκριβῶς· καθεξῆς
σοι γράψαι κράτιστε Θεόφιλε·

44

EIN ARMENISCHES EVANGELIAR

Die persisch illustrierten Evangelien

Vier Evangelien in Armenisch. Isfahan, 1608.

- 170 × 135 mm
- 309 Blatt
- Oriental 5737

Seit langem ist der christliche Glaube untrennbar mit der nationalen Identität der Armenier verbunden. Unter König Tiridates III. (reg. 287–330) wurde Armenien die erste Nation, die sich offiziell zum Christentum bekannte. Die bereits im 5. Jh. ins Armenische übersetzte Bibel wird von der Bevölkerung als „Hauch Gottes“ (armenisch „Asdwadzaschuntsch“) bezeichnet und hoch geschätzt. Die Armenier sorgten in der Tat für immer weitere Verbreitung und Verwendung der Heiligen Schrift in ihren Gemeinden in einem solchen Ausmaß, dass von den frühen Übersetzungen (oder Versionen) der Bibel nur noch die lateinische Vulgata in einigen Handschriften erhalten blieb.[1] Sie entwickelten auch eine der stärksten und am längsten bewahrten Traditionen, wunderschön illuminierte Evangelienhandschriften in Auftrag zu geben und herzustellen.

Zu einem letzten Aufblühen dieser Tradition kam es in der persischen Provinzhauptstadt Isfahan. Hier gaben die wohlhabenden Bewohner von Neu-Dschulfa, dem von Schah Abbas I. (reg. 1588–1629) eingerichteten armenischen Stadtteil, zahlreiche fein illuminierte Handschriften in Auftrag. Im vorliegenden Codex wird, wie in vielen dieser Art, in einem am Ende eingefügten Eintrag beschrieben, wer ihn geschaffen und wer ihn in Auftrag gegeben hat. Demnach haben Meister (*Khwāja*) Vēlijan und seine Frau Gayanē „riesige Kosten“ für die Ausschmückung des Buches übernommen, auf der Grundlage von Vēlijans „Einkommen aus ehrlicher Arbeit“. Dies geschah nicht nur „für die Pracht der Heiligen Kirche und den Gebrauch durch die Kinder von Sion“, sondern auch, um Vēlijan und seiner Familie ein Denkmal zu setzen. Ebenfalls erwähnt sind der Schreiber Jik‘ Step‘anos von Dschulfa (*fl.* 1608–1637) und der Künstler Mesrop von Khizan (*fl.* 1603–1652), der „das Buch mit schönen Farben, Gold und Lapislazuli und allen möglichen Pigmenten ausgeschmückt“ hat.

Wie für armenische Evangeliare typisch, bilden 17 ganzseitige Bilder mit leeren Rückseiten und meist als gegenüberliegende Paare angeordnet den Anfang von Vēlijans Buch. Trotz teilweiser Verluste und Neuordnungen besitzt die Bilderfolge eine klare Linie in ihrer Erzählung der Heilsgeschichte, die von der Geburt Jesu bis zum Jüngsten Gericht reicht und in einem ergreifenden Diptychon der Jungfrau Maria als Fürbitterin vor ihrem Sohn gipfelt.

44.1 | Kanontafel VI des Eusebianischen Kanons, die den Altar Abrahams symbolisiert, mit dem Widder, der sich mit seinen Hörnern im Gestrüpp verfangen hat (1 Mos 22,13), fol. 23 (Detail).

UMSEITIG
44.2–44.3 | Die Wiederkehr Christi, durch Fanfaren blasende Engel angekündigt, in der Mitte eines großen armenischen Kreuzes; unten kniet ein betender Mann vor dem Kreuz; (gegenüber) Christus sitzt als Weltenrichter auf dem Thron, begleitet von den vier Lebewesen und flankiert von Maria und Johannes dem Täufer, während sich (am unteren Rand) ein Engel mit Teufeln um das richtige Wiegen der Seelen streitet; fol. 14v–15.

23

[illegible]		
ծը ճծէ ճծզ ճձ ճծ	ը իզ իզ կէ	իզ ղգ ղե ծա
ճկա ճկա մղ մղ	հէ հէ ճծէ ճծէ	իգ ծգ ղա ճլե
մծվ մծվ մծվ մծվ	ճիե ճիէ ճիէ ճիէ	ճծ ճիը ճլե ճլգ
մհե մհթ մհթ մձ	ճձթ ճկա ճկա ճկէ	ղը հէ ճիա ճիէ
մղգ մղե մղթ ե	ճհդ ճհը ճձ ճձը	ճե հ ճգ ճկդ
յիա յիա յիգ	մա մա մգ	ճձ ճղէ ճղգ
յիթ յիթ յլգ	մէ մէ մծա	ճձէ ճձէ մգ

գ ծէ ծվ իէ իվ	է է [illegible]	ճծ ճծվ ճծվ ճծթ ճիէ ճիե	ճծ ճկէ ճհե ճիվ կվ ճիը
իը լ լ լը լը	խե խթ ճղդ ճկէ ծգ	ճիը ճիթ ճլէ ճլդ ճլը	ճլէ ճլ ծա ճի ճկը
խ խա խգ խվ խե	ծէ ծէ ճիգ ճծա ճլդ	ճծվ ճծը ճհէ ճձէ ճծէ	ծե միվ ճձե ճձթ
խը խթ ծա ծգ ծդ	ճղա ճծ ծթ ճիե ծդ	ճձդ ճձե ճղե մծգ միա	ճղը ճղթ մհէ մլե ճձա
ծէ ծե ծը կ կա	ճհ կա կ ճհա կդ	միը մլա մլա մլա մլդ	ճլթ ճխթ մծ ճխէ ճլվ
կէ կլ կը հ ծդ	ճհէ կվ ճե ճը ճծա	մկ մլ մկը մծ միա	ճլե ճլը ճխ ճխա ճձէ
ձվ ղդ ղէ ղվ ղվ	ճթ ճխե ճկ ճձէ ճձդ	մծե մծվ մծե մկա մկէ	մէ մէ մծգ մե մծ
ճէ ճգ ճե ճե ճը	կթ հա ճղգ հգ ճծե	մկէ մկվ մկե մհ մհէ	ճծե ճծե ճծը [illegible]

[illegible]

44.4 | Der Anfang des Johannesevangeliums, mit den Symbolen der vier Evangelisten, die den Anfangsbuchstaben bilden, fol. 241 (Detail).

Im vorletzten kräftig gemalten Bilderpaar stehen sich das Jüngste Gericht und die Wiederkunft Christi gegenüber (Bild 44.2–44.3). Von den vier Engeln an den Ecken der Erde angekündigt, erscheint Christus in einem Medaillon sitzend in der Mitte eines Kreuzes. Es handelt sich dabei eindeutig um das *khatchk'ar*, das meist auf Gräbern verwendete armenische Steinkreuz mit den verzierten und oft gespaltenen Enden, das hier durch die schöne Illumination wie ein sprießender Lebensbaum aussieht. Vor ihm kniet der Auftraggeber dieses Bandes, für den der Leser laut einer Bitte an anderer Stelle im Manuskript beten soll. Gleich gegenüber eine unverwechselbare Darstellung des Jüngsten Gerichts, in der Christus begleitet von den vier Lebewesen der Offenbarung (4,6–10) und flankiert von den Fürsprechern Maria und Johannes dem Täufer, das Wiegen der Seelen überwacht. Unten sticht Michael auf Teufel ein, die versuchen, die Balance der Waage zu stören.

Weitere Illuminationen finden sich bei den Kanontafeln, jeweils am Anfang der Evangelien und bei 26 kleinen Randminiaturen, die den Text der Evangelien begleiten. Innerhalb der Kanontafeln folgte der Illuminator den Kommentaren zu den Tabellen, die Bischof Stephanos von Siunien (Step'anos Siwnec'i; † 735) als Erster entworfen hatte. So malte er beim sechsten Kanon nicht nur die traditionellen Arkaden und Säulen, sondern auch einen Widder, der mit seinen Hörnern an einem Baum hängt (Bild 44.1).[2] Nach einer Notiz des Schreibers Jik' Step'anos am unteren Rand (nicht gezeigt) „symbolisiert dieser Kanon Abrahams Altar und der am Baum hängende Widder, der an Stelle von Isaak geopfert wird, symbolisiert Jesus Christus, der sich am Kreuz geopfert hat". Die Evangelienanfänge sind jeweils mit einem Evangelistenporträt und einer aufwendig verzierten Textseite versehen. Die dem Johannesevangelium vorangestellte Miniatur folgt einer langen byzantinischen Tradition und zeigt Johannes, der seinem Gehilfen Procherus den Text diktiert.[3] Die gegenüberliegende Textseite (Bild 44,4) ist mit einem illuminierten π-förmigen Torbogen geschmückt, auf dem sich zwei Vögel vi-à-vis sitzen.[4] Die rechte Randbordüre ist mit spiegelbildlich gestapelten Figurenpaaren gefüllt und im Innern der linken Randbordüre sieht man ähnlich gestapelt die vier Evangelistensymbole, von denen das oberste, der Adler des Johannes, ein Buch in seinem Schnabel hält und die Anfangsinitiale bildet.

Keine der mit diesem Evangeliar verknüpften Personen ist so bekannt wie der Illuminator Mesrop. Er absolvierte seine künstlerische Ausbildung in der armenischen Stadt Khizan, südlich des Vansees, und ging dann um 1607 nach Neu-Dschulfa, nachdem Shah Abbas zuvor große Teile Armeniens, darunter auch Khizas, erobert hatte. Von den 45 Handschriften, mit denen er in Verbindung gebracht wird, ist diese des vorliegenden Evangeliars die erste, die er in seinem neuen Zuhause begonnen und beendet hat.

LITERATUR

Vrej Nersessian, *Armenian Illuminated Gospel-Books* (London, 1987), S. 31–35 und 92 f.

Vrej Nersessian, *Treasures from the Art: 1700 Years of Armenian Christian Art* (London, 2001), Nr. 149.

Mikayel Arakelyan, *Mesrop of Xizan: An Armenian Master of the Seventeenth Century* (London, 2012), bes. S. 141 f.

ANMERKUNGEN

1 Zu diesen Versionen siehe „Eintausend Jahre Kunst und Schönheit", S. 12.

2 Zu den Kanontafeln siehe die goldenen Kanontafeln, Nr. 1.

3 Zu Prochorus siehe das Burney-Evangeliar, Nr. 18.

4 Siehe auch die Guest-Coutts Handschrift, Nr. 9.

241
ՆԷ ԷՐ ԲԱՆՆ: ԵՒ ԲԱՆՆ ԷՐ ԱՌ

45

OKTATEUCH UND EVANGELIEN AUF ÄTHIOPISCH

Eine Wiederbelebung des alten Glanzes von Äthiopien

Als diese Handschrift entstand, hatte die Herstellung christlicher Bücher im Leben der Äthiopier bereits seit mehr als 1600 Jahren eine wichtige Rolle gespielt. Im 4. und 5. Jh. hatten christliche Missionare sich der Unterstützung durch die herrschende Elite versichert und die Bibel ins Ge'ez übersetzt, eine semitische Sprache, die heute noch in der Liturgie der äthiopischen Kirche verwendet wird. Seit genauso früher Zeit hatten erfahrene Buchmaler illuminierte Manuskripte der Evangelien auf Ge'ez angefertigt. Danach, vom 13. Jh. bis heute, haben die Äthiopier eine bemerkenswerte Illuminationstradition für christliche Bücher fortgeführt.

Der Band enthält drei Texte in Ge'ez, die für die äthiopische Kirche von fundamentaler Bedeutung sind. Der erste, der Oktateuch, umfasst die ersten acht Bücher des Alten Testaments von der Genesis bis Ruth. Den zweiten Teil stellen die Evangelien dar, und der dritte besteht in einer Sammlung von Dekreten, die den Aposteln zugeschrieben werden und in erster Linie die Ordination, die Pflichten und das angemessene Verhalten der Geistlichkeit betreffen. Auf jeder Seite mit charakteristischen *harags* geschmückt, geflochtenen farbigen Bändern, die von den äthiopischen Buchmalern seit dem 14. Jh. verwendet wurden, enthält der Band auch bunte Eingangsbilder für jeden Bibeltext und die Apostolischen Kanones. Diese zeigen eine ganzseitige, gerahmte figürliche Illustration auf der linken Seite und den fein gerahmten Text auf der rechten. In jedem Bild stellen ein bis drei große Gestalten mit Nimbus den Verfasser oder die Hauptakteure des Textes dar, wie die roten Beischriften verraten. In der Genesis steht Moses bereit, um aus Gottes Hand eine Gesetzestafel in Empfang zu nehmen; bei den Evangelien sitzen sich jeweils zwei Evangelisten im Gespräch über ihre Schriften gegenüber. Jede Illustration ist in kräftigen Farben gemalt, wobei die stilisierten starken Formen der Figuren durch geometrische Muster belebt sind und sich von den flächigen, farblich kontrastierenden Hintergründen abheben.

Die erstaunlichsten Illuminationen des Bandes gehen den Evangelien voran. Als Erstes steht vor den Kanontafeln des Eusebius eine Miniatur, die nicht nur den Verfasser zeigt, sondern auch die Person, für die Eusebius die Erklärung

Oktateuch, vier Evangelien und Apostolische Kanones in Altäthiopisch (Ge'ez).
Gondar?, Ende des17. Jahrhunderts.

- 370 × 355 mm
- 209 Blatt
- Oriental 481

45.1 | Maria liegt neben dem Jesuskind, im Beisein von drei Engeln sowie einem Ochsen und einem Esel (oben), und (unten) Maria sitzt mit dem Jesuskind auf dem Schoß, von Josef und der Hebamme Salome versorgt, als sich ein Hirte mit zwei Schafen nähert; fol. 100v.

UMSEITIG
45.2–45.3 | Joseph von Arimathäa und Nikodemus nehmen Jesus vom Kreuz ab, während Maria seine rechte Hand berührt; und (gegenüber) Maria, Johannes, vier Frauen und zwei Engel trauern beim Leichnam Jesu am Fuße des Kreuzes, während (rechts) Joseph von Arimathäa und Nikodemus Kräuter für die Bestattung von Jesu bringen; fol. 106v-107.

ነበ፡መጽኡ፡ሐራ፡ሰማይ፡ወተወልዱ፡እግዚእነ፡ክርስቶስ፡

ዮሴፍ፡ኀበ፡አንክረ፡፡ ወሰሎሜ፡እንዘ፡ተሐፅብ፡ሕፃነ፡

ኀበ፡አውረድዎ፡ዮሴፍ፡ወኒቆዲሞስ፡ለእግዚእነ፡እመስቀሉ።

ኀበ፡በከያሁ፡አንስት፡ለኢየሱስ፡ሚካኤል፡ወገብርኤል፡እንዘ፡ይኔጽሩ፡ኀበ፡እግዚእነ፡ክርስቶስ፡

der Tafeln schrieb, die in Bibelhandschriften traditionell zur Einleitung zählen. Als Nächstes interpretiert die Darstellung der Kanontafeln das seit langem etablierte Schema[1] völlig neu, indem sie die architektonische Kulisse mittels Farbe, Mustern und indigenen Details durchbricht; die herkömmlichen Bögen werden in Regenbögen umgewandelt, die durch Bäume voller bunter Vögel scheinen. Als Letztes und Spektakulärstes folgt eine Sequenz mit vierundzwanzig ganzseitigen Bildern, die mit der Verkündigung der Geburt von Johannes dem Täufer an Zacharias beginnt und mit dem von Engeln angebeteten auferstandenen Christus endet. All dies wird jeweils in auffallenden Legenden auf Ge'ez erklärt (Bild. 45.1–45.4). Diese Illustrationen bilden das Herzstück des Bandes und sind zum Ausstellen und für die andächtige Betrachtung in der Liturgie an wichtigen Festtagen gedacht. Jedes dieser Bilder besitzt eine starke Unmittelbarkeit. Einige beruhen auf byzantinischen Vorlagen, versehen diese jedoch mit westlichen Motiven und Details aus dem äthiopischen Alltag, wobei ihnen die eindeutig äthiopischen Farben Lebendigkeit verleihen. Bei Jesu Geburt (Bild 45.1) führt dies zu einer dramatischen und leicht mystischen Darstellung Mariens, die in östlicher Manier neben ihrem Kind liegt, und zwar im Beisein von drei Engeln, die wie in einem Traum über einem westlichen Bild zu schweben scheinen, das die sitzende Maria mit Jesuskind zeigt, die von einem nachdenklichen Josef sowie der Hebamme Salome mit ihrem Badezuber für das Jesuskind betreut werden. Eine lokale Note erhält das Ganze durch den Charakter der Tiere – den Esel, den Ochsen und die Schafe mit ihren gedrehten Hörnern, die der Hirte dem Jesuskind darbietet. Die großzügige Verwendung von Rot scheint auf die spätere Opferung Christis hinzuweisen.

Die Bildsequenzen haben auch einen dramatischen Effekt. Besonders bewegend ist das Diptychon der Kreuzabnahme und Beklagung (Bild 45.2–45.3) Hier werden die Gefühle von Jesu Mutter und Anhängern durch Details wie Mariens sanfte Berührung der durchstochenen blutigen Hand ihres Sohnes vermittelt, aber auch durch die Art, wie Josef von Arimathäa den gekreuzigten Jesus sanft mit den Armen umfängt, sowie die beredten Posen und Gesten jener, die neben Jesu ausgestrecktem Körper trauern. Die ganze Sequenz findet einen besonderen Abschluss in der lebendigen Wiedergabe der Himmelsvision von Johannes (Bild 45.4), mit der Majestas Domini in einer von den vier Lebewesen gehaltenen und von Engeln darunter verehrten Mandorla (Offb 4,1–11).

Der Band ist zwar auf das späte 17. Jh. datierbar, doch ist er die Kopie einer viel älteren Handschrift, die einer von Kaiser Dawit I. (reg. 1380/2–1412) beauftragten Werkstatt zugeschrieben wird. Dieses Exemplar ist nach wie vor in der Marienkirche in Amba Geshen im Norden Äthiopiens verwahrt. Unsere Kopie dürfte in der Hauptstadt Gondar für Kaiser Iyasu I. (reg. 1682–1706) angefertigt worden sein, und falls dem so ist, war sie wohl für die Gründung des Klosters Debre Berhan Selassie gedacht, das 1694 geweiht wurde.

45.4 | Die von den vier Lebewesen gehaltene Majestas Domini wird von den Engeln angebetet, fol. 110v.

LITERATUR

African Zion: The Sacred Art of Ethiopia, hrsg. v. Roderick Grierson (New Haven, 1996), S. 178, 246 f., Nr. 107.

ANMERKUNGEN

1 Zu den Kanontafeln siehe die Goldenen Kanontafeln, Nr. 1.

እግዚአብሔር፡አብ።

DIE URSPRÜNGE DER HANDSCHRIFTENSAMMLUNGEN DER BRITISH LIBRARY

Alle Handschriften hier befinden sich im Besitz der British Library, der Nationalbibliothek des Vereinigten Königreiches. Sie stammen aus Sammlungen, die in den letzten 400 Jahren entstanden sind: den „geschlossenen“ oder historischen Sammlungen, die zur Library als Einzelsammlung kamen; und den „offenen“, in die nun alle derartigen Neuerwerbungen aufgenommen werden. Der umfangreiche Bestand der Bibliothek an Bibeltexten ist großenteils mehreren Sammlern zu verdanken. Zum Gedenken trägt jeder Band dieser „geschlossenen“ Sammlungen in seinem Identifikator oder seiner „Signatur“ den Namen des ursprünglichen Sammlers. Vor der Gründung der British Library 1973 gehörten alle illuminierten Handschriften in diesem Band, mit Ausnahme vom Evangelium des St Cuthbert (Abb. 5), der British Museum Library. Die vielen herausragenden Schätze gehen also vor allem auf die Expertise und das Engagement der Kustoden der Manuskriptsammlungen des British Museum zurück.

DIE COTTON-HANDSCHRIFTEN

Die Cotton-Sammlung wurde von dem Antiquar und Politiker Sir Robert Bruce Cotton (1571–1631) aufgebaut und von seinem Sohn Sir Thomas (1594–1662) und seinem Enkel Sir John Cotton (1621–1702) erweitert. Sir John vermachte die ganze Sammlung an Büchern und Manuskripten dem Staat „zum öffentlichen Gebrauch und Nutzen“[1], und als das British Museum 1753 gegründet wurde, ging sie an dieses über. Die Cotton-Sammlung der British Library umfasst über 1400 Handschriften sowie mehr als 1500 Urkunden, Schriftrollen und Siegel und spiegelt Sir Roberts großes Interesse für englische Geschichte wider. Die Bedeutung seiner Kollektion wird auch daran deutlich, dass die Mehrzahl der hier präsentierten angelsächsischen Manuskripte, darunter das Evangeliar von Lindisfarne (Nr. 2), Cotton-Manuskripte sind. Die Signaturen dieser Handschriften erinnern noch an deren Platz in Cottons Bibliothek auf einem Regalbrett unter der Büste eines römischen Kaisers oder einer anderen Person der Antike.

DIE HARLEY-MANUSKRIPTE

Die Harley-Sammlung wurde in zwei Generationen von dem 1. und dem 2. Earl of Oxford, Robert Harley (1661–1724) und seinem Sohn Edward Harley (1689–1741), zusammen getragen. Witwe und Tochter des 2. Earls verkauften sie für 10 000 Pfund (einen Bruchteil ihres damaligen Wertes) an den Staat. Die Harley-Sammlung mit mehr als 7000 Handschriften, 14 000 Urkunden und 500 Schriftrollen ist besonders reich an Bibelmanuskripten, acht davon sind hier im Buch zu sehen. Die meisten weisen im Titel auf ihren früheren Besitzer hin: das goldene Harley-Evangeliar, der Harley-Psalter, das Harley-Echternach-Evangeliar, das Harley-Evangeliar in Griechisch und die Harley *Bible moralisée* (Nr. 4, 10, 12, 24 und 26). Zusammen mit der Cottons und jener von Sir Hans Sloane (1660–1753) bildet die Harley-Kollektion eine der drei Gründungssammlungen der British Library.

ROYALE MANUSKRIPTE

Die Royal Collection umfasst fast 2000 Handschriften, die in der Regel illuminiert sind. Hier werden sechs präsentiert, die zumeist aus den Bibliotheken der englischen Könige seit Edward IV. stammen. Zu ihnen zählt die *Bible historiale* Edwards IV. (Nr. 42) genauso wie die Große Bibel der Lancasters (Nr. 39), die im Testament Heinrichs IV. einzeln aufgeführt und seinem Sohn Heinrich VI. vermacht wurde. Die Royal Collection, die heute zur Unterscheidung von der gegenwärtigen Royal Library, die sich fast komplett in

Verzierter Buchstabe „B"*(eatus)* (der Gesegnete) am Anfang von Psalm 1 im Tiberius-Psalter, Nr. 13, Cotton Tiberius C. vi, fol. 31.

Windsor Castle befindet, Old Royal Library genannt wird, war im 18. Jh. mit der Cotton-Sammlung untergebracht und wurde 1757 von Georg II. dem Staat geschenkt.[2]

WEITERE NACH PERSONEN BENANNTE HANDSCHRIFTENSAMMLUNGEN

Andere Manuskripte, die hier präsentiert werden, stammen aus weiteren mit Namen bezeichneten Sammlungen der British Library. Die *Biblia pauperum* des Königs (Nr. 38) ist eine von 446 Handschriften aus der von Georg III. aufgebauten Bibliothek, die 1823 an den Staat überging. Diese Handschriften werden als „King's manuscripts" bezeichnet, um sie vom Bestand der Old British Library zu unterscheiden. Das Burney-Evangeliar (Nr. 18) kommt aus der Bibliothek des Altphilologen Charles Burney (1757–1817), die komplett 1818 seinem Sohn Charles Parr Burney abgekauft wurde. Der St-Omer-Psalter (Nr. 33) war ein Manuskript der berühmten „One hundred" von Henry Yates Thompson (1838–1928), dessen Prinzip es war, „erbarmungslos das am wenigsten faszinierende der einhundert auszusortieren"[3], wenn er ein neues erwarb. Zweiundfünfzig seiner Manuskripte bilden diese Sammlung, die seine Witwe 1941 der British Library vermachte.

DIE ADDITIONAL-SAMMLUNG

Wie zu erwarten, stammen mehr als ein Drittel der hier gezeigten Handschriften aus dieser größten einzelnen Manuskriptsammlung der British Library. Sie zählt im Augenblick über 90 000 Bücher und Dokumente und beinhaltet die Handschriften, die durch Schenkung, Kauf oder Vermächtnis seit 1756 erworben wurden (bis auf einige große Sammlungen, die den Namen ihres Vorbesitzers oder der vorherigen Bibliothek behalten haben oder die mit dem unten beschriebenen Egerton-Fonds angeschafft wurden). Die Nummerierung der Additional-Manuskripte beginnt bei 4101, in Fortsetzung der Sloane-Handschriften 1 bis 4100. Neuakquisitionen westlicher Handschriften erhalten die nächsten verfügbaren Nummern, etwa das Evangelium des St Cuthbert (Additional 89000, Abb. 5), das die British Library 2012 erwarb.

Viele Additional-Manuskripte im vorliegenden Buch wurden in der Zeit und durch Bemühungen von Sir Frederic Madden, „einem Giganten viktorianischer Gelehrsamkeit" und Direktor der Handschriftenabteilung von 1837 bis 1866 erworben.[4] Seinem bemerkenswerten Urteilsvermögen verdanken wir so bedeutende Akquisitionen wie 1840 die Silos-Apokalypse (Nr. 15), 1849 die Bibel von Floreffe (Nr. 22) und 1853 den Theodor-Psalter (Nr. 14).

Weitere Additional-Handschriften in diesem Band gelangten mit größeren Sammlungen in die Library. Das syrische Lektionar (Nr. 25) ist eines von rund 800 Manuskripten, die 1825 aus der Sammlung des Reisenden Claudius Rich (1781-1820) kamen. Die Evangelien von Zar Iwan Alexander (Nr. 35) wurden 1917 als Teil der Sammlung von Robert Curzon, dem 14. Baron Zouche (1870-1873), erworben, der diese bei seinen Reisen durch die Levante aufbaute. Von den im 20. Jh. hinzugekommenen Exemplaren gehören die Holkham-Bilderbibel (Nr. 32) und die Bibel von Clemens VII. (Nr. 34) zu einer Gruppe mit zwölf Handschriften, die ehemals in der Bibliothek des Earls of Leicester in Holkham Hall, Norfolk, standen.

Vier Manuskripte stammen aus zwei anderen offenen Sammlungen. Das armenische Evangeliar sowie der Oktateuch und das Evangeliar in Äthiopisch (Nr. 44-45) sind aus der Oriental Collection, dem Gegenstück zur westlichen Additional-Sammlung, deren Nummerierung begann, als 1867 das Department of Oriental Manuscripts eingerichtet wurde. Die andere offene Sammlung ist nach Francis Henry Egerton, dem 8. Earl of Bridgewater (1756-1829), benannt. Neben 67 Manuskripten hinterließ Egerton der British Library einen Ankauffonds (Bridgewater Fund), der 1838 von seinem Cousin Charles Long, Baron Farnborough (1761-1838), aufgestockt wurde (Farnborough Fund). Die Einkünfte aus diesen Vermächtnissen benutzte Madden, um 1840 das Egerton-Lektionar (Nr. 17) für 23 Pfund und 2 Shilling sowie 1845 den Melisende-Psalter (Nr. 19) für 350 Pfund anzukaufen.

LITERATUR

Colin, G. C. Tite, *The Manuscript Library of Sir Robert Cotton*, Panizzi Lectures, 1993 (London, 1994).

P. R. Harris, *A History of the British Museum Library*, 1753-1973 (London, 1998).

Treasures of the British Library, zusammengestellt von Nicholas Barker und anderen (London, 2005).

Kathleen Doyle, „The Old Royal Library: ‚A great many noble manuscripts yet remaining'", in: Scot McKendrick, John Lowden und Kathleen Doyle, *Royal Manuscripts: The Genius of Illumination* (London, 2011), S. 66–93.

Scot McKendrick, John Lowden und Kathleen Doyle, Royal Manuscripts: *The Genius of Illumination* (London, 2011).

1000 Years of Royal Books and Manuscripts, hrsg. von Kathleen Doyle und Scot McKendrick (London, 2013).

Catalogue of Illuminated Manuscripts Virtual Exhibitions, einschließlich: Scot McKendrick, „The Burney Collection of Manuscripts in the British Library", https://www.bl.uk/catalogues/illuminatedmanuscripts/TourBurney.asp, und Alixe Bovey, „Henry Yates Thompson's Illuminated Manuscripts", *Catalogue of Illuminated Manuscripts*, https://www.bl.uk/catalogues/illuminatedmanuscripts/TourYT100.asp, zuletzt geöffnet am 16. März 2017.

ANMERKUNGEN

1 Tite, *Manuscript Library* (1994), S. 33.

2 Doyle, „Old Royal Library" (2011).

3 BBovey, „Henry Yates Thompson's Illuminated Manuscripts"..

4 Michael Borrie, „Madden, Sir Frederic (1801-1873)", *Oxford Dictionary of National Biography* (Oxford, 2004), http://www.oxforddnb.com/view/article/17751, zuletzt geöffnet am 16. März 2017.

WEITERFÜHRENDE LITERATUR

Beryl Smalley, *The Study of the Bible in the Middle Ages*, 2. Aufl. (Oxford, 1952).

Carl Nordenfalk, *Insulare Buchmalerei. Illuminierte Handschriften der Britischen Inseln. 600–800* (München, 1977).

Ernst Günther Grimme, *Die Geschichte der abendländischen Buchmalerei* (Köln, 1980).

Bruce M. Metzger, *Manuscripts of the Greek Bible: An Introduction to Paleography* (New York, 1981).

Walter Cahn, *Romanesque Bible Illumination* (Ithaca, NY, 1982).

Otto Pächt, *Buchmalerei des Mittelalters. Eine Einführung* (München, 1984).

Jonathan J. G. Alexander, *Medieval Illuminators and their Methods of Work* (New Haven, 1992).

Margaret T. Gibson, *The Bible in the Latin West* (Notre Dame, IN, 1993).

The Oxford Companion to the Bible, hrsg. von Bruce M. Metzger und Michael David Coogan (Oxford, 1993).

Claudia List/Wilhelm Blum, *Buchkunst des Mittelalters* (Stuttgart/Zürich, 1994).

The Early Medieval Bible: Its Production, Decoration and Use, hrsg. von Richard Gameson (Cambridge, 1994).

Christine Jakobi-Mirwald, *Buchmalerei. Ihre Terminologie in der Kunstgeschichte* (Berlin, 1997).

Janet Backhouse, *The Illuminated Page: Ten Centuries of Manuscript Painting in the British Library* (London, 1997).

Christopher de Hamel, *The Book: A History of the Bible* (London, 2001).

Ingo F. Walther/Norbert Wolf, *Codices illustres. Die schönsten illuminierten Handschriften der Welt. 400 bis 1600* (Köln u. a., 2001)

C. M. Kauffmann, *Biblical Imagery in Medieval England, 700–1500* (London, 2003).

In the Beginning: Bibles before the Year 1000, ed. by Michelle P. Brown (Washington, DC, 2006).

Picturing the Bible: The Earliest Christian Art, hrsg. von Jeffrey Spier et al. (New Haven, 2007).

Scot McKendrick and Kathleen Doyle, *Bible Manuscripts: 1400 Years of Scribes and Scripture* (London, 2007).

Christian Gastgeber und Stephan Füssel, *The Most Beautiful Bibles*, hrsg. von Andreas Fingernagel (Köln, 2008).

D. C. Parker, *An Introduction to the New Testament Manuscripts and their Texts* (Cambridge, 2008).

Margit Krenn/Christoph Winterer, *Mit Pinsel und Federkiel. Geschichte der mittelalterlichen Buchmalerei* (Darmstadt, 2009).

Christopher de Hamel, *Bibles: An Illustrated History from Papyrus to Print* (Oxford, 2011).

The New Cambridge History of the Bible, 4 Bde. (Cambridge, 2012–2015).

Form and Function in the Late Medieval Bible, hrsg. von Eyal Poleg und Laura Light, Library of the Written Word, 27, The Manuscripts World, 4 (Leiden, 2013).

Norbert Wolf, *Buchmalerei verstehen* (Darmstadt, 2014).

HANDSCHRIFTENVERZEICHNIS

BRITISH LIBRARY

HANDSCHRIFTEN IN ANDEREN SAMMLUNGEN

BAMBERG

BIRMINGHAM

BREMEN

CAMBRIDGE

CANTERBURY

DARMSTADT

DOUAI

EL ESCORIAL

FLORENZ

LOS ANGELES

NEW YORK

OXFORD

PARIS

ROVIGO

TOLEDO

UPPSALA

UTRECHT

VATIKANSTADT

WIEN

PERSONEN- UND SACHVERZEICHNIS

kursive Seitenzahlen verweisen auf Abbildungen; HRR = Abkürzung für Heiliges Römisches Reich

DANK

Wir danken all den zahlreichen Kollegen und Freunden, die uns mit wertvollen Hilfen zu verschiedenen Aspekten dieses Buches unterstützt haben, darunter Colin Baker, Nicolas Bell, Alixe Bovey, Claire Breay, Elisabetta Caldelli, Andrea Clarke, Christina Duffy, Sam Fogg, James Freeman, Michael Gullick, Christine Haney, Julian Luxford, Patricia Lovett, John Lowden, Francesca Manzari, Sally Nicholls, Laura Nuvoloni, Stella Panayotova, Ioanna Rapti, Paola Ricciardi, Janet Robson, Ilana Tahan, Chantry Westwell und Joe Whitlock Blundell. Ein großes Dankeschön an Sarah Biggs, Richard Gameson, David Ganz, Michael Kauffmann, Hannah Morcos, Cillian O'Hogan, Lucy Freeman Sandler und Rose Walker für die Prüfung der Entwürfe von verschiedenen Beiträgen, ihre ausführlichen Kommentare und ihre wertvolle Kritik haben uns sehr geholfen. Besonders dankbar sind wir Peter Dawson von Grade Design für seine Geduld und sein wundervolles Design, Rosemary Roberts für ihre sorgfältige Bearbeitung, Susanna Ingram von Thames & Hudson für ihre Gründlichkeit und ihr fachkundiges Augenmerk im Hinblick auf Farbbalance und Präzision der Bilder, und wir danken David Way, Lara Speicher und Rob Davies von British Library Publications past and present sowie Julian Honer von Thames & Hudson für seinen Glauben an dieses Buch und sein großes Engagement, es bis zur jetzigen Fertigstellung zu bringen.

Veröffentlicht gemäß Vereinbarung mit Thames & Hudson Ltd, London
Die englische Originalausgabe erschien unter dem Titel
The Art of The Bible. Illuminated Manuscripts in The Medieval World.

Diese Ausgabe erscheint in deutscher Erstübersetzung bei der Wissenschaftlichen Buchgesellschaft, Darmstadt.

Die Deutsche Nationalbibliothek verzeichnet diese Publikation in der Deutschen Nationalbibliografie; detaillierte bibliografische Daten sind im Internet über http://dnb.d-nb.de abrufbar.

Der Theiss Verlag ist ein Imprint der WBG.

Die Herausgabe des Werkes wurde durch die Vereinsmitglieder der WBG ermöglicht.
Satz: Verlagsservice Henninger GmbH, Würzburg
Umschlaggestaltung: schreiberVIS, Bickenbach
Gedruckt auf säurefreiem und alterungsbeständigem Papier
Printed in China

Besuchen Sie uns im Internet: www.wbg-wissenverbindet.de

ISBN 978-3-8062-3617-0